Las Aventuras del Capitán Joseph Bates

Adventist Pioneer Library

Título del original en Inglés:
The Autobiography of Elder Joseph Bates

Publicada originalmente en inglés por la Asociación Publicadora Adventista del Séptimo Día, Battle Creek, Michigan, 1868

37457 Jasper Lowell Rd
Jasper, Oregon, 97438, USA
+1 (877) 585-1111
www.APLib.org

Apoyo: **Centro de Investigaciones Elena G. de White – Brasil**

Traducción: Rolando Itin
Revisión: Miguel Valdivia
Diseño: Uriel Vidal

Nota del traductor: Las distancias sobre tierra firme han sido traducidas usando el equivalente de las millas terrestres (1 milla =1,6 km), y las distancias marinas, con el equivalente a la milla marina (1 milla marina = 1,85 km).

Impreso en EE.UU. / *Printed in USA*

Abril, 2017

ISBN: 978-1-61455-050-1

AUTOBIOGRAFÍA

— DEL —

PASTOR JOSEPH BATES

ABRAZANDO

UNA LARGA VIDA A BORDO DE BARCOS

CON ANOTACIONES DE

VIAJES EN LOS OCÉANOS ATLANTICO Y PACÍFICO, Y LOS MARES DEL BÁLTICO Y EL MEDITERRÁNEO;

— TAMBIÉN —

Reclutamiento Forzado y Servicio a Bordo de Buques de Guerra Británicos, Encarcelamiento Prolongado en la Prisión de Dartmoor, Experiencias Pioneras en los Movimientos de Reforma;

VIAJES EN VARIAS PARTES DEL MUNDO;

Y UN BREVE RECUENTO DE

El Gran Movimiento Adventista de 1840-1844

PRENSA DE VAPOR
DE LA ASOCIACIÓN PUBLICADORA ADVENTISTA DEL SÉPTIMO DÍA,
BATTLE CREEK, MICHIGAN

1868

Yours in the blessed hope
Joseph Bates

Joseph Bates (1792-1872)

Índice de Contenidos

Prefacio

Amigos y familiares me han solicitado con frecuencia que escriba una breve historia de mi vida pasada, pero nunca me sentí seriamente inclinado a hacerlo hasta el año 1858, cuando mis amigos del oeste me solicitaron una serie de artículos en relación con mi vida pasada, para un periódico titulado "The Youth's Instructor" [El Instructor de la Juventud], publicado en Battle Creek, Míchigan. En atención a sus deseos, preparé cincuenta y un artículos que se publicaron en aquel periódico, hasta mayo de 1863.

Como esos números casi están agotados, otra vez accedí al pedido de mis amigos de proveerles, con números adicionales, la publicación de lo mismo en forma de libro.

Joseph Bates.
Monterrey, Míchigan, 1º de mayo de 1868.

Las Aventuras del

Capitán Joseph Bates

Capítulo 1

Ascendencia – Nacimiento – Residencia – Primer viaje al extranjero – Hurl Gate – London Water para marineros – La historia del Sr. Lloyd – el Sr. Moore y su libro – Diario del mar – Al agua – Tiburón

Mi honorable padre y sus antepasados residieron por muchos años en el pueblo de Wareham, condado de Plymouth, Estado de Massachusetts. Mi madre era hija del Sr. Barnebas Nye, del pueblo de Sandwich, condado de Barnstable; ambos pueblos estaban a solo unas pocas horas a caballo del famoso lugar de desembarco de los Padres Peregrinos.

Mi padre fue voluntario en la Guerra Revolucionaria, y siguió en el servicio de su país durante su lucha de siete años. Cuando el General Lafayette visitó de nuevo los Estados Unidos en 1825, entre las muchas personas que pugnaban por darle la mano en las salas de la recepción de la ciudad de Boston, estaba mi padre. Al acercarse, el general lo reconoció, y le tomó la mano diciendo: "¿Cómo está, mi viejo amigo, Capitán Bates?" Alguien preguntó: "¿Usted lo recuerda?" La respuesta fue más o menos la siguiente: "Ciertamente; estuvo bajo mi mando inmediato en el ejército norteamericano", etc.

Después de la guerra, mi padre se casó y se estableció en Rochester, un pueblo vecino, en el condado de Plymouth, donde nací, el 8 de julio de 1792. En la primera parte de 1793 nos mudamos a New Bedford, a poco más de once kilómetros [siete millas] de distancia, donde mi padre entró en el comercio.

Durante la guerra con Inglaterra, en 1812, el pueblo de New Bedford se dividió, y la parte este se llamó Fairhaven. Este siempre fue mi lugar de residencia, hasta que me mudé con mi familia a Míchigan, en mayo de 1858.

En mis días de escuela primaria, mi mayor deseo era llegar a ser marinero. Solía pensar cuán agradecido estaría con solo subirme a bordo de un barco que saliera en un viaje de descubrimiento alrededor del mundo. Quería ver cómo lucía el otro lado. Siempre que pensaba en pedir a mi padre su consentimiento para embarcarme, mi valor me abandonaba por temor de que dijera no. Cuando compartía mi obsesión con mi madre ella trataba de disuadirme, y me recomendaba otra ocupación, hasta que al fin se me permitió ir en un corto viaje con mi tío a Boston, etc., para curarme, pero esto tuvo el efecto opuesto. Fue entonces que aceptaron mis deseos.

Un barco nuevo llamado Fanny, de New Bedford, con Elías Terry como comandante, estaba a punto de salir para Europa, y él acordó con mi madre llevarme en el viaje como grumete.

En junio de 1807, zarpamos de New Bedford, para recibir nuestra carga en la ciudad de Nueva York, para Londres, Inglaterra. En nuestro camino a Nueva York pasamos por el canal de Nueva York. En esta ruta, a varias millas de la ciudad, hay un paso muy angosto y peligroso, con rocas del lado derecho, y una orilla llena de rocas por la izquierda, llamada "Hurl Gate" [Puerta de lanzamiento]. Lo que lo hace tan peligroso es la gran corriente que pasa por este estrecho canal. Al subir y bajar la marea en cada dirección, fluye con tanta impetuosidad que pocos se atreven a aventurarse a navegar en contra de esa corriente si no tienen un viento estable y fuerte a su favor. Por falta de vigilancia y cuidado muchas embarcaciones han sido apartadas de su curso por esta espuma rugiente, y arrojadas contra las rocas, destrozadas y perdidas en pocos momentos. Los marineros lo llaman "Hell's Gate" [Puerta del infierno].

Cuando nuestro gallardo barco nos acercaba a la vista de este lugar terrible, el piloto tomó a su cargo el timón, y solicitó que el capitán llamara a cubierta a toda la tripulación. Luego nos ubicó en diversas partes del barco, con el propósito de manejar las velas en caso de una emergencia, de acuerdo con su juicio. Luego nos pidió que nos mantuviéramos en silencio al pasar por este paso peligroso, para que pudiéramos comprender mejor sus órdenes. De este modo, cada hombre y muchacho en su puesto, con sus ojos fijos silenciosamente en el piloto, esperando sus órdenes, nuestro buen barco atravesó volando las aguas espumosas, y pasó con toda seguridad hasta anclar frente a la ciudad.

El conocimiento experiencial y completo de nuestro piloto, su conducción de nuestro airoso barco con toda seguridad a través de ese peligroso canal de entrada, con la atención silenciosa y expectante de su tripulación, quedaron estampadas profundamente en mi mente. La prontitud y la acción en tiempos peligrosos en el océano, con la bendición de Dios, han salvado a miles de almas de una tumba líquida.

Nuestro buen barco fue cargado con trigo de calidad, a granel, por sus escotillas. Se temía que se hundiría por su pesada carga. En la víspera de nuestra partida, el Sr. M. Eldridge, entonces nuestro maestre principal, venía en dirección al barco en la oscuridad de la noche, con una linterna encendida en su mano, cuando cayó del tablado al río, entre el barco y el muelle, donde la marea corría a la razón de seis a nueve kilómetros por hora [tres a cinco millas por hora]. El Sr. Adams arrojó al azar una soga enrollada bajo el muelle, y afortunadamente aquel la pudo agarrar, y después de algunos esfuerzos, fue izado a cubierta. Cuando pudo recobrar el aliento, lamentó la pérdida de su farol nuevo. Dijo el Sr. A.: "¿Qué dice, señor? Lo tiene en su mano". Si hubiera sido una bala de cañón, es muy probable que lo hubiera llevado al fondo, pues las personas que se están ahogando se aferran mortalmente a lo que tienen en sus manos.

Tuvimos una navegación placentera a través del océano Atlántico. En nuestro paso hacia el norte por el Canal Inglés, entre Francia e Inglaterra, descubrimos una cantidad de barriles que flotaban sobre el mar. La vela alta principal fue recogida, y se bajó un bote tripulado, que pronto regresó al barco fuertemente cargado con ginebra y aguardiente. Los impuestos sobre tales artículos son tan altos en Inglaterra, que los contrabandistas a veces pueden darse el lujo de perder toda la carga, y sin embargo hacer un negocio rentable. Pero si son atrapados por las lanchas del servicio de impuestos, o buques de guerra en su intento de defraudar al gobierno, el castigo prácticamente los arruina para toda la vida. Por eso, arrojan y atan con sogas y boyas las bebidas alcohólicas, de modo que si las buscan diligentemente, las vuelven a encontrar cuando los perseguidores se han ido.

Al llegar con seguridad al muelle de Londres, los oficiales ingleses que vinieron a inspeccionar nuestra carga, al abrir las escotillas, expresaron su sorpresa de ver el trigo, limpio y seco, casi al tope, tan fresco como cuando salimos de Nueva York. Cuando salimos de descargar en el muelle hacia al río Támesis, y comenzamos a llenar nuestros depósitos de agua para el viaje de regreso, con agua de río que pasaba a nuestro lado en dirección al gran océano, pensé, cómo podría una persona beber esa agua tan asquerosa. Chorros de agua barrosa verde, amarilla y roja, se mezclaban con la inmundicia de miles de barcos, y la inmundicia de una gran parte de la ciudad de Londres. Después de unos pocos días, se asentaba y estaba clara, a menos que agitara el fondo de los barriles. Unos cuatro años después de esto, siendo en ese entonces un marino reclutado por el servicio británico, asignado al Rodney, un barco de setenta y cuatro cañones en el Mar Mediterráneo, cuando estábamos vaciando todas nuestras reservas de agua dulce; los barriles de abajo estaban llenos con la misma agua del río Támesis, a poca distancia de Londres. Habían quedado taponados por unos dos años. Al comenzar a abrirlos y aplicar la llama de nuestras velas, producían una llamarada de unos 30 cm de alto, como cuando se quema aguardiente fuerte. Antes de revolver el fondo, se exhibió algo del agua clara ante los oficiales en vasos de vidrio, y la anunciaron como el agua más pura y mejor, a solo dos años de Londres. Admito que parecía transparente y tenía buen gusto, solo que por mi conocimiento previo de su origen hubiera preferido apagar mi sed con algo de los puros manantiales de las Montañas Verdes de Vermont, o los cerros de granito de New Hampshire.

Entre nuestros pasajeros a Nueva York estaba un Sr. Loyd, maestre principal de un barco de Filadelfia que estaba detenido en Londres. Él relató, de manera muy seria, un incidente muy singular que ocurrió algunos años antes, mientras era marinero en Filadelfia. Dijo que nunca se había atrevido a contarlo a su madre ni a sus hermanas. Trataré de relatarlo en sus propias palabras. "Una noche, estaba alojado fuera de mi casa en otra parte de la ciudad, cuando la casa fue rodeada por la policía. Por temor de ser identificado con los que perturbaban la paz, hui de mi cama a la calle con solamente el camisón puesto, y finalmente me escondí en el mercado, mientras un amigo que estaba conmigo volvió para buscar mi ropa. Cerca de medianoche un grupo de hombres que pasaba por el mercado, me descubrió, y después de algunas preguntas acerca de quién era yo, etc., dijeron: 'Hagan que este hombre camine delante de nosotros'. Mis ruegos fueron en vano; me mantuvieron delante de ellos hasta que entramos en el cementerio, a unos tres kilómetros fuera de la ciudad. Allí llegamos a una gran piedra plana con un gancho de hierro en ella. En el gancho pusieron una soga fuerte, que traían consigo, con la que elevaron la piedra. Esto abrió una bóveda familiar, donde había sido depositada ese día una distinguida dama judía. Ellos querían las joyas que ella llevaba puestas. Ahora, la pregunta inquietante era: ¿quién bajaría a la bóveda para conseguir las joyas? Dijo uno: *'Aquí está el hombre'*. Yo les rogué y supliqué, por amor de Dios, que no me exigieran cometer ese acto espantoso. Mis ruegos fueron desoídos; me empujaron a la bóveda, ordenándome que tomara las joyas. Traté de hacerlo, y luego regresé a la apertura, y dije que los dedos estaban tan hinchados que no podía sacar los anillos. 'Aquí hay un cuchillo', dijo uno, 'tómalo y córtale los dedos'. Comencé a rogarles otra vez, pero me hicieron comprender que no había alternativa; o hacía eso, o allí me quedaba. Casi muerto de miedo, le tomé las manos [a la mujer] y le corté los dedos, y cuando volví a la abertura de la bóveda, me pidieron que se las pasara. Tan pronto como las tomaron, bajaron la piedra y salieron corriendo.

"Me sentí abrumado por mi situación desesperada, condenado a morir una muerte por demás horrible, y temiendo cada momento que el mutilado cadáver me agarrara. Escuché el ruido de los ladrones hasta que todo quedó en un silencio mortal. No podía mover la piedra que estaba sobre mí. Después de un poco, oí un ruido sordo distante, que siguió aumentando hasta que oí voces extrañas sobre la bóveda. Pronto advertí que se trataba de otra pandilla, probablemente desconocida por la primera, y que estaban colocando su soga para levantar la misma losa. De inmediato decidí qué hacer para salvarme. Al levantarse la losa, salté de la bóveda en mi camisón blanco. Espantados, todos huyeron hacia la ciudad, corriendo a tal velocidad que me era difícil mantenerme tras ellos, y a la vez temiendo que si se detenían, me descubrirían y me tomarían. Antes de llegar a la ciudad, me había acercado a los dos que iban más atrasados, cuando uno de ellos gritó a su compañero: *'¡Patricio! ¡Patricio! La vieja está pisándonos los talones'.* Atravesaron el mercado huyendo de mí, porque allí me detuve para esconderme. Después de un tiempo, me encontró mi amigo que había ido a buscarme ropa, y regresé a casa".

Antes de zarpar en nuestro viaje, un hombre de buena presencia, de unos veinte años, subió a bordo, afirmando que había venido de Filadelfia, Pennsylvania, para conseguir un pasaje a Londres. Dijo que no tenía medios ni manera de pagar su pasaje. También dijo que su único objetivo en ir a Londres era obtener cierto libro, (cuyo título he olvidado), que no se podía conseguir en ninguna otra parte. Finalmente fue embarcado como novato en la sección de los marineros.

Esto era bastante novedoso entre los marineros, que un hombre, que no tenía deseos de ser marinero, estuviera dispuesto a soportar las dificultades de un viaje de siete meses, sin otro propósito que conseguir un libro, y sin tampoco tener la certeza de lograrlo.

Pero al llegar a Londres, el capitán le dio un anticipo de dinero, y antes de la noche él volvió muy feliz por haber encontrado el libro. A menudo lamenté que nuestro trato concluyó con ese viaje, porque con frecuencia pensé, que si se mantuvo con vida, estaba destinado a ocupar algún cargo importante entre los hombres.

Cuando me recuperé de mi mareo, comencé mi diario de viaje, para seguir el rumbo del barco, y los incidentes diarios del viaje. Este y otros diarios que procuré más tarde mantener, habrían sido de mucho valor para mí cuando comencé esta tarea, pero fueron utilizados o destruidos, después de mi último viaje.

Relataré una circunstancia que sucedió en nuestro viaje de vuelta, unos 18 días después de partir de Land's End, de Inglaterra.

En la mañana (de un domingo) un gran tiburón nos seguía. Ataron un gran trozo de carne a una soga y lo arrojaron por la popa para tentarlo a acercarse más, para que pudiéramos ponerle un hierro con púas hecho para tal propósito; pero ningún estímulo nuestro parecía afectarlo. Mantenía su posición, donde pudiera atrapar cualquier cosa que cayera de ambos lados del barco.

En tales ocasiones, revivían las viejas historias acerca de tiburones; cómo se tragaban vivos a los marineros, y en otras ocasiones los partían en dos de un mordisco, y los tragaban en dos bocados, etc. Oyen tanto de ellos que les atribuyen más sagacidad de la que realmente les corresponde. Se dice que tiburones han seguido navíos en el océano durante muchos días cuando había algún enfermo a bordo, para saciar su voraz apetito con los cadáveres que se arrojan al mar. Los marineros, en general, son hombres valientes que no tienen temor; se atreven a enfrentarse a sus compañeros en casi cualquier conflicto, y a afrontar las violentas tempestades en el mar; pero la idea de ser tragados vivos, aun estando muertos, por estas voraces criaturas, a menudo hace temblar sus corazones intrépidos. Sin embargo, con frecuencia son crédulos y supersticiosos.

Hacia el atardecer del día que mencioné, cuando habíamos cesado nuestras infructuosas labores para atraer al tiburón de su invariable posición detrás del barco, subí al tope del mástil principal para verificar si había algún navío a la vista, o algo que se pudiera ver entre el cielo y el agua. En mi descenso, habiendo llegado a unos quince metros [cincuenta pies] de la cubierta y unos dieciocho [sesenta pies] de la superficie del agua, no alcancé al lugar donde tenía la intención de aferrarme con la mano, y caí hacia atrás, golpeando una soga en mi caída, lo que impidió que me destrozara en cubierta, pero me arrojó volando al mar. Al salir a la superficie de las olas, luchando y procurando respirar, vi de reojo que mi barco, mi única esperanza, estaba pasando más allá de mi alcance. Con la impedimenta de mi ropa gruesa y pesada, usé toda mi fuerza para seguir al barco. Vi que el capitán, los oficiales y la tripulación corrieron a la popa. El primer oficial arrojó una soga con todas sus fuerzas, y pude atrapar el extremo de ella. Me gritó: "Aférrate". Lo hice hasta que me arrastraron e izaron a bordo, y pusieron mis pies sobre cubierta.

A la pregunta de si estaba herido, respondí, "No". Otro dijo, "¿Dónde está el tiburón?" Ahí comencé a temblar, así como ellos habían temblado cuando estaban en un ansioso suspenso temiendo que éste me atacara en cualquier momento. El recuerdo del tiburón nunca entró en mi mente mientras estuve en el agua. Crucé la cubierta para ver del otro lado, y he aquí, estaba nadando tranquilamente junto a nosotros, no lejos del costado del barco, aparentemente inconsciente de nuestra mirada. Y no lo perturbamos de ningún modo; porque los marineros y los pasajeros estaban todos muy contentos de que el grumete había sido rescatado, no solo de una tumba líquida, sino de sus feroces fauces, así que no teníamos la disposición de molestarlo. Pronto desapareció, y no lo vimos más. Pero lo maravilloso fue cómo se había cambiado de posición a un lugar donde ni podía vernos ni escuchar lo que pasaba del otro lado y en la popa del barco.

El siguiente dato de un periódico público, ilustra la voracidad de estas criaturas:

ENCUENTRO DESESPERADO CON UN TIBURÓN

SOUTHOLD, L. I., 9 de septiembre de 1865.

"*Al Director del Herald:* Unos pocos días desde que la goleta Catherine Wilcox, de Lubec, Maine, viniendo de Nueva York hacia Eastport y Lubec, estando frente a este lugar, el capitán George McFadden se encontró con lo que se llama 'calma muerta' o 'calma chicha'. Pareciendo una oportunidad propicia, el capitán y un joven llamado Peter Johnson, que anteriormente fue miembro de la Primera Artillería Pesada de Maine, y que fue herido en el cuello en Spottsylvania, Virginia, decidieron gozar de un baño de agua de mar.

"Saltando al agua, no pasaron muchos minutos cuando, según dijo el joven Johnson, vio algo 'todo blanco', y en un instante fue llevado bajo la superficie a una profundidad de unos seis metros [veinte pies]. Entonces descubrió que estaba en las fauces de uno de esos feroces tiburones comedores de hombres. Luchando con todas sus fuerzas, Johnson logró zafarse y alcanzar otra vez la superficie; pero el tiburón pronto lo atacó, y siguió mordiéndolo en diversas partes del cuerpo, cuando el joven recordó el ardid marinero de meterle los dedos en los ojos del tiburón, y lo hizo, y para su no pequeña satisfacción pronto vio que el enfurecido monstruo huía de él. Johnson entonces nadó hacia la embarcación, y siendo izado a bordo, descubrieron que había sido ferozmente herido en el abdomen —le faltaba toda la sección inferior—, y también ambos muslos y un hombro estaban terriblemente lacerados. Como no había viento para ir a ninguna parte, la tripulación lo llevó en el esquife y remaron casi quince kilómetros [ocho millas] al pueblo de Greenport, donde le cosieron sus heridas y lo curaron. Intervinieron los Dres. Kendall, Bryant y Skinner, y pusieron al joven lo más cómodo que pudieron en esas circunstancias. Cada hora que pasa se encuentra peor, y no hay mucha esperanza de que se recupere. El Canal está ahora lleno de esos monstruos rapaces, y si alguno de nuestros pescadores de Nueva York les interesara probarse, este es el mes para atacarlos. Nuestros aldeanos los atrapan y llevan a tierra con perfecta seguridad casi cada día.

Capítulo 2

Naufragio en el hielo – Intento de arrojar al agua al capitán – Liberación – Llegada a Irlanda – Prosecución de nuestro viaje – Convoy británico – Parte de nuestro cable – Apresados por corsarios – Naturaleza de un juramento, y la caja – Barco condenado – Viaje por el Báltico – Llegada a Irlanda – Integrado al servicio británico

En otro viaje desde Nueva York a Arkangelsk, en Rusia, por mitad de mayo, en la tarde, descubrimos una cantidad de islas de hielo, muchas de las cuales parecían como ciudades grandes. Esta era una señal inequívoca de que nos estábamos acercando a los bancos de Terranova, a unas mil millas del recorrido marino de Boston a Liverpool. Estas grandes masas, o islas de hielo, son impulsadas por el viento y la corriente desde las regiones cubiertas de hielo del Norte, y llegan a tener más de trescientos pies [100 m] de profundidad, y en algunas estaciones demoran de dos a tres meses en disolverse y romperse en pedazos, lo que las alivia de sus prodigiosas cargas, y son empujadas hacia adelante por sobre estas aguas profundas a las partes del océano insondables, y pronto se disuelven en el agua de mar más caliente.

Un viento muy fuerte del oeste nos impulsaba rápidamente en nuestro curso, y al hacerse de noche habíamos pasado este conglomerado. La niebla entonces se hizo tan densa que era imposible ver nada a tres metros [diez pies] delante de nosotros. Por estas horas, mientras un tal W. Palmer estaba timoneando el barco, oyó que el maestre principal estaba protestando al capitán, deseando poner al barco al pairo esperando la luz de la mañana. El capitán decidió que habíamos pasado todo el hielo, y dijo que el barco debía continuar avanzando, y que tuviera un buen vigía en la proa. Vino la medianoche, y fuimos remplazados en nuestros puestos por la guardia del capitán, para descansar abajo por cuatro horas. Después de alrededor de una hora, fuimos despertados por el terrible grito del timonel, "*¡Una isla de hielo!*" ¡Al momento siguiente sentimos el espantoso choque! Cuando me recuperé del golpe que recibí al ser arrojado de un lado del castillo de proa al otro, encontré que Palmer me tenía agarrado. El resto de la guardia había escapado a cubierta y cerrado la escotilla. Después de varios intentos fracasados de encontrar la escalera para alcanzar la escotilla, nos rendimos desesperados. Nos rodeamos mutuamente el cuello con los brazos, y nos entregamos para morir. En medio de los crujidos y quejidos del barco en su pugna con el ancla, de vez en cuando podíamos oír los gritos y clamores de algunos de nuestros desgraciados compañeros en la cubierta superior, rogando a Dios por misericordia, lo que solo aumentaba nuestros sentimientos de desesperación. Los pensamientos corrían como la luz, y parecían ahogarnos, y por momentos, bloqueaban toda posibilidad de expresión.

¡Oh, pensamiento terrible! Aquí, a punto de rendir cuentas al Creador y morir, y hundirnos con el barco destrozado al fondo del mar, tan lejos del hogar y los amigos, sin la más mínima preparación, ni esperanza de un Cielo y la vida eterna, solo para ser contado entre los condenados y expulsados de la presencia del Señor. ¡Parecía que algo debía ceder para dar expresión a mis sentimientos de angustia inexpresable!

En este momento agónico, la escotilla se abrió, con un grito: "¿Hay alguien allí abajo?" En un instante ambos estábamos sobre cubierta. Por un momento me detuve a considerar nuestra situación; a la proa del barco, parcialmente bajo una plataforma de hielo, solo le quedaba la roda. Todas sus velas cuadradas infladas por el viento, y un mar alborotado impulsaban al barco hacia una conexión más estrecha con su adversario impávido. Sin un cambio inmediato, era evidente que nuestro destino, y el del barco, quedarían sellados en unos pocos momentos.

Con alguna dificultad me dirigí al alcázar, donde el capitán y el segundo maestre estaban sobre sus rodillas implorando misericordia a Dios. El maestre principal, con tantos hombres como pudo reunir a su alrededor, estaban haciendo esfuerzos infructuosos para izar la chalupa, que no podría haber evitado chocar contra el hielo ni por dos momentos. En medio del estrépito de los materiales y el clamor de otros, mi atención fue atraída por el grito del capitán: "¿Qué vas a hacer conmigo, Palmer?" Y Palmer dijo: "¡Lo arrojaré por la borda!" "¡Por amor de Dios, déjame tranquilo", dijo aquél, "porque estaremos todos en la eternidad en menos de cinco minutos!" Palmer dijo con un espantoso juramento: "¡No me importa, usted fue la causa de todo esto! ¡Me dará un poco de satisfacción ver que usted se vaya primero!" Yo lo tomé con fuerza, y le pedí que soltara al capitán y fuera conmigo a probar la bomba. Rápidamente cedió a mi pedido; y para nuestro total asombro, la bomba *comenzó a chupar aguar*. Esta buena noticia inesperada atrajo la atención del maestre principal, quien inmediatamente abandonó su inútil tarea, y después de observar un momento la posición del barco encallado, gritó con una voz estentórea: "¡Suelten las drizas del juanete y de la gavia! ¡Suelten las sogas y las escotas! ¡Bajen y aseguren las velas superiores!" Tal vez nunca sus órdenes fueron obedecidas más rápida e instantáneamente. Quitarle el viento a las velas alivió de inmediato al barco, y como una palanca que se desliza bajo una roca, se separó de su posición desastrosa, y se quedó en equilibrio con un costado hacia el hielo.

Ahora vimos que nuestro barco, elegante y sólidamente construido, era una perfecta ruina desde la proa hasta el mástil principal, y ese mástil, a todas luces, también estaba a punto de ceder; pero lo que más temíamos era que los mástiles y las vergas se pusieran en contacto con el hielo, en cuyo caso, el mar agitado del otro lado arrollaría la cubierta, y nos hundiría en pocos momentos. Mientras esperábamos ansiosamente, veíamos que las olas pasaban ante nuestra proa en dirección al lado occidental del hielo, y regresaban impetuosamente contra el barco, impidiendo así que entrara en contacto con el hielo, y también lo movía hacia adelante, hacia el extremo sur de la isla flotante, que era tan alta que no podíamos ver su cumbre desde el mástil.

En este estado de suspenso éramos incapaces de inventarnos alguna forma de escapar, fuera de que Dios, en su providencia, se nos manifestara, como describimos antes. ¡Alabado sea su santo nombre! "Inescrutables [son] sus caminos". Como a las cuatro de la mañana, mientras toda la tripulación estaba ocupada intensamente en la limpieza de la ruina, se elevó un grito: "¡Allá está el horizonte, y *es de* día! Esta era una indicación suficiente de que estábamos pasando del lado occidental de la isla de hielo, más allá del extremo sur de ella, donde podíamos cambiar el curso del barco por medios humanos. "¡Afirmen el timón", gritó el capitán, "y mantengan el barco delante del viento! ¡Aseguren el mástil delantero! ¡Limpien los escombros!" Baste decir, que catorce días después llegamos con seguridad al río Shannon, en Irlanda, donde hicimos reparaciones para nuestro viaje a Rusia.

> "Los que descienden al mar en naves, y hacen negocios en las muchas aguas, ellos han visto las obras de Dios y sus maravillas en las profundidades... Sus almas se derriten con el mal... Entonces claman a Jehová en su angustia, y los libra de sus aflicciones... Alaben la misericordia de Jehová, y sus maravillas para con los hijos de los hombres". Salmo 107.

Queridos amigos, cualquiera sea su profesión, "Buscad *primeramente* el reino de Dios y su justicia, y todas estas cosas os serán añadidas" (Mat. 6:33), y tengan sus pies plantados a bordo del barco del evangelio. El

Dueño de este navío majestuoso, con rumbo al hogar, muestra el cuidado máximo por cada marinero a bordo; aun hasta contar el cabello de sus cabezas. Él no solo paga los salarios más altos, sino que ha prometido a cada uno que cumple fielmente su deber una recompensa sumamente grande. Para que todos los peligros de este viaje sean sobrepasados con seguridad, él ha ordenado a sus santos ángeles (Hebreos 1:14) que ayuden y vigilen este precioso grupo, para que no dejen de ver a través de todo el vapor y la neblina, y alerten de todos los peligros en su senda. Además, él ha dotado a su querido Hijo de todo el poder, y lo ha dado por Comandante y hábil Piloto, para llevar este buen navío y su compañía al cielo destinado para ellos. Entonces él los vestirá con inmortalidad, y les dará la tierra hecha nueva como herencia eterna; y los hará reyes y sacerdotes para Dios para que "reinen en la tierra".

Después de reparar los daños en Irlanda, zarpamos otra vez en nuestro viaje a Rusia, y en pocos días encontramos y nos unimos a un convoy inglés de dos o trescientos barcos de vela comerciales, con destino al Mar Báltico, protegido de sus enemigos por barcos de guerra británicos. Al llegar a un lugar difícil llamado "pasaje Mooner", nos sobrecogió un vendaval violento, que, a pesar de nuestros esfuerzos, nos impulsaba a una costa deprimente y sin protección. Con la creciente furia del vendaval, y la oscuridad de la noche, nuestra situación llegó a ser más y más alarmante, hasta que finalmente nuestro comodoro levantó la "linterna encendida", señal para que toda la flota anclara sin demora.

Finalmente llegó la mañana ansiada por largo tiempo, que nos reveló nuestra situación alarmante. Todos los que tenían cables estaban luchando con el mar agitado por el furioso vendaval. Nos parecía casi un milagro que nuestros cables y anclas todavía resistían. Mientras veíamos a uno tras otro barco soltarse de sus cables e irse a la deriva contra las rocas para ser destrozados, ¡nuestro cable se rompió! Con toda la premura izamos las velas que nos atrevíamos a izar, y por ser nuestro barco muy veloz, encontramos al día siguiente que nos habíamos alejado bastante del grupo. Aquí se convocó a un concilio, que decidió que debíamos desplegar las velas, separarnos del convoy y correr el riesgo de cruzar solos el canal, junto a la costa de Dinamarca.

No muchas horas después de esto, mientras nos felicitábamos por haber escapado por un pelo de un naufragio, y por estar fuera del alcance de los cañones del comodoro, dos navíos sospechosos estaban tratando de aislarnos de la costa. Las balas de sus cañones pronto comenzaron a caer a nuestro alrededor, y llegó a ser aconsejable que nos pusiéramos al pairo y los dejáramos subir a bordo. Eran dos corsarios daneses, que nos capturaron y nos llevaron a Copenhague, donde el barco y su carga fueron condenados, finalmente, según los decretos de Bonaparte, por nuestras relaciones con los ingleses.

En el transcurso de unas pocas semanas, nos llamaron al tribunal para testificar acerca de nuestro viaje. Antes de esto, nuestro sobrecargo y en parte dueño nos había prometido una buena recompensa si declarábamos que nuestro viaje fue directo de Nueva York a Copenhague, y que no habíamos tenido relaciones con los ingleses. No todos estuvimos de acuerdo con esta propuesta. Finalmente, fuimos examinados separadamente, siendo mi turno el primero. Supongo que me llamaron primero al tribunal porque era el único joven entre los marineros. Uno de los tres jueces me preguntó en inglés si yo entendía la naturaleza de un juramento. Después de responder en la afirmativa, me pidió que mirara a una caja cercana (de unas 15 pulgadas de largo y 8 de alto; 38 cm x 20 cm), y dijo: "Esa caja contiene una máquina para cortar los dos dedos índices y el pulgar de la mano derecha de todos los que juran en falso aquí". "Ahora", dijo, "levanta tus dos dedos índice y el pulgar de tu mano derecha". De esta manera me hicieron jurar que dijera la verdad, y sin otra consideración, testifiqué verazmente sobre nuestro viaje. Después, cuando se nos permitió salir del país, era muy claro que esa "pequeña caja" había obtenido de todos un testimonio honesto; o sea, que habíamos chocado con una isla de hielo catorce días después de salir de Nueva York; reparado en Irlanda, que después nos habíamos unido al convoy británico, y habíamos capturados por los corsarios. Después de esto, algunos de nuestra tripulación, al regresar de una caminata donde habían pasado junto a la cárcel, dijeron que algunos de los presos sacaron las manos a través de las rejas, para mostrar que habían perdido los dedos índices y el pulgar derecho. Eran una tripulación de daneses, que también habían sido capturados, y habían jurado en falso. Ahora nos sentíamos agradecidos por haber sido librados gracias a la verdad.

> "Queremos la verdad en cada detalle,
> También la queremos para practicarla".

Con la condenación de nuestro barco y carga, y la pérdida de nuestros salarios, en compañía de un pueblo extraño que nos había quitado todo menos la ropa puesta, terminó nuestro viaje a Rusia. Pero antes de que llegara el invierno, conseguí una litera a bordo de un bergantín danés, que se dirigía a Pillau, en Prusia, adonde llegamos después de un paso tedioso, ya que a nuestro barco le entraba tanta agua que apenas pudimos evitar que se hundiera antes de llegar al muelle. En esta situación extrema, conseguí una litera en un bergantín norteamericano desde Rusia, en camino a Belfast, Irlanda.

Nuestro viaje desde Prusia a Irlanda estuvo repleto de pruebas y sufrimiento. Era un viaje de invierno que bajaba por el mar Báltico, y a través de pasajes sinuosos de las Tierras Altas de Escocia, bajo un capitán cruel, ebrio y parsimonioso, que nos negaba bastante de la comida más común permitida a los marineros. Y cuando, por causa de esta carencia, alcanzamos una condición famélica, y casi no podíamos bombear para impedir que nos hundiéramos, nos maldecía y amenazaba con un trato más severo si no cumplíamos con sus deseos. Finalmente, después de anclar en una isla para abastecernos de provisiones frescas, zarpamos otra vez hacia Belfast, Irlanda, donde terminaba el viaje. Desde allí, dos de nosotros cruzamos el canal irlandés a Liverpool, para buscar un viaje a América del Norte. Unos pocos días después de nuestra llegada, una "patrulla de reclutamiento" (un oficial y doce hombres) entró a la pensión una tarde y nos preguntó a qué país pertenecíamos. Presentamos nuestros salvoconductos norteamericanos, que probaban que éramos ciudadanos de los Estados Unidos. Los salvoconductos y los argumentos no los satisficieron. Nos tomaron y nos arrastraron al "refugio", un lugar de reclusión muy apretado. Por la mañana fuimos examinados por un teniente naval, y se nos ordenó unirnos a la marina británica. Para impedir que escapáramos, cuatro hombres robustos nos tomaron, y el teniente, con su espada desnuda, iba adelante, y nos condujeron por el medio de una de las calles principales de Liverpool, como criminales condenados en camino a la horca. Cuando llegamos a la orilla del río, había un bote bien tripulado con hombres alertas, y nos trasladaron a bordo del Princess, de la marina real. Después de un rígido escrutinio, fuimos confinados a la cabina de prisión en la cubierta inferior, con unos sesenta otros, que pretendían ser norteamericanos, y habían sido apresados de manera similar a la nuestra. Estos incidentes ocurrieron el 27 de abril de 1810.

Capítulo 3

Intento de fuga – Azotes – Barco San Salvatore -- Intento de huir a nado – Rodney 74 – Barco de guerra español – Un levante – Adoración de imágenes – Otro intento de liberación – Batalla – Tormenta – Naufragio – Escuadrón de bloqueo – Culto a bordo de un navío real – Puerto Mahon – Pasaje subterráneo – Piedra santa – Días de lavado – Amenaza de castigo –Tormenta – Nueva estación

A bordo de ese navío, un sentimiento pareció invadir la mente de todos los que pretendían ser norteamericanos, es decir, que habíamos sido apresados ilegalmente sin ninguna provocación de nuestra parte, y por tanto, sería justificable que pudiéramos recobrar nuestra libertad a como diera lugar. En unos pocos días, la mayor parte de los oficiales y la tripulación llevaron a uno de su grupo a la orilla para enterrarlo. Entonces algunos sugirieron que ese era un momento favorable para que rompiéramos las barras de hierro y las tuercas en la lumbrera, y escapáramos nadando en la fuerte corriente que pasaba junto a nosotros. En romper los barrotes tuvimos más éxito que el que esperábamos y cuando todo estaba listo para arrojarnos por la borda, uno tras otro, vinieron los botes con los oficiales, y descubrieron nuestro lugar de salida. Por esto, comenzaron a tomar a uno tras otro y azotar sus espaldas desnudas de una manera muy inhumana. Esta tarea terrible se realizó por varias horas, y cesó como a las nueve de la noche, con la idea de terminar al día siguiente. Pero no tuvieron tiempo de cumplir su cruel obra, porque se dio la orden de trasladarnos a bordo de una fragata cercana, que levaba sus anclas para salir a mar abierto.

En pocos días llegamos a Plymouth, donde fuimos re-examinados, y todos los que se encontraron en buenas condiciones para el servicio en la marina británica, fueron transferidos a uno de sus navíos estacionarios de mayor tamaño, llamado el "San Salvadore del Mondo". En este monstruoso castillo flotante había mil quinientas personas como yo.

Aquí, en conversación con un joven de Massachusetts, acordamos tratar de escapar aun si perecíamos en el intento. Nos preparamos una soga, y vigilamos cuidadosamente a los soldados y los marineros de guardia, hasta que eran cambiados de sus puestos a media noche. Levantamos entonces la "puerta colgante" unos cuarenta y cinco centímetros [unas dieciocho pulgadas], y pusimos en secreto un extremo en las manos de un amigo, para bajarnos cuando estuviéramos fuera del alcance de las balas de los mosquetes. Nuestra soga y sábana, de unos nueve metros [treinta pies] llegaba hasta el agua. Forbes, mi compañero, susurró: "¿Me sigues?" Yo contesté: "Sí". Para cuando él llegó al agua, yo estaba deslizándome después de él, cuando sonó la alarma por todo el barco: "¡Hombre al agua!" Nuestro amigo soltó su extremo por temor a ser detectado, lo que me dejó expuesto al fuego de los centinelas. Pero pronto estaba en el agua, y nadé para esconderme bajo la escala al costado del barco, para el momento en que tripularon los botes, con faroles, para buscarnos. Esperamos una oportunidad para tomar la dirección opuesta a la de nuestros perseguidores, a quienes desde el barco llamaban repetidamente para saber si habían encontrado a alguno. Teníamos que nadar más de cinco kilómetros [tres millas] hasta la orilla opuesta, con la ropa puesta, menos la chaqueta y los zapatos; yo los había atado del cuello para protegerme de algún tiro desde el barco. Un oficial y algunos hombres con faroles bajaban por la escala lateral, y pasando su mano por un peldaño tocó mi mano, e inmediatamente gritó: "¡Aquí hay uno de ellos! ¡Sal de allí! ¡Aquí hay otro! ¡Salga, señor!" Nadamos alrededor de ellos, y fuimos llevados a la cubierta. "¿Quién es usted?" demandó el oficial. "Un norteamericano". "¿Cómo se atreve a abandonar el barco nadando? ¿No sabe que puede recibir un tiro?" Respondí que no era un súbdito del Rey George, y había hecho esto para ganar mi libertad. "¡Tráiganlos aquí arriba!" fue la orden desde el barco. Después de otro examen nos pusieron en confinamiento con una cantidad de criminales que esperaban su castigo.

Después de unas treinta horas de encierro, me separaron de mi amigo, y me llevaron junto con unos ciento cincuenta marineros (todos extraños para mí) para unirnos al barco de Su Majestad "Rodney", de 74 cañones, cuya tripulación era de unos setecientos hombres. Tan pronto como pasamos inspección en la cubierta del Rodney, se les permitió a todos a bajar para su comida, excepto *Bates.* El Comandante Bolton le entregó un papel al primer teniente quien, después de leerlo me miró y susurró, "bribón". Toda la tripulación de los botes del Rodney, que eran más de cien hombres, fueron reunidos de inmediato en cubierta. El Capitán Bolton dijo: "¿Ven ese hombre?". "Sí, señor". "Si alguna vez le permiten entrar a uno de sus botes, los azotaré a todos sin excepción. ¿Me entienden?" "Sí, señor, sí, señor" fue la respuesta. "Entonces pueden ir a comer, y usted también, señor".

Ahora comencé a comprender algo de la naturaleza de mi castigo por intentar de una manera tranquila y pacífica abandonar el servicio de Su Majestad. En opinión del oficial comandante esto era algo así como un crimen imperdonable, para nunca ser olvidado. En unas pocas horas, el Rodney, bajo una nube de velas, abandonaba el Viejo Plymouth a la distancia, con rumbo a la costa de Francia, para hacer la guerra a los franceses. "La esperanza postergada enferma al corazón"; así mi esperanza de libertad de mi situación opresiva, parecía desvanecerse de mi vista como la tierra que dejábamos a la distancia.

Como nuestro destino final era unirnos al escuadrón británico en el Golfo de Lyon, en el mar Mediterráneo, hicimos una parada en Cádiz, España. Aquí las tropas francesas de Napoleón Bonaparte estaban bombardeando la ciudad y los barcos de guerra británicos y españoles en el puerto. Esta era una parte de la flota española que finalmente escapó de la batalla de Trafalgar, bajo Lord Nelson, en 1805, y sus aliados, los ingleses los repararían, para luego navegar a Port Mahon en el Mediterráneo. Inesperadamente, fui uno de los cincuenta seleccionados para rehabilitar y tripular uno de ellos, el "Apolo". Unos pocos días después de pasar el Estrecho de Gibraltar, nos encontramos con una tormenta violenta de viento, llamado "Levante", común en esos mares, que hizo que nuestro barco se agitara tan excesivamente que con el máximo de esfuerzo de las bombas pudimos mantenernos sin hundirnos. Finalmente fuimos favorecidos con el retorno a Gibraltar y la rehabilitación.

Una cantidad de oficiales españoles con sus familias todavía se encontraban en al barco. Era maravilloso y extraño para nosotros ver cuán tenazmente estas personas se mantenían cerca de sus imágenes, rodeados con velas de cera encendidas, como si ellas pudieran salvarlos en esta hora peligrosa, cuando nada menos que la labor continua de las bombas impedía que el barco se hundiera con todos nosotros.

Después de reaprovisionarnos en Gibraltar, nos dimos a la vela otra vez, y llegamos con seguridad a la isla de Mahon. Aquí hice otro intento de recuperar mi libertad con otros dos, al inducir a un natural a llevarnos a tierra con su bote de provisiones de mercado. Después de dos días y noches de inútil esfuerzo para escapar de la isla con botes o de otro modo, o de aquellos que eran bien pagados por aprehender a desertores, consideramos que era mejor aventurarnos a volver. Aceptaron nuestro regreso voluntario al barco como evidencia de que no teníamos la intención de abandonar el servicio del rey George III. De ese modo escapamos de ser azotados públicamente.

Nuestra tripulación fue llevada de regreso a Gibraltar, para unirnos al Rodney, nuestro barco inicial, que acababa de llegar a cargo de otro barco español de línea para Puerto Mahon, con una tripulación de cincuenta hombres del Rodney. En compañía de nuestro compañero español, navegamos unos ciento cincuenta kilómetros [unas ochenta millas] en camino a Málaga, donde descubrimos que las fuerzas combinadas de Inglaterra y España estaban ocupadas en pelear con el ejército francés a orillas del mar. Nuestro barco pronto fue anclado de costado con la orilla. Como las órdenes de arriar las velas no fue cumplida de inmediato por causa de los tiros franceses desde el fuerte, todos los tripulantes recibieron la orden de subir a cubierta, y quedar allí expuestos al fuego enemigo, hasta que todas las velas estuvieran arriadas. Esto se hizo por enojo. Mientras estábamos en esta condición, un tiro bien dirigido podría haber muerto a una veintena, pero afortunadamente no hubo ningún tiro hasta que todos abandonaron la cubierta. Nuestras balas de quince kilos [treinta y dos libras] produjeron un gran desbande por un tiempo en las líneas enemigas. No obstante, ellos pronto consiguieron poner a sus enemigos entre nosotros y ellos, controlando así nuestro fuego. Luego, con un furioso ataque los empujaron hacia su fortaleza; y muchos, viendo nuestros barcos cerca de la orilla, se arrojaron al mar, y fueron muertos por los tiros de los franceses o se ahogaron, excepto los que los botes traían hasta nuestro barco. Esta labor comenzó como a las 2 p. m., y acabó al ponerse el sol. Después de ocuparnos de los muertos, y de lavar su sangre de las cubiertas, zarpamos con nuestra escolta española hacia Port Mahon. Justo antes de llegar allí, otro levante sobrevino tan repentinamente que fue con mucha dificultad que pudimos manejar nuestro barco recientemente construido. Nuestra escolta española, no preparada para un temporal tan fuerte, fue destrozada en las rocas de la isla de Cerdeña, y casi todos los tripulantes murieron.

Después de la tempestad, nos unimos a la flota británica que consistía en unos treinta buques de guerra, que llevaban de ochenta a ciento treinta cañones cada uno, además de fragatas y corbetas. Nuestra tarea era bloquear una flota mucho mayor de buques de guerra franceses, mayormente en el puerto de Toulon. Con ellos tuvimos ocasionalmente escaramuzas o pequeñas batallas. No estaban preparados ni dispuestos a afrontar a los ingleses en una batalla regular.

Para mejorar nuestras facultades mentales, cuando teníamos unos pocos momentos libres de los deberes del barco y las tácticas navales, se nos proveía de una biblioteca de dos libros escogidos, por cada diez hombres. Teníamos en total setenta bibliotecas similares. El primer libro era una condensación de la vida de Lord Nelson, calculada para inspirar las mentes con actos de valor, y la manera más sucinta de librarse de un enemigo inflexible. Este lo podía leer uno de los diez hombres, cuando tenía un momento de ocio, durante los últimos seis días de cada semana. El segundo era un pequeño libro de oraciones de la Iglesia Anglicana, para uso especial durante una hora en el primer día de la semana.

SERVICIO DE CULTO A BORDO DE UN BUQUE DEL REY

En general, se permitía un capellán para cada buque grande. Cuando el clima era agradable, le agregaban a la cubierta, banderas, bancos, etc., para reuniones. A las 11 de la mañana, el oficial de cubierta daba la orden: "¡Dad seis campanadas!" "Sí, señor". "¡Segundo contramaestre!" "Sí, señor". "¡Todos los marineros a la iglesia!" Estos contramaestres debían llevar consigo un trozo de soga en su bolsillo para acuciar a los marineros. De inmediato sus voces estentóreas se oían por las demás cubiertas, "¡Vamos arriba a la iglesia —cada uno de ustedes— y lleven sus libros de oraciones consigo!" Si alguno se sentía poco inclinado a tal forma de adoración, e intentaba evadir el sonoro llamado a la iglesia, ¡cuidado con los hombres de la soga! Cuando me preguntaron "¿Cuál es tu religión?, contesté "Presbiteriano". Pero entonces se me dio a entender que no había tolerancia religiosa a bordo de los barcos de guerra del rey. "Aquí hay solo una denominación… ¡de cabeza a la iglesia!" Los oficiales, antes de ocupar sus asientos, desprendían sus espadas y dagas, y las apilaban sobre el cabrestante que estaba en medio de la asamblea, todos listos para recogerlas en un instante, si era necesario, antes de terminar la hora del culto. Cuando se pronunciaba la oración final, los oficiales se volvían a colocar las armas en el cinto para el servicio activo. La cubierta se desocupaba prontamente, y la capilla flotante volvía a ser el mismo buque de guerra durante los próximos seis días y veintitrés horas.

Con respecto al culto, el capellán, o en su ausencia, el capitán, leía del libro de oraciones, y los oficiales y marineros respondían. Y cuando leía acerca de la ley de Dios, la sonora respuesta llenaba la cubierta: *"¡Oh, Dios, inclina nuestros corazones para guardar tu ley!"* ¡Pobres almas malvadas e ilusas!, cuán poco estaban sus corazones inclinados a guardar la santa ley de Dios, cuando casi cada hora de la semana, sus lenguas eran empleadas en blasfemar su santo nombre; y al mismo tiempo, aprendiendo y practicando la forma y manera de balear, asesinar y hundir en el fondo del océano a todos los que rehusaban rendirse y transformarse en sus prisioneros, o se atrevían a oponerse, o a declararse en oposición a la proclamación de guerra emitida por su viejo rey cristiano.

El rey George III no solo asumía el derecho de forzar a los marinos norteamericanos a tripular sus barcos de guerra, y a pelear sus injustas batallas, sino también les exigía que asistieran a su iglesia, y aprendieran a responder a sus predicadores. Y siempre que la banda de músicos a bordo comenzaban a tocar "¡Dios salve al rey!, también a ellos, junto con los leales súbditos de éste, se les exigía que se quitaran el sombrero como señal de lealtad a la autoridad real.

En ese tiempo yo albergaba sentimientos de odio hacia los que me privaban de mi libertad, me mantenían en un estado de opresión, y me exigían que sirviera a Dios como ellos querían y que honrara a su rey. Pero agradezco a Dios que nos enseña a perdonar y amar a nuestros enemigos que por medio de su gran misericordia, en Jesucristo, después de eso he encontrado el perdón de mis pecados; que todos esos sentimientos han sido dominados, y mi único deseo es haberles podido enseñar el camino de la vida y la salvación.

El encuentro invernal del escuadrón británico del Mediterráneo era en la isla de Menorca, el puerto de Mahon. Navegar a vela después de mediados del séptimo mes es peligroso. Ver el testimonio de Pablo en Hechos 27:9, 10.

Mientras procurábamos escapar de la vigilancia de nuestros perseguidores, después que salimos del barco mercante español, como conté antes, más allá de la ciudad, a la base de una montaña rocosa, descubrimos una puerta de madera, que abrimos; y a la distancia se veía bastante iluminado. Nos aventuramos en este pasaje subterráneo hasta que llegamos a un gran espacio abierto, donde había luz que descendía por una pequeña abertura en el domo, a través de la montaña. Este pasaje subterráneo continuaba en forma serpenteante, que intentamos explorar hasta donde nos atrevíamos por falta de luz, hasta regresar al centro. A ambos lados de esta calle principal, descubrimos pasajes similares todos más allá de nuestra exploración. Más tarde supimos que esta montaña había sido excavada en tiempos pasados con el propósito de proteger a un ejército sitiado. En el centro o lugar iluminado había una casa grande, esculpida en la roca, con puertas y ventanas, destinada sin duda a los oficiales de los sitiados, y como lugar de encuentro del ejército.

Después de una cuidadosa investigación de este lugar maravilloso, quedamos satisfechos de que habíamos encontrado un lugar seguro para escapar de nuestros perseguidores, donde podríamos respirar y hablar en voz alta sin temor de ser oídos, o atrapados por alguno de los súbditos del rey George III. Pero, ¡oh, no!, nuestra alegría pronto se desvaneció, cuando advertimos que allí no había nada que pudiéramos comer.

Cuando nos atrevimos a ir a una granja para pedir pan, la gente nos miró con suspicacia, y temiendo que nos tomaran presos, y nos entregaran a nuestros perseguidores, los evitamos, hasta que quedamos satisfechos de que sería en vano intentar escapar desde este lugar, así que regresamos al buque. La roca de esta montaña es una clase de arenisca, mucho más dura que la creta, llamada "*holy-stone*", que abunda en la isla, y que la escuadra británica usaba para raspar las cubiertas cada mañana para dejarlas blancas y limpias.

En las estaciones más suaves, el uniforme de los marineros eran camisetas y pantalones blancos de dril, y sombreros de paja. La disciplina era reunir a todos los tripulantes a las nueve de la mañana, y si nuestra vestimenta estaba manchada o sucia, los tales estaban condenados a ser puestos en la "lista negra", y se les exigía hacer toda clase de fregado de los bronces, los hierros, y el trabajo sucio, además de sus tareas específicas, privándolos del tiempo asignado a su descanso y sueño en sus turnos de mañana abajo. No había castigo más temido y desgraciado entre nuestros deberes cotidianos.

Si se nos hubiesen dado suficientes mudas de ropa, y suficiente tiempo para lavarlas y secarlas, hubiera sido un gran placer, y también un beneficio para nosotros, haber aparecido cada día con ropa inmaculadamente blanca, a pesar del sucio trabajo que debíamos hacer. Yo no recuerdo alguna vez que se me diera más de tres conjuntos a la vez para cambiarnos, y solo un día por semana para limpiarlos, o sea, unas dos horas antes del amanecer una vez por semana, y todos los tripulantes (unos 700) eran llamados a las cubiertas superiores para lavar y restregar la ropa. No más de tres cuartos de ellos podían acomodarse para hacer este trabajo al mismo tiempo; pero sin excepción, cuando llegaba la luz del día al final de las dos horas, nos ordenaban colgar de inmediato las ropas lavadas en las cuerdas para la ropa. Algunos decían: No pude conseguir agua ni un lugar para lavar la mía todavía. "¡Lo lamento mucho! saca tu ropa y comienza a refregar y lavar las cubiertas". Las órdenes eran muy estrictas, y si encontraban a alguno secando la ropa en cualquier otra hora fuera de ésta, era castigado.

Para evitar que me descubrieran y castigaran, refregué mis pantalones temprano en la mañana, y me los puse mojados. Como no me gustaba este método, una vez me atreví a colgar mis pantalones mojados en un lugar oculto detrás de la vela principal; pero ordenaron izar la vela con urgencia, y el teniente los descubrió. Los principales hombres de cubierta (unos cincuenta) fueron llamados de su desayuno para subir al alcázar. "Todos aquí, señor", dijo el suboficial que nos había llamado. "Muy bien, ¿de quién son estos pantalones en la vela principal?" Me adelanté de la fila, y dije: "Son míos, señor". "¿Son tuyos? ¡Tú eres un ________!" y cuando terminó de maldecirme, me preguntó: "¿Cómo llegaron allí?" "Yo los colgué para secarlos, señor". "Eres un ______ ______ verás cómo te cuelgo a ti. El resto de ustedes, bajen a seguir su comida", dijo, "y llamen al segundo contramaestre que venga aquí". Éste vino con gran apuro, de su comida. "¿Tiene usted su trozo de soga en el bolsillo?" Comenzó a buscar en sus bolsillos, y dijo: "No, señor". "Entonces ve abajo a buscar una, y dale a este camarada los [peores]... azotes que alguna vez recibió". "Así haré, señor".

Hasta entonces, había escapado a todas sus amenazas de castigo, desde mi llegada al barco. A menudo había solicitado más ropa para poder presentarme con ropa limpia, pero me habían rechazado. Ahora esperaba, de acuerdo con sus amenazas, que él se tomaría su venganza arrancándome trozos de la espalda por intentar tener la ropa limpia, cuando él sabía que no podía tenerla sin arriesgarme de la manera que lo hice.

Mientras yo consideraba la injusticia de este asunto, él gritó: "¿Dónde está el de la soguita? ¿Por qué no se apura a venir?" En ese instante se lo escuchó venir corriendo desde abajo. El teniente se detuvo y se dirigió a mí diciendo: "Si no quieres uno de esos ----- azotes que alguna vez tuviste, corre". Lo miré para ver si hablaba en serio. El suboficial, que parecía sentir la injusticia de mi caso, repitió: "¡Corre!" El teniente le gritó al hombre con la soga: "¡Pégale!" "Sí, sí, señor". Salté hacia adelante, y para cuando él llegó al frente del barco, había saltado la proa, y me situé en posición de recibirlo abajo, cerca del agua, en el bauprés. Él vio de inmediato que exigiría su máxima habilidad el realizar su *placentera* tarea allí. Por lo tanto, me ordenó acercarme a él. "No", le dije, "si me quieres, ven acá".

En esta posición, el Diablo, el enemigo de todo lo bueno, me tentó a buscar una compensación inmediata de mis agravios, o sea, si él me seguía, y persistía en darme el castigo amenazado, lo tomaría y lo tiraría al agua. De los muchos que estaban arriba mirando, ninguno me habló, que yo recuerde, sino mi perseguidor. Según recuerdo, quedé en esa posición más de una hora. Para mi sorpresa y la de otros, el teniente no dio ninguna orden tocante a mí, ni me preguntó más tarde, pero a la mañana siguiente descubrí que estaba entre los hombres de la lista negra por unos seis meses. Doy gracias al Padre de toda misericordia por librarme de realizar una destrucción premeditada por su providencia soberana en aquella hora difícil.

Los buques que pertenecían al escuadrón de bloqueo en el Mar Mediterráneo, eran generalmente relevados y enviados de vuelta a Inglaterra al final de tres años; entonces se les pagaban sus salarios a los tripulantes, y se les daba libertad por veinticuatro horas para gastar su dinero en tierra firme. Como el Rodney estaba en su tercer año de servicio, mi fuerte esperanza de librarme del yugo británico a menudo me alegraba según se acercaba la fecha, en la cual había resuelto emplear todas mis energías para obtener mi libertad. Por este tiempo la flota encontró una tempestad espantosa en el golfo de Lyon. Por un tiempo se dudaba si alguno de nosotros volvería a ver otra salida del sol. Estos enormes buques se levantaban como montañas en la cresta de las olas, y de repente caían de éstas con un crujido tan terrible que parecía casi imposible que pudieran levantarse otra vez. Llegaron a ser inmanejables, y los marineros estaban desesperados. Véase la descripción del salmista, en Salmo 107:23-30.

Al llegar al puerto de Mahon, en la isla de Menorca, se informó que diez barcos habían sufrido muchos daños. El Rodney estaba tan maltrecho que el comandante recibió la orden de prepararlo para regresar a Inglaterra. ¡Palabras alegres para todos nosotros! "¡En camino a casa! ¡Veinticuatro horas de libertad!" Todos los corazones estaban felices. Una tardecita, después de ponerse oscuro, justo antes de que el Rodney zarpara para Inglaterra, unos cincuenta de nosotros fuimos llamados por nombre y se nos ordenó reunir nuestro equipaje y entrar a los botes. "¿Qué está pasando? ¿Adónde vamos?" "A bordo del Swiftshore, 74". "¿Qué? ¿El barco que acaba de llegar para un *servicio de tres años*?" "Sí". Una triste desilusión, realmente; pero lo que era peor, advertí que estaba condenado a arrastrar mi miserable existencia en la marina británica. Una vez más estaba entre extraños, pero bien conocido como uno que había intentado escapar del servicio al rey George III.

Capítulo 4

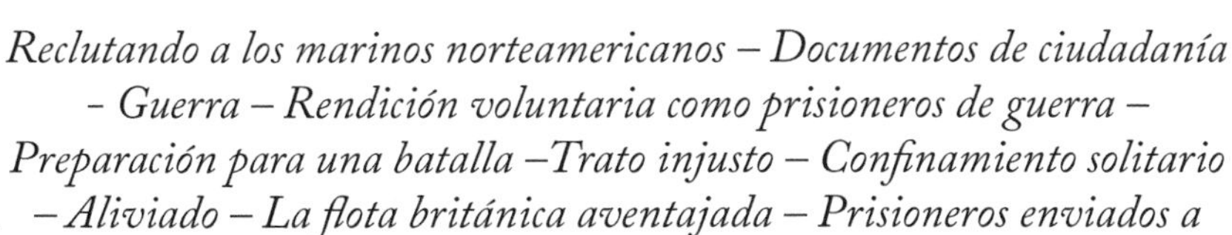

Reclutando a los marinos norteamericanos – Documentos de ciudadanía - Guerra – Rendición voluntaria como prisioneros de guerra – Preparación para una batalla –Trato injusto – Confinamiento solitario – Aliviado – La flota británica aventajada – Prisioneros enviados a Inglaterra - Periódico de Londres –Otro movimiento – Sin pan

El Swiftshore pronto estuvo en camino a su lugar de estacionamiento frente a Toulon. Unos pocos días después de zarpar, un amigo de mi padre llegó desde los Estados Unidos, trayendo documentos que demostraban mi ciudadanía, y una demanda de mi liberación al gobierno británico.

Una de las causas más destacadas de nuestra última guerra con Inglaterra, en 1812, fueron sus actos opresivos e injustos para reclutar a los marinos norteamericanos en el mar o en tierra, donde quiera que estuvieran. Uno de los partidos políticos en los Estados Unidos lo negó. El gobierno británico también continuó negando el hecho, y considerando los pasaportes o la protección de los ciudadanos norteamericanos como de poca importancia. Exigían tales pruebas de ciudadanía que no eran fáciles de obtener. De ahí sus continuos actos de agresión hasta la guerra. Otro acto adicional y doloroso era que todas las cartas a los amigos debían ser examinadas por el primer teniente antes de salir del barco. Por accidente, encontré una de las mías rota y tirada a un lado, de allí la imposibilidad de que mis padres supieran siquiera que estaba entre los vivos. Con una protección como la que se podía obtener de un agente cobrador de aduana de Nueva York, sin embargo, pasé como si fuera un irlandés, porque un oficial irlandés declaró que mis padres vivían en Belfast, Irlanda.

Antes de la guerra de 1812, una de mis cartas llegó a mi padre. Le escribió al presidente de los Estados Unidos (el Sr. Madison), presentándole los hechos de mi caso, y como prueba de su propia ciudadanía lo refirió a los archivos del Departamento de Guerra, de sus comisiones que habían sido devueltas y depositadas allí después de que sus servicios en la guerra Revolucionaria hubieron concluido. La respuesta del presidente y los documentos fueron satisfactorios. El General Brooks, entonces gobernador de Massachusetts, que conocía íntimamente a mi padre como un capitán bajo su autoridad en la guerra Revolucionaria, añadió a lo anterior otro documento sólido.

El capitán C. Delano, vecino y amigo de mi padre, preparándose para un viaje a Menorca, en el Mediterráneo, ofreció generosamente sus servicios como portador de los documentos arriba indicados, y estaba tan confiado de que ninguna otra prueba sería necesaria, que estaba seguro de traerme consigo en su viaje de regreso.

A su llegada a puerto Mahon, se alegró de saber que el Rodney, 74, estaba en el puerto. Al acercarse al Rodney en su bote, le preguntaron qué quería. Dijo que deseaba ver a un joven que se llamaba Joseph Bates. El teniente le prohibió acercarse más. Finalmente, uno de los suboficiales, amigo mío, le informó que yo había sido transferido al Swiftshore, 74, y que este buque había zarpado para unirse a la flota británica frente a Toulon. El capitán Delano entonces presentó mis documentos al cónsul de los Estados Unidos, quien los trasmitió a Sir Edward Pelew, el comandante en jefe del escuadrón. Con la llegada del correo, recibí una carta del capitán, que me informaba de su llegada, y de su visita al Rodney, su chasco, y lo que había hecho, y de la ansiedad de mis padres. Creo que esta fuera la primera noticia de mi casa en más de tres años.

Se me dijo que el capitán había enviado por mí para verme en el puente de mando. Vi que estaba rodeado por señaleros y oficiales, contestando con banderas de señales al buque del almirante que estaba a cierta distancia de nosotros. Dijo el capitán: "¿Es su nombre Joseph Bates?" "Sí, señor". "¿Es usted norteamericano?" "Sí, señor". "¿A qué parte de América del Norte pertenece usted?" "A New Bedford, en Massachusetts, señor". Dijo él: "El almirante está queriendo saber si usted está a bordo de este barco. Probablemente enviará a buscarlo", o algo semejante. "Puede volver abajo". La noticia se esparció por todo el barco de que Bates era un norteamericano, que su gobierno estaba exigiendo su liberación, y el comandante en jefe estaba enviando señales a nuestro barco acerca de ello, etc. Qué hombre de suerte era yo, etc.

Sin embargo, pasaron semanas y meses, y nada sino el suspenso con ansiedad y la incertidumbre en mi caso, hasta que al fin recibí otra carta del capitán Delano en que me informaba que mi caso todavía estaba colgado en la incertidumbre, y que era probable que la guerra había comenzado, y que él estuviera obligado a irse, y que si yo no podía obtener una salida oficial, sería mejor que llegara a ser un prisionero de guerra.

Era el otoño de 1812. A nuestra llegada al puerto Mahon para invernar, el cónsul británico me envió el dinero que pudiera necesitar, diciendo que el pedido del capitán Delano había sido que se me diera el dinero y la ropa que necesitara. Por causa de una enfermedad en la flota, se ordenó que cada compañía de cada barco tuviera libertad por 24 horas en tierra. Aproveché esta oportunidad para ir a los consulados británico y norteamericano. El primero me proveyó algo más de dinero. El segundo dijo que el almirante no había hecho nada en mi caso, y ahora era demasiado tarde, porque era seguro de que se había declarado la guerra entre los Estados Unidos y Gran Bretaña.

Había unos doscientos norteamericanos a bordo de los buques en nuestro escuadrón, y veintidós a bordo del Swiftshore. Nos habíamos atrevido a decir varias veces lo que debíamos hacer, pero el resultado les parecía dudoso a algunos. Por lo menos seis de nosotros fuimos al puente de mando con nuestros gorros en mano, y nos dirigimos así al primer teniente:

"Entendemos, señor, que ha comenzado una guerra entre Gran Bretaña y los Estados Unidos, y no deseamos que se nos encuentre peleando contra nuestro propio país; por lo tanto, es nuestro deseo ser prisioneros de guerra". "Vayan abajo", dijo él. A la hora de la comida, se les ordenó a todos los norteamericanos que se quedaran entre las bombas, y no se les permitió asociarse con la tripulación. Nuestra escasa ración se reduciría en un tercio, y ninguna bebida fuerte. Sentimos que esto podíamos soportarlo, y nos animó no poco de que habíamos logrado un cambio efectivo, y que el siguiente paso muy probablemente nos liberaría de la marina británica.

Desde nuestro barco se difundió la noticia, hasta que casi todos los norteamericanos en la flota se convirtieron en prisioneros de guerra. Durante ocho meses terribles fuimos retenidos, y con frecuencia nos llamaban al puente de mando donde nos arengaban y animaban a entrar en la marina británica. Yo ya había sufrido durante treinta meses como súbdito no voluntario; por lo tanto, estaba plenamente convencido de que no debía escuchar ninguna propuesta que pudieran hacer.

Unos pocos meses después de llegar a ser prisioneros de guerra, nuestros buques vigías aparecieron fuera del puerto, y por señales indicaron que la flota francesa (que estábamos intentando bloquear), estaba toda en travesía por el Mediterráneo. Con esta sorprendente información se dieron órdenes inmediatas de que todos los escuadrones estuvieran listos para perseguirlos, a una hora temprana por la mañana. La mayor parte de la noche se pasó preparando para esta salida esperada. Los prisioneros fueron invitados a ayudar. Solo yo rehusé ayudar de toda manera, siendo que era injustificable a menos que nos forzaran a hacerlo.

Por la mañana toda la flota estaba saliendo del puerto en línea de batalla. Los artilleros recibieron la orden de cargar municiones dobles, y preparar todo para la acción. El primer teniente pasaba por donde yo estaba en pie leyendo *La vida de Nelson* (uno de los libros de la biblioteca.) "Tome esa hamaca, señor, y llévela a la cubierta", me dijo. Levanté la vista del libro y dije: "No es mía, señor". "Llévala". "No es mía, señor". Me maldijo como a un bribón, me arrancó el libro de la mano y lo tiró por la cañonera, y me derribó de un puñetazo. Tan pronto como me levanté, me dijo: "Toma esa hamaca [la cama de alguien con unas frazadas] a la cubierta". "*¡Señor, no lo haré!* Soy un prisionero de guerra, y espero que me trate como tal." "Sí, ______Yankee bribón, eso haré. Vengan", les dijo a dos suboficiales, "tomen esa hamaca y átenla a la espalda de este tipo, y háganlo caminar por la cubierta veinticuatro horas hasta que quede exhausto". Y porque puse mis manos impidiéndoles hacerlo, y les pedí que me dejaran solo, se puso furioso, y gritó: "¡Sargento! ¡Tome a este hombre a la sala de armas y pónganle los pies en cadenas!" "Eso puede hacerlo, señor", dije yo, "¡pero no trabajaré!" "Cuando entremos en acción, lo mandaré atar al mástil principal como un *blanco* para que los franceses puedan apuntarle". "Eso puede usted hacerlo, señor, pero espero que recuerde que soy un prisionero de guerra". Siguió otra andanada de juramentos y maldiciones, con una pregunta de por qué el sargento no se apuraba con las cadenas. El pobre viejo estaba tan desalentado e irritado que no podía encontrarlas.

[Luego] cambió de idea, y le ordenó [al sargento] subir y confinarme en la sala de armas, y no permitir que nadie se acercara, ni siquiera para hablar con uno de sus connacionales. Con esto subió aprisa a la cubierta superior de cañones, donde se dieron órdenes de arrojar todas las hamacas y bolsos a la bodega del barco, desarmar todas las particiones de las cabinas y camarotes, romper todos los encierros para las ovejas y vacas, y limpiar la cubierta de la proa a la popa para la acción. Cada buque estaba ahora preparado para la batalla, apresurándose hacia la costa turca del Mediterráneo, vigilando para ver y afrontar a su mortal enemigo.

Cuando toda la preparación para la batalla hubo concluido, uno de mis compatriotas, en ausencia del sargento, se animó a hablar conmigo a través del enrejado para los mosquetes de la sala de armas, para advertirme de la peligrosa posición en que estaría cuando la flota francesa asomase en el horizonte, a menos que me sometiera, y me reconociera dispuesto a tomar mi posición anterior (segundo capitán de uno de los grandes cañones en el castillo de proa), y peleara contra los franceses, como él y el resto de mis compatriotas estaban por hacer. Procuré mostrarle cuán injustificable e inconsistente tal acción sería para nosotros, prisioneros de guerra, y le aseguré que mi mente estaba clara y plenamente decidida a adherirme a nuestra posición como prisionero norteamericano de guerra, a pesar de la peligrosa posición en que estaría.

Unas pocas horas más tarde, después que el teniente hubo terminado sus arreglos para la batalla, bajó a mi cámara de prisión. "Bueno, señor", dijo, "¿levantará una hamaca cuando se lo ordene otra vez?" Le contesté que levantaría una para cualquier caballero en el barco. "¿Lo haría, sí?" "Sí, señor". Sin averiguar a quién yo consideraba un caballero, ordenó mi liberación. Mis compatriotas estaban algo sorprendidos de verme tan pronto como prisionero suelto.

El primer teniente es el que sigue en comando al capitán, y preside sobre todas las tareas del barco durante el día, y no tiene turno de guardia, a diferencia de los demás oficiales. Como todavía no habíamos divisado la flota francesa, el primer teniente sabía que mi caso sería informado al capitán; en cuyo caso, si a mí, como prisionero de guerra reconocido, ciudadano de los Estados Unidos, se me permitía responder por mí mismo, su conducta ilegal, abusiva y nada caballerosa llegaría al conocimiento del capitán. De allí su disposición a liberarme.

La flota británica continuó su curso a través del Mediterráneo hacia la costa turca, hasta que estuvo satisfecha de que la flota francesa no estaba a su oeste. Luego giraron al norte y al este (para encontrarse con ella), hasta que llegamos frente al puerto de Toulon, donde los vimos cómodamente amarrados, y desmantelados en sus viejos cuarteles de invierno; sus oficiales y tripulación sin duda altamente gratificados de que el ardid que habían practicado les había salido tan bien, es decir, lanzar al escuadrón británico en su persecución por el Mediterráneo, sacándolos de sus cuarteles de invierno. Habían rearmado, y zarpado de su puerto, perseguido a nuestros pocos buques vigías cierta distancia por el Mediterráneo, y luego, sin que ellos lo percibieran, retornaron y se desaparejaron otra vez.

Después de retenernos como prisioneros de guerra durante unos ocho meses, nosotros, con los demás que continuaban rehusando toda invitación para unirse al servicio británico, fueron enviados a Gibraltar, y de allí a Inglaterra, y finalmente, encerrados a bordo de un viejo casco llamado Crown Princen, un antiguo barco danés de 74 cañones, a unas pocas millas del astillero Chatham, y a unos ciento treinta kilómetros [setenta millas] de Londres. Allí había muchos otros de descripción similar, muchos de los cuales abrigaban prisioneros. Aquí unos setecientos prisioneros estaban apiñados en dos cubiertas y encerrados cada noche, con una escasa provisión de comida, y en espacios atestados. Separados de toda comunicación, excepto noticias dispersas, se diseñó un plan para obtener un periódico, que a menudo aliviaba nuestros momentos de ansiedad y desánimo, aunque a cambio, tuvimos que sentir el urgente reclamo del hambre. El plan era éste: Un día cada semana se nos daba pescado salado; éste lo vendíamos al contratista por dinero, y le pagábamos a uno de nuestros enemigos para que nos contrabandeara uno de los semanarios de Londres. Siendo un bien común, se elegían buenos lectores para que desde una posición más elevada leyeran en voz alta. A menudo era interesante y divertido el gran agolpamiento para escuchar cada palabra de las noticias norteamericanas, y varias voces gritaban: "Lea *eso* otra vez, no pudimos oírlo claramente"; y lo mismo de otro rincón, y otro. Las buenas noticias de casa a menudo nos alegraban más que nuestra escasa porción de comida. Si hubiera hecho falta más recursos para el periódico, creo que otra porción de nuestra ración diaria habría sido libremente ofrecida, en lugar de renunciar al periódico.

Nuestra ración diaria de pan consistía de panes ásperos y negros de la panadería, servidos cada mañana. Al comienzo de la temporada fría, depositaron una cantidad de galletas marinas a bordo para nuestro uso en caso de que el clima o el hielo impidieran que el pan blando viniera cada día. En la primavera, nuestro primer teniente o el comandante, ordenó que se sirvieran las galletas a los prisioneros, e indicó que debía reducirse un cuarto de la ración diaria, porque nueve onzas de galletas eran equivalentes a doce onzas de pan blando. Rehusamos totalmente recibir las galletas, o pan duro, a menos que nos dieran tantas onzas como las de pan blando. Al final del día quería saber otra vez si recibiríamos el pan en esas condiciones. "¡No! ¡No!" "Entonces los voy a mantener abajo hasta que acepten". Las escotillas se abrían otra vez en la mañana. "¿Subirán por su pan?" "¡No!". Otra vez a mediodía, "¿Recibirán la carne que fue cocinada para ustedes?" "¡No!" "¿Subirán por su agua?" "¡No, no recibiremos nada de ustedes hasta que nos sirvan nuestra ración completa de pan!" Para hacernos aceptar, habían cerrado las lumbreras, privándonos de luz y aire fresco. Habían llamado a nuestro presidente para conferenciar con él (teníamos un presidente y una comisión de doce elegidos, pues encontramos necesario mantener cierta clase de orden.) Éste le dijo al comandante que los prisioneros no cederían.

Para este tiempo, el hambre, la falta de agua, y especialmente la falta de aire fresco nos habían llevado a un estado de excitación afiebrada. Algunos parecían casi salvajes, otros procuraban soportarlo tan bien como podían. El presidente fue llamado otra vez. Después de un tiempo, se abrió la escotilla, y dos oficiales bajaron a la cubierta inferior y pasaron a la mesa del presidente, preguntando por el baúl del presidente. "¿Para qué lo quieren?" dijeron sus amigos. "El comandante nos envió para llevarlo". "¿Para qué?" "Él lo está enviando a bordo de otro barco-prisión". "¡Sáquense eso de la cabeza! No lo tendrá". Para ese momento, los oficiales se alarmaron por su seguridad, e intentaron escapar por la escalera de la escotilla. Varios prisioneros, que parecían arder de desesperación, los detuvieron, y declararon con peligro de sus vidas que ellos no avanzarían más hasta que el presidente pudiera bajar. Para entonces se abrieron otras portillas, y el comandante se asomó por una de ellas, exigiendo la liberación de sus oficiales. La respuesta desde adentro fue: "Cuando liberen a nuestro presidente, liberaremos a sus oficiales". "Si no los liberan", dijo el comandante, "abriré estas portillas [todas las cuales tenían rejas de barras de hierro], y abriremos fuego sobre ustedes". "¡Disparen ya!" fue el clamor desde adentro, "bien podemos morir de este modo que no de hambre; pero tome en cuenta, si usted mata a un prisionero tendremos dos por uno mientras duren". Sus oficiales ahora comenzaron a rogarle con grandes lamentos que no dispararan, "porque si lo hacen", dijeron, "estos nos matarán a nosotros; nos están rodeando con sus cuchillas abiertas, declarando que si movemos un pie nos quitarán la vida".

Le permitieron al presidente que se acercara a la escotilla, y él rogó a sus compatriotas que no derramaran sangre por culpa de él, pero que él no deseaba permanecer más tiempo a bordo, y suplicó que por *causa* suya liberaran a los oficiales. Esto se hizo.

Tabiques de tablones dobles en cada extremo de nuestras salas de prisión, con perforaciones para mosquetes en ellos para dispararnos si era necesario, nos separaban de los oficiales, marineros y soldados. Otra vez nos preguntaron si recibiríamos nuestra ración de pan. "No". Los prisioneros profirieron algunas amenazas de que ya nos escucharían antes del amanecer. A eso de las diez de la noche, cuando todo estaba en silencio fuera de la guardia y la vigilancia en la cubierta, armaron un farol encendiendo un poco de grasa en unas latas. Con la ayuda de esta luz, sacaron un puntal pesado, de roble, que nos sirvió como ariete. Entonces, con nuestras grandes latas vacías para el agua como tambores, y las palanganas, ollas, y cucharas como palos para los tambores, y cualquier cosa que hiciera un ruido fuerte, los improvisados faroles y el ariete avanzamos contra el tabique posterior que nos separaba del comandante y sus oficiales, los soldados y sus familias. Por unos pocos momentos se aplicó el ariete con fuerza y con tanto éxito que la consternación se apoderó de los durmientes, y huyeron pidiendo ayuda, declarando que los prisioneros se venían sobre ellos. Sin dejarlos reunirse y abrir fuego sobre nosotros, corrimos hacia el tabique delantero, donde dormía un grupo de la tripulación del barco con sus familias. La aplicación del ariete tuvo el mismo éxito aquí, de modo que todos nuestros enemigos estaban ahora tan despiertos como sus prisioneros hambrientos y famélicos, y buscaban el mejor medio para su defensa. Entonces nuestros faroles se apagaron, dejándonos en total oscuridad en medio de nuestras operaciones exitosas hasta el momento. Nos amontonamos en grupos, para dormir, si nuestros enemigos lo permitieran, hasta que otro día amaneciera para permitirnos usar las pocas fuerzas que nos quedaban a fin de conseguir, si era posible, que nos dieran nuestra ración completa de pan y agua.

De repente, sentimos aire fresco y la luz matutina gracias a una orden del comandante de abrir las portillas, quitar las barras a las escotillas, y llamar a los prisioneros para buscar su pan. En unos pocos momentos se entendió claramente que nuestros enemigos se habían rendido y cedido a nuestros reclamos, y estaban ahora listos para hacer las paces y servirnos nuestra ración completa de pan.

Mientras uno de cada grupo de diez buscaba la ración de tres días de pan negro, otros estaban llenando sus latas con agua, de modo que en poco tiempo se había producido un grande y maravilloso cambio en nuestro medio. En términos muy amistosos de paz con todos nuestros guardianes, agrupados en grupos de diez, con la ración de pan para tres días, y las latas llenas de agua, comimos y bebimos, nos reímos y gritamos inmoderadamente celebrando nuestro gran banquete y la derrota de nuestro enemigo. La maravilla fue que no nos matamos por comer y beber en exceso.

El dispensario, al enterarse del estado de las cosas en nuestro medio, envió órdenes al comandante desde la orilla, que nos sirviera nuestro pan sin demora.

Capítulo 5

Un agujero en el barco – Peligrosa aventura de un indio Narragansett – Se terminó el agujero – Dieciocho prisioneros escaparon – Singular dispositivo para mantener bien el número – Se salva a un hombre que se ahogaba – Señales nocturnas de alivio – Se hizo otro agujero que fue descubierto – Cara de los prisioneros escapados – El gobierno de los EEUU viste a sus prisioneros – Se envía a los prisioneros a Dartmoor – Alegres noticias de paz

Nuestros guardianes tenían el hábito de examinar el interior de nuestra prisión cada tarde antes de que se diera la orden de contarnos, para asegurarse de que no estábamos haciendo un agujero en el barco para obtener nuestra libertad. Observamos que rara vez se detenían en cierto lugar de la cubierta inferior, sino que pasaban por allí con un ligero examen. Al examinar ese lugar, varios de nosotros decidimos abrir un agujero allí, si podíamos hacerlo sin que nos detectara el soldado que estaba estacionado a unos pocos centímetros por encima de donde tendríamos que salir, y sin embargo hacerlo por sobre el agua.

No teniendo nada mejor que un cuchillo común de cocina, con dientes, después de algún tiempo serruchamos un tablón de roble, pesado, de tres pulgadas, que más tarde nos sirvió como protección cuando nuestros guardias se aproximaban. Comenzamos luego a demoler una madera de roble muy pesada, astilla tras astilla. Aun esto debía hacerse con gran precaución, para que el soldado no nos oyera desde afuera. Mientras uno trabajaba en su turno, otros vigilaban, por si nuestros guardianes se acercaban, que no nos encontraran con el agujero al descubierto. Unos cuarenta estaban ocupados en esta tarea. Antes de que la gruesa madera fuera perforada, uno de nosotros consiguió un atizador de hierro de la cocina. Éste fue de gran ayuda para arrancar las pequeñas astillas que había alrededor de los gruesos pernos de hierro. De este modo, después de trabajar entre treinta y cuarenta días, llegamos al cobre que revestía el fondo del barco, a unos sesenta a noventa centímetros [dos o tres pies] de la parte superior de nuestra cubierta, con un ángulo de unos 25° hacia abajo. Trabajando con el atizador a través del cobre, en la parte superior del agujero, descubrimos para nuestra alegría que salía debajo de la plataforma donde se paraba el soldado. Entonces, al abrir el lado inferior del agujero, entró un poco de agua, pero no en cantidad suficiente como para hundir el barco por algún tiempo, a menos que un cambio de viento y del tiempo, el buque se moviera y el agujero quedara por debajo de la superficie del agua, en cuyo caso, sin duda hubiésemos quedado para compartir su suerte. El comandante había declarado, antes de esto, que si el barco se incendiara por causa de nuestras luces nocturnas, él arrojaría las llaves de las escotillas al mar, y dejaría que el barco y nosotros pereciéramos juntos. Por ello, habíamos elegido oficiales que apagaban cada luz a las diez de la noche.

El domingo de tarde, cuando era mi turno de ampliar el agujero en el cobre, los gritos de centenares de voces desde afuera me alarmaron tanto por temor de que me descubrieran, que en el apuro por cubrir el agujero, el atizador se me escapó de la mano, y a través del agujero, cayó al mar. Una vez cubierto el hueco, nos encaminamos con la multitud apurada, y subimos la larga escalera hasta la cubierta superior para conocer la causa del griterío. Las circunstancias eran éstas: Otro buque como el nuestro, que contenía prisioneros norteamericanos, estaba anclado a unos doscientos metros [un octavo de milla] de nosotros. La gente de la costa, en sus botes, estaba visitando los barcos prisión, como era su costumbre los domingos, para ver cómo lucían los prisioneros norteamericanos. Soldados armados con mosquetes, separados seis metros [veinte pies] entre sí, en las cubiertas superior e inferior del barco, cuidaban que los presos no escaparan. Uno de los botes de los paisanos, que tenía un solo hombre a los remos, se amarró al nivel inferior, al pie de la escalera principal, donde también había un soldado de guardia. Un indio Narragansett, alto y atlético, quien, como el resto de sus conciudadanos, estaba listo para arriesgar su vida por la libertad, vio el bote, y vigilando a los guardias ingleses que estaban caminando por la cubierta, cuando éstos se dieron vuelta para caminar hacia la popa, saltó y bajó corriendo por la escalera del portalón, agarró al soldado, con mosquete y todo, lo metió a la fuerza bajo el banco de bogar, soltó el bote, tomó los dos remos y con el hombre (que muy probablemente le hubiera disparado antes que entrara al bote) bajo sus pies, dirigió su rumbo hacia la orilla opuesta, que no estaba protegida, a unos tres kilómetros [unas dos millas] de distancia.

Los soldados, viendo a su camarada con todas sus municiones, arrancado de su puesto, y dominado de una manera tan sumaria, y alejándose como un rayo sobre el agua para quedar fuera de su vista por la enorme fuerza de este indio norteamericano, estuvieron tan paralizados por lo sorprendente de la escena ante ellos, o tal vez por temor de que otro indio los atacara, que no le dieron con sus tiros. Botes bien tripulados con marineros y soldados pronto salieron velozmente tras de él, descargando sus armas y gritando para que volviera; todo lo cual solo parecía animarlo y fortalecerlo para impulsar sus remos con fuerza hercúlea.

Cuando sus compañeros prisioneros lo vieron alejarse de sus perseguidores de una manera tan airosa, gritaron dándole tres hurras. Los prisioneros a bordo de nuestro barco siguieron con otros tres. Ese era el estruendo que había oído mientras trabajaba en el agujero. Los oficiales estaban tan exasperados por esto, que dijeron que si no cesábamos nuestro entusiasmo y ruidos nos encerrarían abajo. Por lo tanto, sofocamos nuestras voces, para que se nos permitiera ver escaparse al pobre indio.

Antes de alcanzar la orilla, sus seguidores llegaron muy cerca de él y le dispararon hiriéndolo en el brazo (como se nos dijo), lo que le dificultó el seguir remando; sin embargo, llegó a la orilla, saltó del bote, desembarazó de sus perseguidores, y pronto estuvo fuera del alcance de las balas de los mosquetes. Subiendo ante nuestra vista por un plano inclinado, siguió avanzando, saltando sobre cercos y zanjas como un venado perseguido y, sin duda, habría estado fuera de alcance de sus perseguidores en unas pocas horas, y logrado su libertad, si no hubiera sido por la gente de la costa que avanzó sobre él de varias direcciones, y lo entregaron a sus perseguidores, quienes lo trajeron de vuelta, y por algunos días lo encerraron en una mazmorra. ¡Pobre indio! Merecía mejor suerte.

Los prisioneros ahora entendieron que el agujero estaba terminado, y muchos se estaban preparando para escapar. Los líderes de la comisión habían decidido que los que habían trabajado en hacer el agujero deberían tener el privilegio de salir primero. También habían elegido cuatro hombres juiciosos y cuidadosos, que no sabían nadar, para hacerse cargo del agujero, y ayudar a salir a todos los que deseaban irse.

Con alguna dificultad, al fin conseguimos algo de lona calafateada, con la que nos hicimos pequeños bolsos, suficientemente grandes para guardar nuestra camisa, chaqueta y zapatos, luego una fuerte soga de unos tres metros [diez pies] atada en un extremo, y el otro extremo con un lazo para pasar el cuello. Con el sombrero y los pantalones puestos, el bolso en una mano y con la otra tomado firmemente de nuestro compañero, formamos la fila para hacer un desesperado esfuerzo por la libertad. A una señal dada (10 de la noche) se apagaron todas las luces, y los hombres en camino a la libertad estaban en sus lugares.

Los soldados, como ya describí, arriba y abajo estaban de guardia alrededor de todo el buque con mosquetes cargados. Nuestro destino, si lo alcanzábamos, estaba a unos ochocientos metros [a media milla] de distancia, con una fila continua de soldados justo por encima del nivel más alto del agua. Las cabezas de los que salían pasaban apenas unas pocas pulgadas de los pies de los soldados, es decir, con un enrejado de por medio.

Un grupo de buenos cantores se pusieron en la portilla posterior donde estaba parado el soldado más próximo que seguía al que estaba encima del agujero. Sus interesantes cantos de marineros y de guerra llamaron la atención de los dos soldados, y un vaso de bebida fuerte de vez en cuando los atraían a la escotilla, mientras los que estaban adentro hacían como que bebían. Mientras esto funcionaba, la comisión estaba poniendo a los prisioneros con los pies adelante por el agujero, y cuando la soga atada al bolso se ponía tirante, tiraban el bolso por el agujero, asegurando de ese modo que estaban yendo rumbo a la orilla. Entretanto, cuando la campana del barco sonó, indicando el paso de otra media hora, resonaba el fuerte grito del soldado, "¡Todo está bien!" El soldado que nos preocupaba más, tomaba su sitio encima del agujero, y gritaba, "¡Todo está bien!" Entonces, cuando se alejaba de su lugar para escuchar el canto de los marineros, el comité hacía pasar a unos pocos más, al rato regresaba a su posición y gritaba otra vez, "¡Todo está bien!" Ciertamente era muy agradable para nuestros amigos mientras luchaban por su libertad en el elemento acuoso, escuchar detrás y delante de ellos el grito de paz y seguridad, "¡Todo está bien!"

Llegó la medianoche; cambió la guardia, la música alegre había cesado. El silencio que reinaba afuera y adentro, retardó nuestra labor. Después de un tiempo, se susurró en nuestras filas que los pocos que habían salido durante el momento de quietud, habían causado gran inquietud entre los soldados, y juzgaron que era mejor que otros no intentaran salir por miedo a la detección. Además, se acercaba la luz del día, de modo que era mejor que nos retiráramos a nuestras hamacas.

Edmond Allen, de New Bedford y yo, hicimos un pacto de salir y mantenernos juntos. Nos habíamos mantenido tomados durante la noche, y habíamos avanzado hacia el agujero cuando se creyó mejor que no salieran más. En la mañana, la tapa no estaba en su lugar, y Edmond estaba entre los desaparecidos.

La comisión informó diez y siete, y con Edmond eran dieciocho los que habían salido durante la noche.

Los prisioneros estaban muy entusiasmados por el exitoso movimiento de la noche pasada, y tomaron medidas para mantener el agujero sin ser descubierto para hacer otro intento a las 10 de la noche.

Estábamos confinados entre dos cubiertas, sin comunicación después del conteo de la noche y encerrados. Durante el día se consiguieron algunas herramientas, y se barrenó una abertura a través de la cubierta superior, la que fue tapada sin ser descubierta. Se hizo correr la voz entre los prisioneros de que subieran de la cubierta superior rápidamente tan pronto como los soldados llamaran a los prisioneros para ser contados para la noche. Pero aquellos que estaban en la cubierta inferior habían de moverse lentamente, de modo que los de la cubierta superior pudieran ser contados antes de que la cubierta inferior fuera despejada. Se hizo eso, y dieciocho que ya habían sido contados, se escurrieron por el agujero barrenado sin que lo notaran los soldados, y fueron contados otra vez. A las 10 pm se apagaron otra vez las luces, y se formó la fila para otro intento de escape.

Al ocupar nuestros lugares a las 10 de la noche, se susurró en nuestras filas que dos hombres que no eran de nuestro número estaban esperando junto al agujero, insistiendo que saldrían primero, o gritarían y nos impedirían seguir adelante. Habían estado bebiendo, y no se podía razonar con ellos. Finalmente se arregló que se los dejaría salir. El primero salió muy silencioso, diciendo a su compañero ebrio, "Me aferraré al timón del barco hasta que tú vengas". El segundo, que no era gran nadador, se hundió como un tronco, y salió salpicando y luchando por su vida. Dijo el soldado a su siguiente compañero, "Aquí hay un delfín". "Métele la bayoneta", contestó el otro. "Lo haré" dijo el primero, "si vuelve a asomarse". Para eso, todos estábamos escuchando casi sin respirar, temiendo que nuestra oportunidad de libertad casi hubiera desaparecido. Nuevamente escuchamos el movimiento del agua, y luego el grito: "¡No me mates! Soy un prisionero". "¿Prisionero? ¿Prisionero? ¿De dónde saliste?" "De un agujero en el barco". El soldado gritó: "¡Hay un prisionero en el agua! ¡Los prisioneros están saliendo del barco!" fue la rápida respuesta de todos los vigías. Todos los tripulantes fueron rápidamente a la cubierta. En pocos momentos nuestro alerta comandante vino corriendo desde su cama, averiguando frenéticamente: "¿Dónde?" y escuchando el ruido afuera, corrió escaleras abajo al costado del barco, gritando: "¿Cuántos se fueron?" Uno de los prisioneros, que se sintió dispuesto a agitar aún más a nuestro capitán, puso su rostro cerca del agujero cubierto por la reja, y gritó: "¡Unos cuarenta, *supongo*!"

En rápida sucesión, las señales de socorro produjeron botes bien tripulados para recogerlos. "¿Dónde desembarcamos?" "¡Aquí, allá, por todas partes!" "¿Encuentran a alguno?" "No, señor, no señor".

Se dieron órdenes de enviar a tierra a un grupo de hombres, y rodear el bosque de Gelingham, donde suponían que los "cuarenta" debían haber escapado, para explorarlo por la mañana, y llevarlos a bordo. Nos divertía ver todo el crédito que el comandante le dio a la "suposición" del prisionero.

Después de hacer estos arreglos, llevaron al hombre que se ahogaba a cubierta, y le exigieron que declarara los hechos; pero él estaba tan confundido por la gran cantidad de agua salada que había tragado, mezclada con el ron, y el terrible temor de ser atravesado por la bayoneta del soldado, que no pudo contestarles; solo que había un agujero en el barco, por el cual había salido. Uno de los botes, finalmente lo encontró, pasó un fierro largo por él, y se quedó vigilando hasta la mañana.

Cuando se nos permitió subir a la cubierta en la mañana, el pobre Johnson [el primero] estaba acostado, atado a una estaca que flotaba en el agua, cerca de la orilla. Todo lo que pudimos ver era que, la cuerda de su bolsa estaba atada a su muñeca izquierda, y que su mano casi estaba completamente cercenada. Algunos de sus amigos sabían que tenía un cuchillo filoso en un bolsillo de su pantalón, que faltaba cuando lo encontraron flotando cerca de la orilla. Se había atado la soga a la muñeca en lugar del cuello, y esto sin duda fue un gran estorbo para alejarse de los botes. Al intentar cortar esa soga, suponemos que se cortó la muñeca, y así se desangró hasta morir para cuando alcanzó la orilla.

Nos mantuvieron en cubierta todo el día, sin comida, revistados por nombre, y estrictamente examinados, para ver si respondíamos a nuestras descripciones originales. Cuando se determinó claramente que dieciocho hombres vivos habían escapado la noche previa al descubrimiento del boquete, y el número total de prisioneros estaba a bordo, los oficiales británicos fueron arrestados por dar un informe falso, pero fueron liberados cuando nuestro presidente aclaró cómo se había manejado el asunto.

Al día siguiente, los carpinteros del rey, de Chatham, fueron enviados a bordo con sus herramientas y un grueso trozo de madera para taponar el agujero. Mientras estaban ocupados, cortando y golpeando en medio de nosotros, algunos de los prisioneros tomaron algunas de las herramientas sueltas y comenzaron a abrir otro boquete del otro lado del barco, tan bueno como el primero, y lo terminaron antes de que los carpinteros hubieran cerrado el anterior. Los soldados afuera atribuían el ruido a los carpinteros del rey.

Esa noche unos cuantos de nosotros nos pusimos cerca de este boquete para buscar una oportunidad de escapar, y permanecimos allí hasta como las cuatro de la mañana. Como el cobre había sido cortado con gran apresuramiento, quedaron puntas y bordes irregulares. Para evitar que esas puntas hirieran nuestras carnes, pusimos una frazada de lana en la parte inferior para salir. Además de los guardias que vigilaban, un bote daba vueltas alrededor del barco durante la noche, con un hombre en el centro, golpeando el costado del barco, en la parte inferior, con una larga pértiga de hierro. La vara siguió golpeando a ambos lados del boquete durante la noche, pero no encontró el lugar que andaban buscando.

Antes del amanecer, uno de nosotros se animó a salir, justo después que el bote hubo pasado, para asegurarse de si la noche era clara o lo suficientemente oscura para escapar sin ser detectados nadando detrás de la nave antes de que el bote pudiera dar la vuelta. Después de que lo trajimos adentro, dijo que la noche era clara, y que él podía ver a una gran distancia en el agua. Por lo tanto, concluimos que debíamos esperar hasta la noche siguiente. Por negligencia del comité, la frazada quedó con un extremo que flotaba en el agua. Los hombres en los botes la descubrieron poco después del amanecer. "¡Aquí hay otro boquete de este lado del buque!" y adentro fue la vara de hierro, haciendo estallar todas nuestras esperanzas de escape por este medio. Para reparar estos daños, se redujo una parte de nuestra ración diaria, y esto siguió por algún tiempo.

Nuestro jactancioso comandante comenzó a estar gravemente preocupado por la seguridad propia y de su familia. Parecía casi seguro que estos yanquis audaces y atrevidos hundirían estos barcos-prisiones, o lograrían su libertad. Se me dijo que él declaró que prefería estar a cargo de seis mil prisioneros franceses que seiscientos yanquis.

Después de toda su búsqueda de los dieciocho que habían escapado, vino una carta de Londres, dirigida al comandante del barco-prisión Crown Princen, informándole del feliz escape de cada uno de ellos, y de su viaje exitoso de unos ciento diez kilómetros [setenta millas] a la ciudad de Londres; que sería inútil preocuparse por ellos, porque estaban en vísperas de zarpar en un viaje al extranjero. Le dieron a entender que recordarían su cruel trato.

Desde entonces, el gobierno británico comenzó a hablar de enviarnos a todos a la prisión de Dartmoor, un triste yermo a unos veinticinco kilómetros [unas quince millas] hacia el interior del puerto Old Plymouth, donde encontraríamos bastante dificultad en salir de las macizas paredes de piedra y celdas que estaban tan fuertemente fortificadas.

En 1814 los prisioneros norteamericanos seguían viniendo de Halifax, las islas de la Indias Occidentales, y de otras partes del mundo. Su condición era miserable de hecho, por falta de ropa adecuada y decente, especialmente los soldados. Era perturbador verlos en sus harapos, muchos de los cuales se envolvían en sus sucias frazadas de lana para protegerse de las tormentas frías. Se enviaron declaraciones a los Estados Unidos, los que a la larga despertaron al gobierno a tomar medidas para dar a estos prisioneros ropa adecuada.

El Sr. Beasley, agente interino para los Estados Unidos en Londres, recibió poder para atender este asunto para sus compatriotas sufrientes. Envió a un judío de Londres con sus cajas de ropa hecha o hilvanada, y un mozalbete como empleado para entregarlas según su juicio; de modo que algunos que no lo necesitaban recibieron un traje entero, mientras otros fueron dejados sin nada, aunque mucho lo necesitaban. Los prisioneros se quejaron al Sr. Beasley por carta, pero él justificó a su agente, y prestó poca o ninguna atención a nuestras quejas.

Después de estar prisioneros por más de un año, el gobierno británico condescendió en pagarnos una pequeña pitanza como salario, lo que me permitió proveerme con algo de ropa y comida extra mientras duró el dinero. Mi padre fue favorecido con una oportunidad de enviar a un agente en Londres que me proveyó de dinero de tiempo en tiempo. El agente me envió veinte dólares, que fueron muy alegremente recibidos. Pronto después de esto los prisioneros norteamericanos fueron enviados a Dartmoor, y no oí más nada de ellos.

Fue en el verano de 1814 que fuimos enviados en grandes grupos por mar a Plymouth, y de allí a Dartmoor. Pronto éramos seis mil, como se nos dijo. Las paredes de piedra, dobles, de más de cuatro metros [unos catorce pies] de alto, que eran suficientemente anchas como para que centenares de soldados de guardia pudieran caminar sobre ellas, formaban una media luna, con tres patios separados, que contenían siete edificios de piedra, capaces de contener entre mil quinientos y mil ochocientos hombres cada uno. El edificio central fue destinado a los prisioneros de color.

Estos edificios estaban ubicados en la falda de un cerro, con el frente hacia el este, dándonos una vista del sol naciente; pero éste quedaba oculto a nuestra vista mucho antes del crepúsculo. Un gran número de edificios similares quedaban frente a nosotros, hacia el oeste, separados por pesadas estacadas de hierro, ocupados para barracas, almacenaje, casas para nuestros guardianes y un hospital. En estos tres lados, encontraba nuestra vista uno de los páramos más tristes, salpicado de rocas y pequeños arbustos, hasta donde el ojo podía alcanzar. Ciertamente, fue correctamente llamado *Dartmoor*.

Las prisiones eran de tres pisos, con una escalera de piedra en cada extremo, abiertas en el centro. Había una puerta de rejas en cada extremo del frontón. Nos cuidaba una compañía de seiscientos soldados, nos contaban en la mañana, y nos hacían entrar a la puesta del sol. Era una vista interesante, cuando brillaba el sol, el ver a los que deseaban mantenerse decentes, sentados en grupos por el patio, limpiando sus frazadas de sabandijas. Al oír de una nueva llegada, los prisioneros se apiñaban en los portones, y formaban filas a ambos lados para que los nuevos pasaran entre ellas; y mientras pasaban, algunos de ellos reconocían a sus amigos. "¡Hola! Sam. ¿De dónde vienes?" "De Marblehead" [pueblo turístico costero de Massachusetts]. "¿Quedó alguno?" "No; yo fui el último". Y de este modo todos se reconocían. A menudo se afirmaba que todos los marineros de Marblehead eran prisioneros.

Durante el invierno, los hombres del agente Beasley aparecieron otra vez para proveernos ropa, lo que hicieron de una manera mucho más satisfactoria esta vez.

Se celebraban reuniones religiosas en la prisión de los de color casi cada domingo, y algunos profesaban convertirse, y eran bautizados en un pequeño estanque con agua en el patio, agua suministrada de un depósito en el cerro, que los prisioneros generalmente usaban para lavar su ropa.

Diciembre de 1814 nos trajo la feliz noticia de que los plenipotenciarios habían firmado un tratado de paz entre los Estados Unidos y Gran Bretaña en Ghent, en el continente europeo. Los que nunca fueron condenados a prisión en este lugar oscuro y terrible no pueden apreciar nada de nuestros sentimientos. No obstante, fuimos mantenidos en suspenso mientras una fragata fue enviada a cruzar el océano para obtener la firma del Presidente Madison. En febrero de 1815, la fragata regresó con el tratado ratificado. Gritos de extasiado júbilo se oyeron por nuestras tenebrosas celdas, tales como probablemente nunca más se oirán allí. ¡Qué! ¿A punto de ser liberados, ir a nuestro país natal, y reunirnos una vez más junto a la chimenea paterna? Sí, esta esperanza estaba en nosotros, y a veces parecía como si casi estuviéramos allí.

Se suponía que había unos doscientos de nosotros en Dartmoor que procedían de la marina británica. Este era un reconocimiento tácito de parte de ellos de nuestro reclutamiento. Algunos les habían servido de veinte a treinta años. Como no habíamos tomado armas contra ellos, enviamos una respetuosa petición al Parlamento británico, pidiendo una mitigación de nuestros sufrimientos, o una liberación honrosa. Esto fue objetado vigorosamente por los nobles lores, sobre la base de que nos habían entrenado en sus tácticas navales, y si éramos liberados antes del fin de la guerra, de hecho, entraríamos en la marina de los Estados Unidos, y les enseñaríamos cómo habíamos aprendido a pelear. Eso, dijeron ellos, sería poner palos en sus manos, con los cuales rompernos la cabeza.

Capítulo 6

Pasaje subterráneo – Un traidor – Ratificación de la paz – El cónsul norteamericano colgado en efigie – Retención del pan durante dos días – Los prisioneros demandan y obtienen su pan – Masacre inhumana de prisioneros – Liberación de un soldado británico – Tribunal de investigación – Llegada de un cartel – Liberados de la prisión – Exhibición de banderas respecto de la masacre

Por este tiempo los prisioneros de una de las prisiones habían comenzado la hercúlea tarea de abrir un pasaje subterráneo hacia afuera de los muros de la cárcel, para obtener su libertad. Para realizar esto, levantaron una de las pesadas losas de piedra de la planta baja, y comenzaron el trabajo de raspar la tierra y ponerla en pequeñas bolsas, y echarla cuidadosamente bajo los peldaños de la escalera de piedra que subía hasta el tercer piso, por la parte de atrás, y que estaba cerrada con tablones. Para hacer esto, tenían que sacar uno de los tablones, pero reponerlo cuidadosamente, lo mismo que la losa de piedra, antes de la mañana, sujetos a la inspección crítica de los llaveros después que todos los prisioneros eran contados.

La longitud del pasaje desde debajo del fundamento de la cárcel hasta el primer muro al otro lado del patio de la prisión (en lo que recuerdo), era de unos treinta metros [unos cien pies]; desde allí hasta el muro exterior unos seis metros [unos veinte pies] más. Se nos dijo que estos muros tenían cuatro metros veinte centímetros [catorce pies] de alto, más sesenta centímetros [dos pies] bajo la superficie de la tierra; eran anchos, lo suficiente para que los soldados de guardia pasaran en ambas direcciones en su superficie.

Un amigo mío, el capitán L. Wood, de Fairhaven, Massachusetts, que vivía en esta prisión, con quien conversaba a menudo, me informó acerca del trabajo y de cuán difícil era entrar en esa excavación sofocante después que hubieron progresado cierta distancia, y volver con una bolsa pequeña de tierra. Él dijo: "Sus rostros están casi negros, y están casi exhaustos por la falta de aire"; sin embargo, otro se adelanta, entra y vuelve con una bolsita llena. De esta forma continúan su trabajo nocturno, sin ser descubiertos, hasta que alcanzaron y excavaron debajo del fundamento del primer muro, y luego del segundo muro, o el exterior. Muchos se prepararon con cuchillos y otras armas letales para poder defenderse, decididos a arriesgar sus vidas peleando para abrirse camino hasta la orilla del mar, y tomar el primer barco o bote, y dirigirse a la costa de Francia.

Antes de romper el suelo a las afueras del muro exterior, para todos los que querían salir, uno tras otro en la noche oscura, uno de los prisioneros, conocedor de los hechos, informó a las autoridades. De repente, soldados y oficiales armados entraron al patio de la prisión con su informante en medio de ellos, que señaló el lugar sobre el pasaje oscuro, al que pronto entraron y en pocos momentos lo llenaron con piedras y tierra del patio pavimentado de piedras, y el traidor fue cuidadosamente llevado bajo custodia por miedo de que los prisioneros lo tomaran y lo hicieran pedazos. "¿Cómo se llama?" "¿Quién es?" "¿De qué Estado proviene?" eran las preguntas. Los que lo conocían contestaron que pertenecía a New Hampshire. El gobernador le dio su libertad, y no supimos más nada de él.

A la llegada de la fragata desde los Estados Unidos, trayendo el tratado de paz ratificado entre nosotros y Gran Bretaña, supimos que el Sr. Beasly había reanudado sus funciones como cónsul de los Estados Unidos en Londres, y nuestro gobierno le dio instrucciones para buscar barcos adecuados para trasladar a los prisioneros norteamericanos de Inglaterra a los Estados Unidos. Después de esperar un tiempo adecuado, el Sr. Beasley fue consultado en favor de los presos en Dartmoor, para saber por qué los barcos no habían llegado. Su respuesta fue muy insatisfactoria. Otra vez expresamos nuestra sorpresa por este aparente descuido de nosotros, cuando casi habían pasado dos meses desde que el tratado de paz había sido ratificado, y no había habido ninguna pausa en nuestros sufrimientos. Su respuesta estuvo lejos de aliviarnos. Al fin, los prisioneros se exasperaron tanto por este descuido voluntario, que levantaron una horca en el patio de la prisión, y colgaron en efigie al Sr. Beasley, y luego lo quemaron. Cuando los diarios ingleses comenzaron a publicar lo ocurrido, el Sr. Beasley. comenzó a despertarse y a protestar porque nos habíamos atrevido a tomar tales libertades con su carácter. Le dimos a entender que él había recibido instrucciones para aliviarnos y librarnos de la prisión, y todavía estábamos esperando tal evento.

Nuestro gobernador, que ostentaba una comisión de capitán de correo en la marina británica, también se ocupó de aprovecharse de nosotros, al ordenar que los prisioneros consumieran el pan duro de la marina, que él había conservado para ellos en el invierno, en caso de que el pan blando no se pudiera conseguir. No se hicieron objeciones a esto, siempre que nos diera tantas onzas del duro como las que recibíamos del pan blando. A eso puso objeciones el gobernador Shortland, y dijo que no debíamos recibir un descuento de un tercio. Esto era lo mismo que el comandante del barco prisión había intentado hacer el año anterior, y fracasó, como ya hemos visto. Sin vacilar objetamos la propuesta del gobernador. Él dijo que debíamos aceptar eso o nada. Reclamamos nuestra ración completa o nada. Continuamos así dos días sin pan, con una amenaza de que si no cedíamos, también se nos retendría el agua.

Ahora era el 4 de abril de 1815. El gobernador Shortland se fue en un viaje de unos pocos días, pensando que probablemente para cuando volviera estaríamos con suficiente hambre para aceptar sus términos. Pero antes de la puesta del sol, la hora en que nos encerraban para otra noche desesperante, una gran porción de los prisioneros estaba tan exasperada por su condición humillante y con hambre, que cuando los soldados y los llaveros vinieron para ordenarnos a fin de ser encerrados, rehusamos obedecer, hasta que nos dieran nuestro pan. "¡Vayan a sus celdas!" nos gritaban. "No, ¡no iremos hasta que tengamos nuestro pan!" Los soldados fueron alistados, y con su coronel y su segundo en mando, se formaron en el muro sobre el portón de hierro con rejas, sobre la gran plaza pública que contenía el hospital y los almacenes donde se guardaba nuestro pan. En la parte baja de esta plaza había otro alambrado de hierro y portones de hierro cerrados con llave, que era la línea de demarcación entre nosotros y nuestros guardianes. Aquí había un angosto pasillo de tres metros [diez pies] de ancho y nueve metros [treinta pies] de largo, donde todos los prisioneros, cuando salían de sus celdas, continuamente pasaban en ambas direcciones entre los patios 1, 4 y 7, que contenían los siete edificios de celdas preparados para alojar unos diez mil prisioneros.

Al oscurecer, la excitación se había generalizado en los dos bandos, y el angosto pasadizo llegó a estar tan lleno que era difícil pasar. La presión a la larga llegó a ser tan grande que se quebró la cerradura del gran portón doble, y las puertas se abrieron de par en par. En unos pocos momentos, los prisioneros, desarmados y sin ningún plan preconcebido, estaban pisando tierra prohibida, llenando la plaza pública, y apiñándose ante el gran portón de hierro del otro lado de la plaza, detrás del cual estaba el coronel y comandante, con su regimiento de soldados armados, ordenando a los prisioneros que se retiraran o abriría fuego sobre ellos. "¡Disparen!" gritaron los prisioneros, mientras se apiñaban delante de los soldados, "estamos tan dispuestos a morir por la espada como por el hambre". El coronel, ahora menos dispuesto a abrir fuego, deseaba saber qué queríamos. "Queremos nuestro pan, señor". "Bueno, retírense en orden a sus celdas respectivas, y haremos algo al respecto". "No, señor, no nos iremos hasta que tengamos nuestra ración completa de pan". El coronel ordenó al concesionario que sirviera a los prisioneros la ración completa de pan blando. A eso de las nueve de la noche, todos los grupos habían recibido su pan. Los prisioneros entonces tranquilamente entraron en sus respectivas prisiones y comenzaron a saciar sus apetitos con los ásperos panes negros y agua fría, encomiando en los términos más elevados la forma calmada, valiente y caballerosa con la que el coronel nos había recibido y otorgado lo que pedíamos.

Dos días después, es decir, el 6 de abril de 1815, el gobernador volvió a su puesto. Al saber lo que había ocurrido en la noche del 4, declaró (como se nos dijo luego) que él se vengaría de nosotros. En este sexto día, de noche, algunos de los prisioneros estaban jugando a la pelota en el patio número 7. Varias veces la pelota pasó por sobre el muro, y a menudo era devuelta por los soldados cuando se les pedía bondadosamente que lo hicieran. En un momento, uno de los prisioneros gritó de manera autoritaria: "Soldados, devuélvannos esa pelota". Y como no vino, algunos de los jugadores dijeron: "Haremos un agujero en la pared para buscarla". Dos o tres de ellos comenzaron a extraer la masilla con unas piedras pequeñas. Un centinela sobre el muro les ordenó que dejaran de hacerlo, pero persistieron hasta que se les ordenó lo mismo por segunda vez. Yo estaba caminando, yendo y viniendo, durante ese tiempo, junto con otros, pero no supusimos que podrían hacer un boquete con las piedras que estaban usando, y que nada de esto tenía mucha importancia. Aparte de ese incidente trivial, los prisioneros se mostraban tan ordenados y obedientes como en cualquier momento anterior.

Al ponerse el sol, los llaveros, como siempre, ordenaron a los presos a entrar. Para lograr eso y llegar a sus respectivos edificios, el angosto pasillo estaba tan densamente lleno que el portón doble, que no había sido reparado después de los incidentes del día 4, y estaba apenas atado, se abrió de repente, y algunos necesariamente pero sin intención entraron en cantidad a la plaza. Parecía que el gobernador, con un regimiento de soldados armados, se había ubicado por encima de la plaza, esperando un pretexto para atacarnos. La apertura repentina del portón, aunque sin intención, pareció suficiente para sus propósitos; porque avanzó con sus soldados, y les ordenó abrir fuego. Sus órdenes fueron obedecidas al instante, los soldados corrieron entre los prisioneros que huían, y dispararon contra ellos en todas direcciones. Un pobre hombre cayó herido, y varios soldados lo rodearon. Se puso sobre las rodillas y suplicó que lo dejaran vivir, pero su respuesta fue: "¡No hay misericordia aquí!" Entonces descargaron sus mosquetes y lo dejaron hecho un cadáver desfigurado. Otros huían hacia las puertas de sus respectivos edificios, que siempre antes habían estado abiertas a la hora de entrar, las encontraron cerradas, y mientras procuraban llegar a la puerta opuesta, se encontraron en fuego cruzado de los soldados. Esto fue una prueba más de que esta actividad había sido premeditada.

Mientras trataba de avanzar contra la corriente para bajar la escalera de piedra y ver de qué se trataba el ruido y los tiros de los mosquetes, varios soldados vinieron corriendo hacia la puerta (mientras los que estaban afuera trataban de entrar) y descargaron contra nosotros sus mosquetes. Un hombre cayó muerto, otro cayó justo delante de mí con la pérdida de su pierna, y un soldado inglés, contra su voluntad, fue empujado hacia adentro, y la puerta se cerró contra aquellos soldados tan cobardes y asesinos que descargaban sus mosquetes sobre aquellos que no habían estado fuera de sus prisiones.

Ahora prevalecía la mayor confusión y excitación por todos los edificios. Todo lo que escuchamos de parte de algunos que venían huyendo de los asesinos, es que habían pasado a muertos y moribundos en camino al edificio de celdas. Les gritamos a los del edificio próximo, y nos dijeron que les faltaban unos doscientos. A nosotros nos pareció que nos faltaba un número similar. En base a esto, supusimos que una gran cantidad debió haber sido masacrada. Padres, hijos, hermanos faltaban, y había una excitación muy intensa en nuestra prisión. De repente, escuchamos el silbato del contramaestre en manos del pregonero de todos los días. Todo quedó en silencio en el piso superior. Entonces comenzó a leer algo así: "Hay un soldado inglés entre nosotros que se encontró en el piso inferior, y varios prisioneros le pusieron una soga alrededor del cuello, y el otro extremo por sobre una viga, rogándole que diga sus oraciones, porque están a punto de colgarlo. Dos de la comisión prevalecieron sobre ellos para que se detengan hasta que sepan el pensamiento de los prisioneros. *"¿Qué haremos con él?"* "¡Cuélguenlo! ¡Cuélguenlo! ¡Cuélguenlo! gritaban algunos; otros: "¡No, no; suéltenlo!" En el segundo piso y la planta baja, más o menos lo mismo. El pregonero informó que la mayoría estaba a favor de colgarlo. La comisión, con otros, les rogó que esperaran, hasta que se procurara obtener una votación nuevamente. Los prisioneros estaban demasiado excitados, y por lo tanto juzgaban demasiado apresuradamente. El pobre soldado todavía estaba rogando por su vida, anticipando que lo colgarían enseguida. Cuando el pregonero pasó por segunda vez, era difícil decidir, pero había muchos más en favor de perdonarle la vida a su enemigo. Esto abrió el camino para una tercera prueba, que estuvo decididamente en favor de liberarlo. Durante este intervalo, los muertos y moribundos habían sido reunidos en los patios, y llevados al hospital. Una guardia de soldados entonces vino a nuestra puerta por los prisioneros muertos y los heridos. "¿Tienen algunos aquí?" "Sí, aquí hay dos; y aquí también está uno de *sus propios soldados*, llévenselo".

Cuando el tribunal de investigación que fue establecido para juzgar este acto homicida dictó sus conclusiones (a lo que nos referiremos en seguida), los periódicos ingleses aplaudieron mucho el acto honorable y misericordioso de los prisioneros de Dartmoor, quienes, bajo condiciones tan graves, perdonaron la vida al soldado inglés.

Fue tarde en la mañana cuando las puertas de nuestra prisión se abrieron; porque llevó algún tiempo lavar la sangre de nuestros compañeros asesinados, lo que nuestros enemigos no querían que viéramos. Cuando salimos al patio muchos encontraron a sus amigos perdidos; porque durante la masacre, para escapar al fuego de los soldados, varios huyeron al edificio más cercano, y quedaron en él hasta la mañana, mientras otros buscaron y encontraron a los suyos en el hospital, entre los asesinados y los heridos. Después de muchas preguntas, supimos que hubo siete muertos y sesenta heridos. Lo que hizo que esto fuera más irritante, es que los dos gobiernos estaban en los términos más amistosos, y muchos de nuestros barcos y compatriotas ya estaban haciendo sus negocios en Inglaterra, mientras, como ya mostramos, en lugar de relajar su rigor sobre nosotros, los ingleses nos habían apretado las cuerdas cada vez más fuerte, y habían hecho tal cosa hasta siete semanas después de la ratificación del tratado de paz entre Gran Bretaña y los Estados Unidos. Si el Sr. Beasley, nuestro cónsul en Londres, hubiera obedecido de inmediato las instrucciones de nuestro gobierno, él podría habernos ahorrado el problema de colgarlo y quemarlo en efigie, y también le habría negado al Gobernador Shortland la gratificación de asesinarnos de una manera tan inmerecida, al proveernos barcos, o informarnos que hacía todo lo posible para liberarnos de nuestro confinamiento miserable.

Se instituyó un tribunal de investigación para considerar este asunto. John Quincy Adams, ex secretario de la Legación Norteamericana en Ghent, de parte de los Estados Unidos, y uno de los almirantes experimentados de Plymouth, de parte de Gran Bretaña, con su séquito.

Se preparó un lugar para el tribunal en la parte alta de los muros por encima del angosto pasadizo y lugar de demarcación entre prisioneros y sus guardias, de modo que el tribunal podía recibir observaciones de los prisioneros por la izquierda, y por sus guardias, por la derecha, estando los muros entre nosotros y ellos. La declaración del Gobernador Shortland y su grupo, respecto al intento de hacer un agujero en el muro, y la apertura violenta de portones ya rotos, para justificar su ataque sobre nosotros de la manera ya descrita, parecieron tener muy poco peso. Habíamos llegado a la conclusión en el momento de la masacre, que este plan había sido preconcebido. El almirante británico pareció que quería seriamente preguntar a los prisioneros respecto de su ración de alimentos, y si no se les había dado toda cantidad que se les debía dar, etc. La respuesta fue que nuestras quejas ahora no eran sobre nuestra ración de alimentos, sino sobre la manera inhumana en la que nuestros compatriotas habían sido masacrados. Finalmente, en el arreglo de este doloroso problema, la masacre en Dartmoor fue repudiada por el Gobierno Británico, y se hizo una compensación a las viudas de los sufrientes. (Ver *La Historia Universal de Eventos Destacados,* de D. Haskel.)

Tres semanas después de la masacre llegó la noticia por largo tiempo esperada, es decir, que había llegado un documento a Plymouth para una leva de prisioneros. Como yo estaba en ese tiempo entre los primeros de la lista de prisioneros, fui llamado y reunido con un grupo de unos doscientos cincuenta. Muchos de estos, cuando fuimos reunidos ante el gobernador Shortland y sus soldados armados, llevaban banderas blancas en palos largos con leyendas en grandes letras negras como las siguientes, es decir: *"Masacre de prisioneros norteamericanos en la prisión de Dartmoor, 6 de abril de 1815". "¡El sangriento 6 de abril!"* Otros tenían banderas con el nombre de Shortland como el asesino de prisioneros norteamericanos. Algunos de los prisioneros declararon abiertamente que lo matarían si podían llegar cerca de él. Él parecía estar al tanto de estas amenazas, y se mantuvo a una distancia segura mientras nos reunían en el patio superior cerca de las casas de él y sus oficiales, preparándonos para nuestra partida definitiva. También esperábamos que él nos ordenaría bajar nuestras banderas mientras estábamos bajo su inspección, o que lo hiciera su regimiento de soldados armados que nos guardarían desde allí hasta el puerto de Plymouth (una distancia de unos veinticinco kilómetros [quince millas], pero no lo hizo, porque siguieron flameando hasta que pasamos por Plymouth hasta nuestro lugar de embarque.

Fuimos liberados de la prisión de Dartmoor en la mañana del 27 de abril de 1815, justo cinco años después del momento en que fui enrolado en Liverpool, en Inglaterra. Unos dos años y medio en servicio activo en la marina británica, y dos años y medio como su prisionero de guerra. La puerta occidental de nuestro deprimente y sangriento lugar de confinamiento al fin se abrió, y los soldados recibieron la orden de marchar afuera con los prisioneros. Al subir a las alturas de Dartmoor, nos dimos vuelta para mirar la oscura y enorme masa de edificios de piedra donde habíamos sufrido tantas privaciones, y luego hacia adelante, al horizonte occidental que ahora podíamos ver por primera vez desde nuestro confinamiento y verlo extenderse a la distancia hacia nuestro país natal, donde estaban nuestros hogares paternos y amigos queridos. Era más factible sentir que describir nuestras emociones inspiradas por los recuerdos de un cautiverio opresivo por un lado, y una libertad sin límites por el otro. Me agaché para atarme los cordones de mi viejo par de zapatos gastados, y me sentí competente para realizar lo que para nosotros, en nuestra condición debilitada, era un viaje tedioso. Pero la alegre sensación de libertad y la expectativa placentera de pronto saludar a nuestros queridos amigos, aunque nos separaba un océano de cuatro mil seiscientos kilómetros [tres mil millas] de ancho, nos animaba a seguir adelante a la vieja ciudad de Plymouth. La gente nos miraba, y no es de extrañar, porque supongo que nunca antes habían visto pasar por su ciudad a un grupo de hombres tan abigarrado con ondeantes banderas tan singulares.

Capítulo 7

Embarcados hacia los Estados Unidos – Alondras marinas – Entusiasmo respecto a nuestro puerto de destino – Bancos de Terranova – Peligros en el océano – Amenaza de motín – Islas de hielo – Motín en alta mar – Habla con una nave norteamericana – Noticias alegres – ¡Tierra a la vista! – Recepción de un premio – Llegada a New London, Connecticut. – Navegación a Boston

Había botes esperando, y antes de la noche nos embarcamos a bordo del barco. Éste era un barco mercante inglés de 400 toneladas de porte, llamado Mary Ann, de Londres, comandado por el capitán Carr, con camarotes temporarios entre las cubiertas para acomodar unas doscientas ochenta personas. Algunos oficiales que habían estado en libertad condicional se nos unieron en Plymouth, lo que aumentó nuestro número a doscientos ochenta.

Aquí nos vinieron al recuerdo escenas *pasadas*. A unos cinco kilómetros [unas tres millas], en la parte superior de la bahía, había anclada una flota de viejos cascos (barcos de guerra no aptos para navegar o desmantelados), donde se me había enviado unos cinco años antes, después de ser reclutado, para prepararme para el servicio activo en la marina británica. Más bien que someterme a una opresión tan insoportable, a la medianoche me bajé del hueco de una cañonera de la cubierta media del San Salvadore del Mondo (un antiguo barco español de tres cubiertas), al mar, pensando nadar esas tres millas, y posiblemente alcanzar tierra en algún lugar cerca de donde estaba ahora, y por la providencia y la misericordia de Dios, embarcarme para mi país natal. Como ya mostré, fui impedido de hacer este esfuerzo desesperado por mi libertad, y enviado de nuevo a estar entre extraños, con mi carácter marcado como prófugo del servicio de Su Majestad. De este lado de aquel punto oscuro de barcos desmantelados, se encontraba anclado el Swiftshore, 74, recientemente llegado de su estadía de tres años en el Mediterráneo, el mismo navío al cual fui reclutado a su llegada al Mediterráneo desde el Rodney, 74, cuando estaba por regresar de allí a Inglaterra; el mismo buque en el que pasé mis primeros seis meses de prisión, donde fui amenazado, que si no aceptaba el urgente pedido del primer teniente, sería atado al mástil principal, como blanco para la flota francesa. Al ser transferido a este barco por haber intentado lograr mi libertad (como se dijo antes, así me informaron), debía ser transferido cuando el barco quedara libre, al final de unos tres años más, y así condenado a permanecer en un país extranjero, privado de los privilegios permitidos en su servicio, tales el salario pagado a los marineros, y los recesos de 24 horas en tierra, etc. Pero mis sufrimientos en sus prisiones me habían ganado lo que no estaban dispuestos a darme, es decir, total libertad y liberación del servicio al rey George III.

Inglaterra y Norteamérica han hecho, y todavía hacen, mucho en la materia de las compensaciones de quienes han trabajado y sufrido en su servicio. Se gastaron millones de dólares para llevar adelante la guerra de 1812. Los norteamericanos demandaban, y peleaban, por un "comercio libre, y los derechos de los marineros". Inglaterra reconoció la justicia de su demanda: primero, al permitir que centenares, que solicitaron ser prisioneros de guerra más bien que seguir al servicio de ellos, lo hicieran. A menudo se afirmó que unos doscientos de esta clase de prisioneros norteamericanos estuvieron confinados en Dartmoor; segundo, por el tratado de paz de 1815. Pero nunca se nos dio ninguna remuneración por privarnos de nuestra libertad, y el habernos retenido injustamente para pelear sus batallas, excepto la pequeña asignación de salario que estuvieron dispuestos a otorgar. Se me exigió realizar la tarea de un marino experimentado la última parte de mi servicio, y se me dijo que así estaba calificado, siendo estacionado en el mástil principal. Mientras era prisionero de guerra en 1813, el agente de la marina me pagó £14, 2*s*. 6*d*., o $ 62.71. Esto, incluyendo mi áspera y barata vestimenta (para un clima templado), proveniente de lo que los oficiales llamaban el "baúl de pacotilla" de los marineros, fue toda la compensación que Inglaterra me otorgó por mis dos años y medio. Después que me tuvieron como prisionero de guerra dos años y medio más, tratándome y considerándome de la misma forma y manera, sin ninguna mitigación o favor, como las de nuestros compatriotas que fueron tomados como corsarios o en batalla. Pero si Inglaterra se sintiera dispuesta en esta hora tardía de mi jornada y me hiciera justicia, sería muy aceptable.

Nuestros camastros a bordo del barco estaban muy juntos, y fueron preparados para dormir y comer, con un pasillo muy angosto, del ancho justo como para permitirnos subir a cubierta y regresar, en fila india. A la mañana siguiente, levamos ancla y salimos del puerto bajo una nube de velas, con un viento favorable. Muy pronto partimos de la vieja Inglaterra, y estuvimos muy contentos de encontrarnos en el ancho océano navegando hacia el oeste. No ocurrió nada digno de mención a bordo, hasta que llegamos al borde oriental de los célebres bancos de Terranova, excepto las pequeñas alondras de mar que seguían nuestra estela, aparentemente muy contentas de encontrar otro barco y su compañía en el océano, y del cual podía obtener sus raciones diarias de comida. ¡Cómo descansaban de noche, si lo hacen, me asombra! Los marineros las llaman los "pollos de la Madre Carey", tal vez en honor de una buena anciana de ese nombre, por su bondadoso cuidado y simpatía por los pobres marineros.

Después de unos días afuera, el capitán nos dijo que el Sr. Beasly, nuestro cónsul en Londres, había contratado este barco para bajarnos en City Point (a una gran distancia arriba en el río James, Virginia), y cargar con tabaco para Londres. Consideramos que este era un acto cruel e injustificado del Sr. Beasly, porque solo cinco o seis de nuestro grupo serían beneficiados con esto, mientras el resto tendría que recorrer centenares de kilómetros para llegar a sus hogares en Nueva York y Nueva Inglaterra, si es que podían mendigar para conseguir transporte. Le protestamos al capitán, pero él afirmó que no se desviaría del contrato para dejarnos bajar en ningún otro lugar. Los prisioneros declararon, por su parte, que su barco nunca debía llevarnos a City Point; después de lo cual pronto se hicieron arreglos entre nosotros en privado, para decidir, en caso de una revuelta en nuestro castillo flotante, quiénes serían el capitán y los oficiales.

Al acercarnos al borde oriental de los bancos de Terranova, a unos dos tercios de distancia por el Océano Atlántico, encontré que estábamos en el lugar donde naufragué por el hielo varios años antes, como lo relaté en un capítulo anterior. Como este lugar peligroso llegó a ser el tema de conversaciones, supimos que varios de nosotros habíamos experimentado dificultades similares al pasar sobre estos bancos en la primavera del año. El capitán Carr dijo que había hecho quince viajes a Terranova y nunca había visto nada de hielo, y no creía que lo hubiera ahora delante de nosotros. Por la tarde vimos una gran extensión de hielo en forma de capa sobre el agua. Le preguntamos al capitán cómo se refería a tal cosa. Él reconoció que era hielo. Al caer la noche, el viento aumentó hasta hacerse un ventarrón del este. El capitán Carr, sin tomar en cuenta todo lo que se le había dicho con respecto al peligro del hielo en nuestro camino, mantenía al barco viento en popa delante de la tormenta bajo una vela principal y velas delanteras con aparejos cerrados, decidido a hacer su voluntad en vez de quedar quietos hasta la mañana, como sugerían algunos de los prisioneros. Unos treinta de nosotros, no dispuestos a confiar en la opinión del capitán, tomamos nuestra posición en la proa y el bauprés del barco para mirar si había hielo por delante. A medianoche el barco avanzaba furiosamente delante del ventarrón y la tormenta, evidentemente sin ninguna esperanza de evitar el hielo aun si lo veíamos; y con el peligro de ser destrozados sin un momento de advertencia. También sentimos un marcado cambio en el aire. En este dilema decidimos quitarle el barco al capitán y ponernos al pairo. Lo encontramos en el puente dirigiendo el barco por medio de órdenes al piloto. Brevemente le dijimos cuál era nuestra peligrosa posición, y que unas trescientas almas estaba a merced de su voluntad; y que, si no dábamos vuelta el barco, *nosotros lo haríamos por él.* Viendo nuestra determinación de actuar en este asunto de inmediato, él le gritó a su tripulación: "¡Girar a babor con el cabo principal! ¡Poner el timón a estribor!" Esto sujetó la vela principal al mástil, y dejó que el barco quedara contrario al viento.

Habiendo hecho esto, el avance del barco se detuvo hasta el amanecer, el que nos mostró cuán estrechamente habíamos escapado con nuestras vidas. Había grandes islas de hielo frente a nosotros, y si hubiéramos continuado corriendo con el ventarrón habríamos caído en medio de ellas, con peligro inminente de ser destrozados. La tozudez del capitán Carr era ahora evidente para todos, y el camino que seguimos al exigirle que pusiera el barco al pairo también era justificado. Y después que el barco giró otra vez para seguir su curso hacia adelante, y habiendo pasado las enormes islas de hielo, todos nos dispusimos a seguir vigilando hasta que pasáramos los bancos, y estuviéramos otra vez sobre el océano insondable. Estos cuerpos de hielo tenían la apariencia de grandes ciudades, vistos desde la distancia, y si no hubiera sido por nuestra previsión, con toda probabilidad hubieran sido la causa de nuestra destrucción inmediata.

Por otra parte, una gran mayoría de nosotros estábamos convencidos de que este era el mejor momento de hacernos cargo del barco para seguir a Nueva York o Boston, de donde podríamos llegar más fácilmente a nuestros hogares. Esto, porque habíamos decidido y declarado, como dijimos antes, al capitán Carr, que su barco nunca nos llevaría a City Point, Virginia, donde su contrato le exigía que nos desembarcara. Habiendo superado el peligro del hielo, el asunto más difícil de decidir para nosotros era a cuál de los dos puertos debíamos apuntar si tomábamos el barco. De repente y en forma inesperada, uno de nuestro grupo se puso en la escotilla principal en medio del barco, y con voz estentórea exclamó: "¡Todos los que prefieren Nueva York vayan a estribor, y todos los que están a favor de Boston, vayan a babor!" Cada uno fue a su lado, y se declaró que el mayor número estaba del lado de estribor; por lo tanto, el barco iría a Nueva

York. El capitán Carr estaba parado en nuestro medio, cerca del hombre a cargo del timón, sorprendido por este movimiento inesperado y extraño, cuando repentinamente uno de los nuestros tomó el timón de manos del piloto. El capitán Carr exigió que lo dejara inmediatamente, y ordenó a su hombre que tomara de nuevo el timón. Una cantidad de los nuestros también instó a nuestro amigo que tomara el timón, y que lo protegeríamos. Ante esto, el capitán se enojó mucho, y nos dijo lo que haría si tuviera una tripulación que pudiera dominarnos. Pero vio que la resistencia sería vana; habíamos tomado posesión del timón, y por lo tanto el barco ya no estaría bajo su dirección. Viendo lo que se había hecho, nos llamó "chusma", "brabucones", etc., por tomar el barco en alta mar, y quería saber lo que haríamos en el navío, y quién sería el capitán. El capitán Conner, de Filadelfia, fue alzado por los que estaban cerca de él y colocado de pie sobre el cabrestante (un cilindro de más de un metro veinte de alto [cuatro pies], con palancas para levar anclas, etc.). "¡Aquí está nuestro capitán!" gritó la multitud. Dijo el capitán Carr: "¿Va a tomar mi barco a su cargo, capitán Conner?" "No, señor", fue la respuesta. "¡Sí, si lo hará!" fue el grito unánime. "No quiero tener nada que ver con el barco", dijo el capitán Conner. "Lo hará", fue el fuerte grito [de la multitud], "o lo tiraremos por la borda". "Usted oye lo que dicen, capitán Carr. ¿Qué debo hacer?" "Tome el barco, tómelo, capitán Conner", dijo el comandante inglés. Habiendo quedado resuelto esto, el capitán Carr prosiguió con sus insultos. Algunos que estaban cerca de él le aconsejaron que callara y se fuera a su cabina tan pronto como fuera posible, para librarse de peligro. Así lo hizo, y se restauró el orden. El capitán Conner tomó a su cargo el barco, y nombró a tres oficiales como maestres. Varios de nosotros nos ofrecimos voluntariamente como marineros para tripular el barco, y nos dividimos en tres guardias, de modo que se pudiera aprovechar toda ventaja para impulsar al barco hacia adelante, al puerto de Nueva York bajo todas las velas que el barco pudiera soportar.

El capitán Carr y su tripulación tenían libertad, y los tratamos bondadosamente, pero no les permitimos interferir con la navegación. Declaró que si el barco llegaba alguna vez a los Estados Unidos, nos acusaría ante los tribunales de los Estados Unidos por tomar su barco en alta mar. La idea de ser privados de nuestra libertad y acusados ante nuestro país por este caso a nuestra llegada, preocupó a algunos; no obstante estábamos resueltos a seguir a cargo hasta que llegáramos.

Se vio un barco que venía en nuestra dirección con los colores norteamericanos al viento.

Izamos los colores ingleses. Para nosotros era una vista rara ver uno de nuestros barcos con la bandera norteamericana desplegada. Al pasar triunfalmente junto a nosotros, a una distancia desde la que podíamos hablar con ellos, se dio el grito: "¿Qué barco es ése?", "¿De dónde vienen?" y "¿Hacia dónde se dirigen?" Respuesta: "De los Estados Unidos, rumbo a Europa". "¿Qué barco es ese?", etc. Respuesta: "El Mary Ann, de Londres, contratado para transportar prisioneros norteamericanos de Dartmoor, Inglaterra, rumbo a los Estados Unidos". Unas pocas preguntas más, y mientras cada barco seguía su viaje, les dimos tres ruidosos "hurras", tan contentos estábamos de ver a algunos de nuestro país natal a flote en el ancho océano.

Unos diez días después de la revolución, o el momento en que tomamos el barco, vimos tierra a la distancia delante de nosotros. Al acercarnos a la costa descubrimos para nuestro gran gozo que era la Isla Block, R. I., a unos sesenta y cuatro kilómetros [unas cuarenta millas] de nuestra casa. Botes de vela zarpaban desde tierra para tener la primera oportunidad de guiarnos al puerto. Algunos de los nuestros pensaron que esta sería una rara oportunidad de ir a tierra en esos botes, y recogieron sus hamacas y bolsos, esperando saltar a los botes cuando estuvieran junto al barco. Unas ráfagas fuertes del noroeste comenzaron a soplar, de modo que bajamos las velas, y muchos marineros estaban sobre las vergas para ajustarlas. Al llegar los botes a nuestro lado, los hombres que estaban en las vergas más altas gritaron: "¡No vengan aquí! ¡Tenemos la plaga a bordo!" Los hombres que estaban esperando para saltar declararon que no había nada de eso, y les pidieron que se acercaran. Una cantidad de voces desde las vergas superiores decían otra vez: "¡Sí, tenemos la plaga a bordo! ¡No vengan aquí!" Los botes de inmediato se retiraron, y se dirigieron a tierra. Nada que podíamos tener induciría a alguno a subir a bordo, porque sabían que el simple informe de que lo hicieron, los sometería a una tediosa cuarentena. La *plaga* que teníamos a bordo era ésta: Esperábamos que el capitán Carr (como había amenazado) nos acusara ante los tribunales de los Estados Unidos por piratería en alta mar. Por lo tanto, no estábamos dispuestos a separarnos de ellos hasta que supiéramos más de este asunto.

El viento amainó durante la noche, y a la mañana siguiente notamos que una marea alta y una corriente se interponía entre nosotros y el extremo oriental de Long Island y Block Island en el Estrecho de Long Island. Llegamos a la conclusión de que deberíamos conseguir un piloto que nos guiara por el estrecho hasta Nueva York. Esperábamos encontrar uno entre los muchos queches de pescadores que veíamos. Al fin, uno de ellos fue inducido a acercarse. En menos de cinco minutos, tomó posesión del barco, mientras el capitán y la tripulación se retiraron a la popa asombrados por lo que estaba ocurriendo. Juzgamos que cerca de cien de nuestro grupo comenzaron a tirar sus bolsos y hamacas a bordo del queche, y a sí mismos en rápida sucesión. Luego se separaron del barco, nos dieron tres hurras, y se fueron para Newport, R. I., antes de que supiéramos su propósito. No tenían idea de ser acusados ante los tribunales por piratería por el capitán Carr.

Como el viento no era favorable para seguir a Nueva York, decidimos ir a New London, Connecticut, a cuyo puerto llegamos a la mañana siguiente, y anclamos alejados del muelle delante del pueblo, seis semanas después de salir de Plymouth, Inglaterra. Un gran número de los nuestros fuimos a cubierta para aferrar todas las velas al mismo tiempo. Entonces nos paramos sobre las vergas, y dimos tres hurras a la multitud que miraba desde el muelle en New London. En pocos momentos más, botes cargados con nuestro gozoso grupo, con sus bolsos y hamacas, íbamos apiñados hacia la orilla, dejando el barco capturado y al capitán Carr, para que encontrara su rumbo desde allí, y buscara su carga de tabaco en City Point, Virginia lo mejor que pudiera, o que nos encontrara en las próximas veinticuatro horas, si todavía se sentía dispuesto a acusarnos por nuestra supuesta piratería en el océano. Sin duda, estaba tan maravillosamente aliviado por la partida de una tripulación tan rebelde que no tendría interés especial en encontrarse con ellos nuevamente.

La buena gente en tierra parecía casi tan contenta de vernos y darnos la bienvenida a tierra como el capitán Carr de verse librado de nosotros. Pero ni unos ni otros estaban la mitad de contentos que lo que estábamos nosotros. Parecía imposible creer que realmente estuviéramos en nuestro suelo natal una vez más como hombres libres, libres de los navíos de guerra británicos y sus prisiones oscuras y deprimentes. Después que nuestros sentimientos de alegría menguaron un poco, comenzamos a preguntar por el camino a casa. En el transcurso de 24 horas una gran porción de nuestro grupo tomó pasajes en un buque correo hacia la ciudad de Nueva York. Cuatro de nosotros, en base a nuestras promesas, sin dinero, contratamos un queche pescador a dos dólares por cabeza, para llevar a veintidós de nosotros alrededor del Cabo Cod hasta Boston, Massachusetts. Esto nos colocaba fuera del alcance del capitán Carr, donde nunca más oiríamos de él.

Capítulo 8

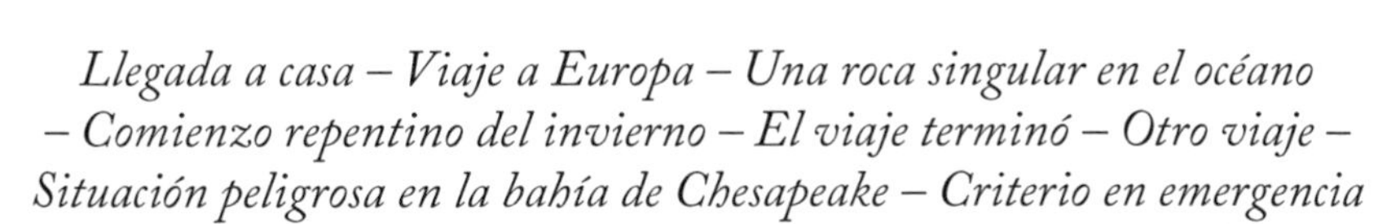

Llegada a casa – Viaje a Europa – Una roca singular en el océano – Comienzo repentino del invierno – El viaje terminó – Otro viaje – Situación peligrosa en la bahía de Chesapeake – Criterio en emergencia – Naufragio en una tormenta de nieve – Visita a Baltimore – A bordo otra vez del –Criterio – Se salvó la carga – Otro viaje – Huracán – Terminó el viaje – Casado – Otro viaje – El capitán ajusta velas en su sueño

El sobrecargo del barco contratado nos dio a cada uno provisiones como para una semana para nuestro viaje. Fuimos muy favorecidos con buen tiempo, y llegamos a Boston al tercer día desde New London, cuando vendimos lo que nos quedaba de provisiones para tener lo suficiente como para pagar nuestro pasaje y recuperar nuestra ropa. Un amigo y vecino de mi padre (el capitán T. Nye), que estaba en Boston por negocios, me prestó treinta dólares de la cuenta de mi padre, lo que me permitió comprar un poco de ropa decente para presentarme entre mis amigos. La noche siguiente, el 14 o 15 de junio de 1815, tuve el indescriptible placer de estar en mi casa paterna (Fairhaven, Massachusetts) rodeado por mi madre, hermanos, hermanas y amigos, todos muy contentos de verme una vez más en el círculo familiar; y todos ellos excesivamente ansiosos de escuchar un recuento de mis sufrimientos y pruebas durante los seis años y tres meses que había estado ausente de ellos; porque mi trabajo a bordo de barcos de guerra británicos, y en prisión los últimos cinco años, había hecho extremadamente difícil, como mostré antes, que alguna de mis cartas les llegara. Era bien sabido que por mis seis años y cuarto de sufrimientos y tareas no tenía nada que mostrar sino unas pocas ropas viejas y gastadas, y un pequeño bolso de lona que nunca usé, por no haber podido escaparme nadando del barco-prisión en 1814, excepto mi experiencia, el relato de lo cual hizo que las lágrimas fluyeran tan copiosamente a mi alrededor, que cambiamos el tema por ese momento.

Los que pensaban que sabían, le habían dicho a mi padre que si alguna vez regresaba al hogar sería igual que otros marineros borrachos provenientes de buques de guerra. Él no estaba en casa por negocios cuando llegué, pero volvió en pocos días. Nuestro encuentro casi lo abruma. Finalmente se recuperó y me preguntó si mi salud se había perjudicado. "No, padre", contesté, "me disgustaron los hábitos de la gente con la que estaba asociado. No tengo ningún deseo de bebidas fuertes", o palabras similares, que lo aliviaron mucho en ese momento. Pronto renové mi relación con mi presente compañera de la vida, la que había comenzado a una edad temprana.

Pocas semanas después de mi regreso un viejo compañero mío de escuela llegó a New Bedford en un barco nuevo, y me contrató de nuevo como su segundo maestre para hacer con él un viaje a Europa. Nuestro viaje fue de Alexandria, D. C., en dirección a Bremen, en Europa, y de regreso a Alexandria. En nuestro viaje navegamos alrededor del norte de Inglaterra e Irlanda. Los marineros lo llaman "ir al norte y alrededor". A menudo se prefiere este pasaje en vez de ir al sur de estas islas y luego por el Canal Británico. En este viaje, al noroeste de Irlanda, a algo más de trescientos setenta kilómetros [doscientas millas] de la tierra, hay una roca solitaria que se levanta unos quince metros [cincuenta pies] sobre el nivel del mar, que los navegantes llaman "Rockal". Su forma es cónica, y de lejos tiene la apariencia de un pan de azúcar, o un faro. Habíamos estado procurando llegar a ella, y cuando hicimos nuestra observación en el meridiano, estábamos acercándonos a esta roca singular en el océano. Como nuestro barco avanzaba bien, con una brisa suave y estable, nuestro capitán se aventuró a acercarse a ella. El mar estaba golpeando su vidrioso costado, como probablemente lo había hecho siempre desde el diluvio, lo que daba la apariencia de tener un barniz brillante a todo su alrededor. Esta roca siempre había sido el terror de los marineros que se encontraban en su cercanía durante una tormenta. ¡Que historias trágicas podía haber contado, si pudiera comunicarse, de diez mil terribles tempestades, y de diez mil veces diez mil olas rugientes por todos sus lados; y de cómo centenares de barcos, pesadamente cargados, inevitablemente eran destrozados en una furiosa tempestad, y de los pobres marineros, con el corazón quebrantado, sin advertencia y sin preparación, que fueron sepultados en su base, y su triste y trágica historia nunca se conocerá hasta la resurrección de los muertos! Y sin embargo allí está, inamovible e imperturbable como cuando fue modelada por su Creador.

Después de un viaje próspero anclamos en el río Weser, a unos cincuenta kilómetros [treinta millas] de Bremen. El invierno comenzó antes de que termináramos de descargar toda nuestra carga, de modo que fuimos detenidos allí hasta la primavera. Estos ríos se cierran, a menudo, en una noche, y comienza un largo invierno. Es asombroso también ver cuán rápidamente el hielo aumenta en espesor en el breve espacio de una marea creciente de seis horas, aun de cuatro a seis metros de espesor a lo largo de sus riberas. Hasta ese momento no habíamos visto hielo. Estábamos gozando un día muy agradable; el viento había rotado al este con un sol poniente claro. Nuestro capitán y un piloto vinieron a bordo para atracar el barco, y ponerlo en los "slangs", una especie de muelle que va desde la escollera hasta el agua profunda con el propósito de romper el hielo y formar un canal hasta los barcos que se refugian allá. Los habitantes del lugar habían predicho hielo en el río antes de la mañana. Unas pocas horas después de anochecer, el hielo comenzó a formarse, y aumentó tan rápidamente que con todas nuestras grandes velas llenas con un fuerte viento, y todos los tripulantes en el molinete, el barco no se movió hacia su anclaje durante la marea alta, en contra del hielo que corría. Al salir el sol la mañana siguiente, se estimó aconsejable cortar el cable en el molinete y apretar el barco entre los "slangs" para prevenir que fuese roto en pedazos por el hielo, y a nosotros librarnos de una muerte inevitable. Afortunadamente el barco aguantó el apretón, y en pocos momentos la marea y el hielo lo llevaron a estar entre los slangs junto al dique. Estos diques son terraplenes levantados para evitar que el mar entre a los terrenos más bajos. Un extremo de nuestros cables fue llevado inmediatamente a la pradera y asegurado a un tronco enterrado para mantenernos lejos del hielo con el subir y bajar de la marea. En este momento calculamos que el hielo tenía seis metros [veinte pies] de altura junto a nosotros en la orilla, y se había acumulado durante la noche. Nuestro barco quedó muy averiado por el hielo durante el invierno. Después de repararlo cabalmente, volvimos a Alexandria en el verano de 1816.

Me embarqué nuevamente desde Alexandria, como maestre principal de la fragata Criterion, desde Boston, Massachusetts. De allí cargamos y navegamos a Baltimore, donde dejamos nuestra carga y cargamos otra vez y navegamos hacia Nueva Orleans, en enero de 1817. En este mes comenzó uno de los inviernos más severos y fríos en muchos años. Relataré aquí un incidente para probarlo. Un barco de Europa con una carga de pasajeros ancló en la bahía de Chesapeake, a unos 74 kilómetros [cuarenta millas] al sur de Baltimore. Sus pasajeros viajaron sobre hielo al puerto y ciudad de Annapolis, distante unos tres kilómetros [unas dos millas]. Yo estaba en la ciudad de Annapolis en ese momento, tratando de conseguir cables y anclas para aliviar el Criterion de su peligrosa situación, como mostraré enseguida.

Al darnos a la vela para salir del puerto y bajar por el río en la tarde, vimos que el hielo alrededor de nosotros se formaba tan rápidamente, que estábamos en peligro de resultar seriamente averiados por él. Al llegar a la boca del río, el piloto dio órdenes de prepararse para anclar hasta la luz del día. El capitán y yo mismo objetamos, procurando persuadirlo a seguir viaje y salir de entre el hielo. Pero él opinó de otro modo, y anclamos en el Chesapeake, en la desembocadura del río Patapsco, a unos treinta kilómetros [16 millas] al sur de Baltimore. La marea estaba tan baja que quedamos varados. En esta situación, el hielo alcanzó nuestra rampa antes del ascenso de la marea. Toda la tripulación se esforzó desde la mañana temprano levando anclas y levantando el barco por sobre el banco. En el momento más alto de la marea decidimos intentar navegar por encima del banco si podíamos rescatar nuestra ancla. Mientras estábamos izando el ancla en la chalupa, la marea cambió, y el hielo comenzó a presionar sobre nosotros tan fuertemente que la dejamos caer otra vez y regresamos al barco. Al llegar al lado de sotavento, estando en el acto de alcanzar el barco, el hielo repentinamente se rompió de donde había estado retenido por unos momentos del lado de barlovento, y nos rodeó alejándonos del buque en un pequeño espacio de agua sin hielo, que se había formado al quebrarse el hielo contra el costado de la nave, y pasar por frente a la proa y la popa. Para cuando pudimos sacar nuestros remos para acercarnos al barco, nos habíamos deslizado varias decenas de metros hacia sotavento, y el lugar de agua sin hielo se había estrechado tanto que los remos golpeaban el hielo, haciéndolos inútiles. Entonces nos aferramos a las salientes del hielo, para hacer avanzar el bote, pero el hielo se rompía en nuestras manos tan rápidamente que no podíamos agarrarnos de él. El capitán y el piloto hacían lo que podían, tirando hacia nosotros remos y otras cosas flotantes, y sogas, pero éramos arrastrados tan rápidamente como aquellas cosas, de modo que en unos pocos momentos estábamos encerrados en un vasto campo de hielo que nos alejaba de nuestro barco por la Bahía de Chesapeake tan rápidamente como la resaca y un fuerte viento noroeste podía empujarnos.

Estábamos vestidos con ropa de trabajo liviana, y teníamos muy poco espacio para movernos y evitar congelarnos. Habíamos estado en el bote desde las dos de la tarde. Al ponerse el sol miramos en todas direcciones para saber cómo orientarnos, si es que el mar rompía el hielo que nos encerraba. Opinamos que estábamos entre veinte y veinticinco kilómetros [doce a quince millas] de distancia de nuestro barco, que iba desapareciendo de nuestra vista. La orilla distante hacia sotavento parecía inalcanzable por causa del hielo. La perspectiva de liberación antes del día siguiente parecía desesperada, si es que alguno de nosotros podía sobrevivir el frío punzante y desagradable de la noche que se avecinaba. Unas pocas luces esparcidas hacia el lado de barlovento (de donde soplaba el viento) en la orilla occidental de Maryland, a unos once o doce kilómetros [siete u ocho millas] de distancia, todavía nos daba un rayo de esperanza, aunque en ese momento eran inalcanzables. A eso de las nueve de la noche el hielo comenzó a romperse alejándose de nosotros, y pronto nos dejó en mar abierto. Comenzamos a remar y enfilamos en dirección de algunas de las luces mencionadas en la orilla del lado del viento, todas las cuales se apagaron en pocas horas.

Después de unas seis horas de incesante remar contra el viento y el mar, el bote tocó fondo a unos doscientos metros [un octavo de milla] de la orilla, tan cargados con hielo que se había hecho con el agua que había entrado, que se llenó de agua pronto después que lo dejamos, y se congeló dejando la forma de su borde al mismo nivel del hielo.

El segundo maestre fue vadeando por el agua y el hielo hasta la orilla para buscar una casa, mientras nosotros nos preparábamos para asegurar el bote. Pronto regresó con la alegre noticia de que no muy lejos había una, y que la familia estaba preparando un fuego para nosotros. Eran ahora las tres de la mañana, y habíamos estado en el bote unas trece horas, trabajando casi sin descanso y moviéndonos para no congelarnos, excepto en los últimos quince o veinte minutos.

Ahora pedí a todos que salieran del bote. El dolor agudo de entrar al agua, que tenía casi un metro de profundidad [tres pies], era indescriptible, mientras la helada que estaba dentro de nosotros salía a la superficie de nuestros cuerpos. Llamé de nuevo para que todos salieran del bote cuando vi que "Tom", mi mejor hombre, estaba a un costado del bote tan profundamente dormido, o muriendo helado, que no podía despertarlo. Lo arrastré fuera del bote al agua, manteniendo su cabeza fuera de ella, hasta que gritó: "¿Dónde estoy?" y se aferró al bote. Vi a uno todavía dentro del bote. "¡Stone!" le dije, "¿por qué no sales del bote?" "Lo haré", dijo, "¡tan pronto como pueda sacarme mis zapatos y mis medias!" Estaba tan confundido que no se había dado cuenta de que sus pies (así como los del resto de nosotros) habían estado empapados en agua y hielo toda la noche. Conseguimos sacarlo, y todos comenzamos a caminar. Para cuando pudimos abrirnos camino a través del hielo nuevo hasta la orilla, estábamos tan ateridos que no podíamos subir la barranca. Indiqué a los marineros que siguieran la orilla hasta encontrar la primera apertura, y yo vendría detrás con Stone tan pronto como pudiera ponerle sus zapatos.

Al entrar a la casa percibí que había un gran fuego, y que los hombres estaban acostados con los pies hacia el fuego, retorciéndose en agonía por sus extremidades hinchadas y el agudo dolor. Les pedí que se alejaran del fuego. Como en la buena providencia de Dios estábamos ahora en un lugar seguro, y sentí alivio de mi casi abrumadora ansiedad y suspenso, me fui al rincón opuesto de la sala, y caí exhausto. Tan pronto como me atendieron nuestro huésped y su compañera, sintiéndome todavía débil, salí de la casa a la nieve profunda, donde me parecía que difícilmente podría sobrevivir el penosísimo dolor que parecía sacudir todo mi cuerpo, y especialmente mi cabeza, causado por la congelación que abandonaba mi cuerpo. De este modo el Señor me libró y me salvó. Gracias a su nombre.

Al mantenerme lejos del ardiente fuego hasta que el hielo salió de mi cuerpo, yo fui el único que se libró de extremidades heladas y una larga enfermedad. Muchos años después me encontré con "Tom", en Sudamérica. Él me dijo cuánto había sufrido, y todavía sufría, desde aquella peligrosa noche.

El capitán Merica y su compañera (porque este era el nombre de nuestros bondadosos amigos), nos proveyeron de una comida caliente, y muy bondadosamente nos dieron la bienvenida a su mesa y su hogar. Después de la salida del sol, con la ayuda de un catalejo, vimos que el Criterion estaba a flote, a la deriva en el hielo por la bahía en dirección a nosotros, mostrando la bandera de socorro a media asta. Sin embargo, no era posible que ningún ser humano pudiera acercarse a ellos mientras estuvieran en medio del hielo flotante. Suponíamos que estaban en peligro de hundirse, ya que el barco ya estaba averiado por el hielo antes de habernos separado de él. Cuando el Criterion pasó a unos siete kilómetros [cuatro millas] de la orilla donde estábamos, pudimos ver al capitán y al piloto caminar en cubierta de un lado a otro, contemplando cuál sería su destino. Levantamos una señal sobre la barranca, pero aparentemente no la vieron. Vimos que el Criterion estaba inclinado hacia estribor, lo que mantenía los boquetes hechos por el hielo en el lado de babor fuera del agua. Antes de la noche, el Criterion pasó frente a nosotros otra vez, a la deriva por la bahía con la marea creciente, y siguió a la deriva por otros dos días, hasta que en una violenta tormenta de nieve del noreste, el barco fue impulsado a su destino final y su tumba.

Cuando amainó la tormenta, con la ayuda de un catalejo vimos al Criterion, varado en Love Point, en la parte oriental de la Bahía de Chesapeake, distante unos veinte kilómetros [12 millas]. Como no había comunicación con los que sufrían sino por vía de Baltimore, y de allí alrededor del fondo de la bahía, cruzando el río Sussquehanna, decidí ir a Baltimore, e informar a los consignatarios y despachantes de la situación del barco. El capitán Merica dijo que eran unos cincuenta kilómetros [treinta millas] de distancia, buena parte a través de bosques y con malos caminos, especialmente en ese entonces, pues la nieve tenía una profundidad de treinta centímetros [un pie]. Me dijo: "Si decide ir, le prestaré mi caballo". Dijo su compañera: "Le prestaré un dólar para sus gastos". Después de un cansador viaje desde la mañana hasta alrededor de las nueve de la noche llegué a Baltimore. Los consignatarios me proveyeron con dinero para pagar nuestra estadía en tierra mientras estuviéramos obligados a quedarnos, y nos dieron órdenes de compra para los comerciantes en Annapolis de cables y anclas, si tuviéramos necesidad de ellos, para conseguir reflotar el Criterion.

Unas dos semanas desde el momento en que nos separamos del Criterion, el clima se moderó y llegó a ser más tibio, y el hielo mucho más quebrado. El capitán Merica, con algunos de sus esclavos, me ayudó a sacar nuestro bote del hielo, y a repararlo. Con nuestra tripulación algo recuperada, y dos fuertes esclavos del capitán Merica, empujamos nuestro bote sobre el hielo hasta que llegamos al agua profunda, y nos subimos a él. Con nuestros remos y una vela prestada navegamos entre el hielo en pedazos hacia el Criterion. Al llegar cerca del barco, vimos que estaba inclinado hacia la orilla, y que una corriente fuerte nos impulsaba más allá del barco hacia un lugar peligroso, a menos que pudiéramos aferrarnos a una soga que nos retuviera. Llamamos, pero nadie respondió. Le dije a mis hombres: "¡Griten fuerte para que los oigan!" Dos esclavos, temiendo que estuviéramos en peligro de quedar atrapados en el hielo, hicieron tanto ruido que el cocinero se asomó por la cubierta principal, del lado de la tormenta, y desapareció de inmediato. Alcanzamos una soga que colgaba mientras pasábamos cerca de la proa, la que nos sujetó bien. El capitán y el piloto, consternados, vinieron corriendo hacia nosotros, mientras yo saltaba a la cubierta del Criterion para encontrarme con ellos. "¡Pero!" dijo el Capitán Coffin mientras nos dábamos la mano, "¿de dónde viene, Sr. Bates?" "De la orilla occidental de Maryland", le contesté. "Pues bien", dijo él, "¡yo pensé que todos ustedes estarían en el fondo de la Bahía de Chesapeake! Los enterré la noche en que desaparecieron de nuestra vista; no suponía que fuera posible que sobrevivieran esa noche".

El Criterion se había separado de sus cables y perdido el ancla en la violenta tormenta que los empujó hacia la orilla. La carga no había sufrido todavía ningún daño. El capitán y el piloto consintieron en que tomara parte de la tripulación y volviera a buscar cables y anclas en la ciudad de

Annapolis, lo que hicimos, pero no pudimos regresar por varios días, debido a otra fuerte tormenta, en la que el Criterion se desfondó y llenó de agua, y los que estaban a bordo lo abandonaron a tiempo para salvar sus vidas.

Durante el invierno, con un grupo de esclavos contratados (nuestros hombres estaban en la lista de los enfermos), salvamos casi toda la carga, con algunos daños. Los hombres elegidos para inspeccionar el Criterion, juzgaron que había unas ciento setenta toneladas de hielo en su casco y velamen, causadas por el paso del agua por sobre el barco y esta haberse solidificado de inmediato. Después de ser desmantelado en la primavera, fue vendido por ¡*veinte dólares*!

Regresé a Baltimore y comencé otro viaje como principal maestre del bergantín Frances F. Johnson, de Baltimore, hacia Sudamérica. Nuestros tripulantes eran todos de color, la elección singular del capitán. A menudo lamenté que nosotros dos fuéramos los únicos blancos a bordo, porque a veces nos encontramos en circunstancias especiales, como consecuencia de ser la minoría.

Con la excepción de alguna mercadería general, entregamos nuestra carga en Maranhão y Pará. Este último lugar está a unos ciento ochenta kilómetros [cien millas] río arriba de la desembocadura del río Amazonas, que se encuentra sobre el ecuador. Aquí tomamos carga para la vuelta a Baltimore. En nuestro viaje de retorno paramos en la isla francesa de Martinica. Después de ocupar nuestro lugar entre los barcos cerca de la orilla, y permanecer allí unos días, inesperadamente el comodoro nos llamó al capitán y a mí a bordo, y nos reprendió porque habíamos dejado de obedecer una minucia en sus órdenes, y nos ordenó a irnos en la mañana. Consideramos que esto era poco generoso y severo, y sin precedentes; pero obedecimos y apenas nos habíamos separado de la isla cuando comenzó un tremendo huracán (que es común en las Indias Occidentales cerca del equinoccio de otoño), el que causó tal devastación entre los barcos y marinos, que unos cien navíos fueron hechos pedazos en unas pocas horas y se hundieron con sus tripulaciones y sus amarras, y algunos fueron empujados al mar en condiciones desesperadas; ¡no quedaron más que dos navíos en el puerto por la mañana!

Fue con mucha dificultad que pudimos alejarnos de la isla durante el día, por causa de los repentinos cambios de viento que soplaban de todos los puntos de la brújula. Estábamos bastante convencidos de que se acercaba una tormenta violenta en ese momento, e hicimos los preparativos necesarios para afrontarla. Afortunadamente escapamos lo peor, con solo pocos daños, y llegamos con seguridad a Santo Domingo. Un balandro de la ciudad de Nueva York entró unos pocos días después de nosotros, y su capitán nos contó lo que ya relaté respecto de la tormenta y desastre en Martinica. Nos dijo: "Llegamos cerca del puerto de Martinica al comienzo del huracán, y fuimos llevados a merced de la tormenta, en la oscuridad de la noche; mientras procurábamos aferrarnos en la cubierta alrededor de nuestro bote [salvavidas], que estaba al revés, fuertemente atado a argollas en la cubierta, éste fue arrancado por la violencia del viento de en medio de nosotros, y ninguno supo cuándo, cómo o dónde se había ido". Para ellos, el milagro fue sobrevivir a la tormenta. Pero todavía más maravilloso para nosotros fue que mientras atendíamos nuestros negocios legítimos, de una manera tan inesperada y sin precedentes fuimos alejados del lugar en el que nadie, sino el ojo omnisciente de Jehová pudo saber de la terrible destrucción que en pocas horas hubiera venido sobre nosotros si nos hubiéramos quedado allí. Ciertamente por medio de su gracia salvadora y su cuidado providencial, pudimos salir apresuradamente del puerto justo a tiempo para quedar entre los que siguen viviendo.

> "Dios se mueve de manera misteriosa
> para realizar sus maravillas".

El capitán Sylvester aquí me dio el comando del F. F. Johnson, para seguir a Baltimore con la carga de regreso, mientras él se quedó en Santo Domingo para vender el resto de la carga que llevamos. En el momento de zarpar yo estaba enfermo, y temía que fuera fiebre amarilla, así que hice traer mi cama al puente de mando, y me quedé expuesto al aire libre de día y de noche, y pronto recuperé mi salud. Llegamos con toda seguridad a Baltimore, a comienzos de enero de 1818. Desde allí volví a la casa de mi padre en Fairhaven, Massachusetts, habiendo estado ausente unos dos años y medio. El 15 de febrero de 1818, me uní en matrimonio con la Srta. Prudence M., hija del capitán Obed Nye, mi esposa actual.

Seis semanas después de esto zarpé en otro viaje, como maestre principal del barco Frances, con el capitán Hitch, de New Bedford. Procedimos a Baltimore, Maryland, donde cargados con tabaco salimos para Bremen, en Europa. De allí fuimos a Gottenberg, en Suecia, donde cargamos barras de hierro para New Bedford, Massachusetts.

Relataré aquí un incidente que nos ocurrió en nuestro viaje de Bremen a Gottenberg, para mostrar cómo algunas personas son muy conmovidas, a veces, en su sueño. Estábamos pasando lo que se llama el "Scaw", en medio del Cattegat, un lugar no muy seguro en una tormenta, en compañía de un gran convoy de comerciantes británicos que iban al mar Báltico. El capitán Hitch, inusual en él, quedó en cubierta hasta la medianoche, momento en que llamó al turno de babor. La noche era desusadamente agradable, luminosa y placentera, con una buena brisa estable, y todo el convoy navegaba hacia adelante en un orden regular. El capitán me pidió que siguiera a cierto barco grande, y que específicamente me mantuviera a cierta distancia detrás de él, para que si lo veíamos en dificultades, pudiéramos alterar nuestro curso a tiempo para evitar lo mismo. Antes de que mi guardia de cuatro horas terminara, el capitán vino por el pasillo diciendo: "Sr. Bates, ¿en qué está pensando, llevando las velas de esta manera? ¡Enrolle y recoja las velas! ¿Dónde está ese barco?" "Por allá", le dije, "más o menos a la misma distancia a la que estaba cuando bajó". Vi que sus ojos estaban bien abiertos, pero no podía creer que estuviera en su sano juicio al hablarme de esa manera perentoria. Yo le dije: "¡Capitán Hitch, usted está dormido!". "¿Dormido?", dijo él, "¡nunca estuve más despierto en mi vida! ¡Enrolle las velas superiores y enróllelas!" Me sentí insultado por este tratamiento inusual y arbitrario sin la menor causa, y le grité con todas mis fuerzas: "¿Hacia adelante? ¡Llame a todos los tripulantes para enrollar las velas superiores!" Esto despertó al capitán, quien preguntó: "¿Qué pasa?" Yo le dije: "¡Usted me ordenó que recoja las velas superiores!" "¿Yo dije eso? No me di cuenta. Deténgalos para que no lo hagan, y yo bajaré para no estorbar más".

Como el capitán Hitch era dueño en parte del barco, con la perspectiva de ganarse unos pocos miles de dólares con una carga de hierro, cargó mucho el navío, pero no pareció percibir ningún peligro especial hasta que nos encontramos una tormenta de nieve al entrar en el Mar del Norte, que nos hizo decidir hacer un rodeo, y nos llevó a la cercanía del "Rockal" en una tormenta nocturna violenta, que despertó nuestras emociones y produjo mucha ansiedad hasta que estuvimos convencidos de que habíamos superado el peligro que representaba.

Capítulo 9

Racionamiento del agua – Arrojar carga al agua – Racionamiento de provisiones – Tormenta terrible – Corriente del Golfo – Calma chicha y huracán rugiente – Agonía silenciosa – En vaivén entre mares – Coincidencia singular en relación con la oración – Más con respecto a un vendaval – Aumenta la filtración – Abastecimiento de provisiones y agua – Concilio – Rumbo a las Indias Occidentales – Notificado – Llegada a salvo a las Indias Occidentales

Nuestra pesada carga de hierro, y vendavales persistentes del oeste, hicieron que nuestro barco cabeceara innecesariamente hasta que empezó a hacer agua muy libremente. Subimos unas veinte toneladas de hierro y las aseguramos en la cubierta superior. Esto disminuyó su cabeceo un tanto, pero todavía prevalecían vendavales del oeste, y avanzábamos muy lentamente hacia occidente. Al fin dijo el capitán Hitch: "Tendremos que racionar el agua"; y me preguntó con cuánto debíamos comenzar. Le respondí: "Dos cuartos de galón [casi un litro] por día". "¡Dos cuartos de galón por día!", dijo él, "Pues, yo nunca bebí dos cuartos de galón por día en mi vida. Yo bebo dos tazas de café por la mañana, y dos tazas de té por la noche, y dos o tres vasos de ron durante el día [en ese tiempo no se conocían las sociedades de temperancia], y eso es todo lo que bebo". Él dijo: "He estado por el mar por unos treinta años, y nunca me han racionado". Yo no había sido tan afortunado, pero había estado con racionamiento de comida durante cinco años, y varios meses con una ración mínima de agua. Le dije al capitán Hitch, "La misma idea de racionar el agua hará aumentar su deseo de beber más". Él tenía sus dudas al respecto, pero dijo, "¡Esperaremos un poco más, porque no creo que nunca bebí dos cuartos de galón en un día!"

Como todavía estábamos estorbados en nuestro progreso, y al barco le entraba más agua, el capitán Hitch dijo: "Mañana de mañana le toca la guardia, y creo que sería bueno que midiera el agua, y asegure los barriles". "Muy bien, señor", le dije, "¿pero cuánto debo medir para cada hombre?" "Bueno, comienza con dos cuartos". Esto se hizo, y los dos cuartos del capitán fueron llevados a su camarote. Mientras caminaba por la cubierta como a las 7 de la noche, estando abierta la escotilla de popa, escuché al capitán Hitch, en la oscuridad, decir en un susurro audible: "¡Lem! ¿Tienes algo de agua?" (Lemuel T. era sobrino del capitán Hitch, y trabajaba en el almacén del barco.) "Sí, señor". "Dame un trago, ¿quieres?" Pocos momentos después escuché el gorgoteo del capitán tomando el agua de la botella de "Lem" como si estuviera muy sediento, y no hacía más de doce horas desde que se le habían dado sus dos cuartos de galón. En la mesa del desayuno a la mañana siguiente le dije: "Capitán Hitch, ¿cómo le fue con el agua anoche?" Él sonrió, y reconoció que estaba equivocado. "La idea del racionamiento (según usted dijo) hace que uno se sienta sediento. Nunca lo había experimentado antes".

Después de enfrentar otro vendaval fuerte, el capitán Hitch se alarmó seriamente, temiendo que el Frances estaba demasiado cargado para cruzar el Atlántico con seguridad. Se mantuvo un concilio, que decidió aliviar el navío de parte de su carga, y arrojar las veinte toneladas de hierro por la borda. En unas pocas horas este trabajo se realizó, y las largas barras de hierro estaban deslizándose rápidamente a su lugar de descanso a unos nueve kilómetros [cinco millas] o más debajo de nosotros, en lo que los marineros llaman el "armario de Davy Jones".

Veinte toneladas más fueron llevadas a la cubierta. Este cambio alivió al barco muy perceptiblemente, y le permitió avanzar mejor. Pero el capitán todavía estaba temeroso de desplegar las velas al máximo por temor a que la grieta aumentara, y nos llevara a todos al fondo.

Nuestra provisión de alimentos estaba disminuyendo, así que llegamos a establecer una ración de carne y pan, habiéndose casi agotado nuestros pequeños depósitos. Todos comenzamos a sentirnos ansiosos de llegar a nuestro puerto deseado. Cuando el capitán dormía, nos aventurábamos a veces a aumentar un poco las velas. Después de una tormenta del oeste, el viento había dado vuelta al este durante la noche. Para aprovechar este viento favorable, para cuando se llamó a la guardia de la mañana, habíamos soltado las velas superiores, las del mástil principal y de las más bajas, fijadas con un viento muy agradable, pero con un mar algo encrespado de frente. El capitán Hitch vino a la cubierta y miró alrededor por unos momentos, y dijo: "Sr. Bates, sería mejor que recogiera la vela principal, y también algunas de las velas rastreras. Entonces vamos a asegurar doblemente las velas más altas". Habiendo hecho esto, él llegó a la conclusión de que el navío avanzaría más fácilmente, y casi tan velozmente como antes.

Al fin, los vientos nos favorecieron, y estábamos avanzando rápidamente. Los últimos tres días el viento había estado aumentando desde el sureste, y de acuerdo con nuestros cálculos, si seguía así, alcanzaríamos New Bedford en tres días más, haciendo que nuestro viaje fuera de setenta días desde Gottenberg. En esto, fuimos tristemente chasqueados, porque para el tercer día, a medianoche, el vendaval había aumentado hasta un nivel temible. Los elementos furiosos parecían desafiar a toda criatura viviente que se moviera por la superficie del mar. En toda mi experiencia nunca había presenciado tales señales portentosas de una tormenta temible y devastadora en los cielos. Las olas subían a alturas increíbles, y parecía que a veces pasarían por encima del tope de los mástiles antes de que nuestro barco, pesadamente cargado, se levantara para recibir su cumbre elevada y espumosa, y el viento ululante y furioso sobre él, tensando cada puntada de vela que nos atrevíamos a mostrar, y luego nos arrojara de cabeza otra vez contra el espantoso valle allá abajo. Toda la vela que nos atrevíamos a mostrar era una vela superior bastante recogida y una delantera muy recogida también. Necesitábamos apurar el barco para salir de este mar espumante, pero teníamos mucho miedo de que las violentas ráfagas las arrancaran de las sogas que las ataban, y nos dejaran a merced del mar para ser abrumados, y para hundirnos con la carga de hierro al fondo del mar.

Le encargamos a la guardia que se retiraba que no se sacaran la ropa, sino que estuvieran listos ante cualquier llamada. Creíamos que estábamos en el borde oriental de la Corriente del Golfo, uno de los lugares más temidos por sus tormentas continuas en la costa norteamericana, o en cualquier costa del mundo. En alguna parte teníamos que cruzarla para llegar a casa.

Entré en la cabina por un momento para informar al capitán Hitch acerca de la tormenta creciente. Él no estaba dispuesto a verla, pero dijo: "Sr. Bates, ¡mantenga el barco quieto frente a las olas!" Esa era nuestra única esperanza. La caña del timón se había quebrado poco tiempo antes, dejando menos de un metro de la cabeza, por causa de un mar violento que nos golpeó en la proa. La habíamos empatado, y ahora con sogas y aparejos de alivio se necesitaban cuatro hombres experimentados, con nuestra máxima habilidad en manipularlos, para dirigir el timón; para mantener el barco directamente en frente de las olas montañosas y espumantes. Nuestro trabajo continuo era algo como lo siguiente: "¡El timón hacia estribor!" "¡Hacia estribor, señor!", era la respuesta. "¡Estable, aquí viene otra ola terrible!" "¡Estable, señor!" era la respuesta. "¿Hacia dónde ponemos el rumbo?" "Noroeste", era la respuesta. "¡Estable, manténganlo así! ¡Muy bien hecho!" Si el barco no hubiera respondido al timón como lo hizo, probablemente aquellas violentas olas habrían pasado sobre nosotros, y nos barrido a todos por la borda. "¡Vire el timón a babor! ¡Aquí viene otra del lado de babor! ¡Estable ahora, las olas están directamente en nuestra popa!", etc.

Con el amanecer vino la lluvia sobre nosotros en tales torrentes que fue con mucha dificultad que podíamos ver la forma de las olas, antes que estuvieran sobre nosotros. Esta lluvia era presagio de un cambio más temible (si fuera posible) que nuestra situación actual. Mi corta experiencia me había enseñado que la Corriente del Golfo[1] era más peligrosa para los navegantes por esta causa que cualquier otro mar navegable.

Entre las siete y las ocho de la mañana, sin ninguna advertencia, el viento de repente nos golpeó del lado opuesto, y nuestras velas golpearon contra el mástil. Se oyó el grito simultáneo: "¡El barco está escorado!" "¡Timón fuerte a babor!" "¡Rápido, rápido!" Parecía como si hubiera tocado la cubierta solo dos veces al correr unos nueve metros [treinta pies] hacia el mástil principal, donde estaban atadas las sogas que sostienen las vergas y las giré de sus ganchos, y grité: "¡Todos los tripulantes en cubierta, ahora!" Bajando de la cresta de la ola, el barco respondió a su timón; su frente dio vuelta hacia el noreste. La vela delantera se llenó otra vez, de otra manera nos hubiéramos ido con la popa al frente, por el impulso abrumador de la siguiente ola. El viento vino furiosamente del oeste por unos pocos momentos, y de repente se detuvo, dejándonos en *calma chicha.* "¡Mueva el timón hacia estribor!" "¡Tú, llama al capitán!" "¡Enrolla la vela superior principal!" "¡Iza la vela delantera!" "¡Todos los tripulantes arriba, ahora, y enrollen la vela superior principal!" "¡Apúrense, hombres, y afírmenla contra la verga tan rápido como puedan!"

---

[1] La Corriente del Golfo es causada por una gran masa de agua que sale del Golfo de México, y que fluye hacia el noreste desde el extremo sureste de la costa de Florida, en algunos lugares pasa cerca de la tierra, ampliándose a medida que fluye por nuestra costa norte, donde se divide hacia los bancos de Terranova, donde a veces se encuentra que tiene varios centenares de millas de ancho, estrechándose y ensanchándose influida por vientos fuertes. Esta corriente barre nuestra cosa sur a veces a la velocidad de tres millas [casi cinco kilómetros] por hora. Al pasar o acercarse a la costa de los Estados Unidos, los marineros siempre encuentran el agua más cálida en esta corriente que a sus costados. Además, tiene tiempos tormentosos, variables y tempestuosos, como no se encuentran en otra parte.

El barco ahora era *inmanejable.* Las olas que acabamos de describir, estaban ahora contra nuestro costado de sotavento, y parecía como si pasarían por encima de los topes de los mástiles, o nos volcarían con la quilla para arriba hacia el viento. Cuando el capitán subió de la cabina y vio nuestra situación, gritó. "¡Santo cielo!", y por un momento quedó en silencio. El barco ahora se estaba retorciendo y contorsionando como una persona en perfecta agonía. Saltaba de manera tan violenta y tumultuosa que hacía difícil que los hombres pudieran subir. Antes de alcanzar la verga de la vela más alta, el viento venía sobre nosotros como un tornado, desde el sudoeste. Esto era lo que temíamos, y por ello nos apurábamos para salvar nuestras velas, si podíamos. Pasó algún tiempo hasta que los hombres pudieron asegurar las velas. Después de hacer esto, y que el barco se aquietara un tanto, la tripulación estaba toda apiñada en cubierta, excepto Lemuel T. y George Hitch, el sobrino y el hijo del capitán, quienes, por orden del capitán estaban encerrados abajo por temor de que fueran barridos de la cubierta; junto con un pasajero. Dijo el capitán: "Cocinero, *¿podría orar con nosotros?*" El cocinero se arrodilló donde pudo afirmarse, y el resto de nosotros manteniéndonos de pie, oró muy fervientemente pidiendo a Dios que nos protegiera y salvara de la temible y furiosa tormenta. Esa fue la primera oración que alguna vez escuché pronunciada en una tormenta sobre el mar. Pecadores como éramos, creo que fue recordada por Aquel cuyo oído no está cerrado al clamor de un marino desesperado; porque las Escrituras testifican que "porque habló, e hizo levantar un viento tempestuoso que encrespa las olas. Suben a los cielos, descienden a los abismos; sus almas se derriten con el mal. Tiemblan y titubean como ebrios, y toda su ciencia es inútil. Entonces claman a Jehová en su angustia y los libra de sus aflicciones" (Sal. 107:25-28).

Parecíamos estar ubicados en la posición exacta de la que habla el salmista. Después que hicimos todo lo que podíamos para salvar nuestras vidas de los elementos enfurecidos de la noche pasada, hasta que nuestro barco quedó inmanejable, nuestras velas aseguradas y el timón atado hacia sotavento, no sabíamos qué hacer y oramos al Señor pidiendo ayuda; Nos amarramos al andamiaje y a la sobrecubierta en profunda contemplación y total silencio, esperando la solución de nuestro caso. El capitán Hitch sin duda sintió que él había descuidado su deber de encomendarnos diariamente a Dios, durante nuestro largo viaje, y ahora, en esta hora de peligro, cuando no sabíamos qué hacer, su confianza le falló. Él y el cocinero eran los únicos profesantes de religión a bordo. Ambos pertenecían a la Iglesia Bautista de Comunión Estrecha, en New Bedford, Massachusetts. El cocinero era el único hombre de color a bordo. Siempre he creído que Dios consideró su oración en forma especial. Solo una vez durante el viaje oí que el capitán oraba. Yo había quedado casi exhausto del trabajo extremo en algunas de las tormentas que mencioné antes, y estaba perdiendo dos horas de mi guardia nocturna para conseguir algún descanso, cuando escuché al capitán Hitch, en una parte oscura de la cabina, orando al Señor para que me devolviera la salud y fuerzas. Al decir esto no lo hago con falta de respeto al Capitán Hitch, porque él era un hombre caballeroso y de buen corazón, y trataba a sus oficiales y a sus hombres con bondad y respeto.

Después de la oración del cocinero, me aseguré a la mesana delantera, para observar la tormenta furiosa. El capitán Hitch estaba directamente detrás de mí, el segundo maestre y la tripulación todos a lo largo del costado protegido de la sobrecubierta, esperando en silencio la resolución de nuestro pedido. El viento era tan inclemente en su furia que retorcía la cresta de las olas que pasaban por sobre nosotros, y nos empapaba como una fuerte lluvia de las nubes. El esfuerzo que sufría el barco parecía más de lo que podía soportar por más tiempo. La maravilla era que todavía se mantenía entero por tanto tiempo. A veces parecía, cuando pasaba sobre la cresta de una de esas olas como montañas, con frecuencia de costado, que, o se daría vuelta o bajaría con tal impetuosidad que nunca se levantaría otra vez. Después de un tiempo el mar se enfureció del oeste, y las oleadas chocaban como enemigas luchando por la victoria. Habíamos quedado en silencio como unas tres horas, cuando dije: "Nuestro barco solo puede resistir un poco más de tiempo". "Así creo yo", replicó el capitán. Dije: "Me parece que nuestra única esperanza es levar las alas de la vela delantera, y dirigirlo entre las dos olas en un rumbo noreste". "Probémoslo", dijo el Capitán Hitch.

Pronto nuestro viejo navío estaba navegando entre esas dos montañas que se derrumbaban, siendo golpeado muy severamente, primero por la derecha y luego por la izquierda. Y cuando nuestros corazones casi fallecían por temor a que el barco fuera volcado, parecía que se levantaba otra vez por sobre todo, y se sacudía como si una mano invisible lo estuviera circundando desde abajo, y con sus *dos pequeñas alas extendidas* llenadas hasta rebalsar con el rugiente y furioso viento, parecía avanzar otra vez con energía más que humana. De este modo, revolcándose, siguió hasta la medianoche entre esas olas que se tumbaban, temblaban, se retorcían y se quejaban, con esa carga de hierro y preciosas almas vivientes que estaba luchando por conservarse, en respuesta a la oración del pobre marinero negro, que había pasado desde la cubierta superior, subiendo de en medio del huracán molestoso y la temible tempestad, a las mansiones pacíficas del Gobernador del Cielo, la tierra y los mares.

Mi esposa estaba en casa de uno de nuestros parientes, a unos pocos kilómetros de nuestra casa, cuando un ministro metodista vino a visitar a la familia. Éste preguntó por qué ella parecía estar tan seria. Se le dijo que el barco en que navegaba su esposo estaba atrasado, y que había mucho temor por su seguridad, y específicamente en ese momento, ya que había una tormenta violenta y furiosa. Dijo el ministro: "Quiero orar por el grupo en el barco". Su oración fue tan ferviente, e hizo una impresión tan profunda sobre mi esposa, que ella anotó la hora. Cuando el barco llegó a puerto, se examinó su cuaderno de bitácora, lo que demostró que era la misma tormenta.

Alrededor de medianoche, cuando el viento giró hacia el norte y el oeste, y las olas furiosas de ese cuadrante se habían tornado peligrosas, y seguían dominando a las que habían sido tan peligrosas del sureste, consideramos que era mejor para nuestra seguridad mantener el rumbo del barco hacia las olas del sureste y darle toda la vela delantera aparejada para alejar el barco de esas olas entrecruzadas e irregulares que rugían desde el oeste. Así, por cuatro días, fuimos impulsados por el furioso huracán hacia adelante para salvarnos de lo que considerábamos una posición más peligrosa, pero mejor que habernos quedado con mástiles desnudos, exponiendo al barco a las olas irregulares que lo habrían dejado inmanejable, y hecho pedazos. Primero nos dirigimos hacia el noroeste ante un vendaval muy violento del sureste, poco después nuestras velas fueron llenadas al revés por un vendaval del noroeste, y luego de unos momentos de calma total, por unos quince minutos, en que el barco se tornó inmanejable; y luego un huracán rugiente del sudoeste, desviados en cuatro días por el norte hacia el este, nuestro rumbo era noreste entre las olas; luego este y sureste, sur y sudoeste. De este modo, en cuatro días recorrimos tres cuartos de vuelta a la brújula, varios centenares de millas más lejos de casa que cuando estábamos en medio de la tormenta misma. Esta fue la tormenta más peculiar y angustiosa de toda mi experiencia; tampoco he leído de algo parecido en su naturaleza y duración. La maravilla para nosotros fue que nuestro viejo barco había soportado este tiempo tan difícil. Sin embargo, la cantidad de agua que le entraba había aumentado a doce mil cilindradas de la bomba en veinticuatro horas.

Otra vez, por decisión unánime, arrojamos otras veinte toneladas de nuestra carga de hierro al mar. Procuramos dirigir el barco a un puerto del sur, pero los vientos occidentales siguieron frenando nuestro progreso hacia el oeste. El invierno todavía no había comenzado del todo, y nuestras provisiones de agua y alimentos estaban tan bajas que estábamos por reducir nuestras raciones, a la vez que nuestro trabajo con las bombas también estaba reduciendo nuestras energías. Vimos barcos ocasionalmente, pero a demasiada distancia como para acercarnos a ellos. Hicimos un esfuerzo extra, y navegamos hacia uno de ellos hasta la caída de la noche, y entonces, para inducirlo que se acercara, pusimos una pértiga sobre nuestra proa, a la que atamos un barril con asfalto y lo encendimos, para hacerles creer que teníamos un incendio, y animarlos a venir en nuestro auxilio, pero no sirvió de nada.

Pronto después de esto, cuando las cosas comenzaron a verse más dudosas, justo al final de un vendaval, a eso de la medianoche, vimos un navío directamente delante que giraba hacia nosotros. Pronto respondió a nuestra señal, izando su "linterna", y pronto nos encontramos a una distancia en que podíamos hablarnos. "¿De dónde son ustedes?" "Nueva York", fue la respuesta. "¿Hacia dónde van?" "Sudamérica". "¿Pueden ustedes ayudarnos con algunas provisiones?" "Sí, tantas como quieran; estamos cargados de ellas". "Queden cerca de nosotros, y enviaremos nuestro bote". "Muy bien".

El corazón del capitán Hitch comenzó a fallarle al comenzar a bajar nuestro pequeño bote. Dijo: "Las olas son tan altas que el bote quedará inundado, y no me atrevo a que vaya usted, Sr. Bates. Perder a alguien de la tripulación ahora sería muy desalentador, y ¿cómo podría salvarse el barco en su condición de hundirse pronto por la filtración?" "Pero, capitán Hitch, no tenemos provisiones, y ahora podemos conseguir algunas". Todavía se declaró no dispuesto a mandar a alguien para intentarlo. Yo dije: "Permítame pedir voluntarios". Siguió sin decidirse. Temiendo que perdiéramos la oportunidad, yo pregunté: "¿Quiénes de ustedes se ofrecen voluntariamente para ir conmigo en el bote?" "Yo voy, señor". "Yo voy"; "y yo también", dijeron otros. "Eso es suficiente" dije yo, "tres son suficientes". En pocos momentos casi no veíamos nuestro barco, navegando hacia la luz de señales. Una ola nos abordó, y llenó casi la mitad del bote. Un tripulante sacaba el agua y los otros con los remos alcanzamos el bergantín. Por causa del mar encrespado pudimos llevar solo unos pocos barriles de pan y harina. Le di al capitán un cheque contra nuestros dueños en New Bedford. "¿Su nombre es Bates?" dijo él; "¿es usted pariente del Dr. Bates, de Barre, Massachusetts?" "Él es mi hermano". "Bueno, yo soy su vecino cercano; salí de allí hace unas pocas semanas. ¿No quiere algo más?" "No, señor. Solo si usted nos orienta y nos arrastra hasta el lado protegido de nuestro barco, estaré muy agradecido". Hecho esto, alcanzamos nuestro barco con toda seguridad, y pronto teníamos nuestras provisiones de pan y harina sobre cubierta. Guardamos nuestro bote, y cada navío siguió su curso. El capitán Hitch estaba casi abrumado por la alegría por nuestro regreso feliz con una cantidad de provisiones que nos llevarían hasta el puerto. Sin embargo, los vientos del oeste seguían prevaleciendo, y el vientre de nuestro barco se había llenado con algas y percebes de modo que se movía muy lentamente. Preparamos un raspador, con el que pudimos en momentos de calma, raspar lo que podíamos. Baldes de percebes, grandes como dedales, y algas verdes de sesenta centímetros [dos pies] de largo aparecían bajo nuestra popa cuando pasábamos el rascador por debajo del barco, todo lo que se había acumulado durante nuestro viaje. Otra vez nos encontramos con un navío de las Indias Occidentales, que nos suministró tres barriles de agua; después de lo cual, un barco de Portland nos suministró papas de su carga. Estas eran bastante aceptables, no solo como un cambio en la dieta, sino también para controlar el escorbuto, que es común en los marinos que están obligados a subsistir con provisiones saladas. En pocas semanas obtuvimos otra pequeña provisión, y nos animó la esperanza de llegar a algún puerto en la costa en pocos días. Pero nuestras vigorosas esperanzas se hundirían otra vez con los vendavales crecientes del oeste, y deseamos que hubiéramos tomado más provisiones. De este modo continuamos luchando, ganando una considerable distancia hacia el oeste, y luego con un vendaval perdíamos casi tanta distancia como la que habíamos ganado en una semana.

Tres veces después de esto conseguimos provisiones de lo que podían darnos de las suyas diversos barcos con los que nos encontrábamos, lo que hicieron siete en total. Y entre nosotros era común el dicho que, en el momento en que necesitábamos alivio, nos llegó. Malos como todavía éramos, solo podíamos reconocer la mano de un Dios misericordioso en todo esto. Finalmente, comenzamos a desesperar, luchando con los casi continuos vientos occidentales en nuestra condición e incapacidad, y llamamos a toda la tripulación al "concilio", para determinar si, en nuestra posición peligrosa para conservar nuestras vidas, deberíamos cambiar el viaje y dirigirnos a un puerto por auxilio. Por unanimidad decidimos que debíamos apuntar a las Indias Occidentales. Después de andar dos días rumbo al sur, el viento comenzó a soplar de ese cuadrante. Como el barco ahora iba rumbo al oeste, el capitán Hitch llegó a la conclusión que debía alcanzar algún puerto del sur de los Estados Unidos. Pero el viento cambió otra vez, lo que cortó esa posibilidad. El capitán Hitch ahora lamentaba que hubiera tomado sobre sí mismo el desviarse de la decisión del concilio, y deseaba que yo convocara otro, y viera si se decidiría otra vez ir hacia las Indias Occidentales. Toda la tripulación se expresó en favor de adherirse a nuestra decisión previa, de tomar rumbo a las Indias Occidentales, pero ¿de qué servía tomar una decisión? El capitán Hitch la cambiaría tan pronto como el viento favoreciera dirigirnos hacia el oeste. Yo declaré que me opondría si él lo hacía, e insistiría en seguir la decisión hecha en el concilio. Fue un voto unánime de seguir a las Indias Occidentales por auxilio. El Capitán Hitch no estuvo presente.[2]

Poco después de que cambiamos el rumbo nos encontramos con una goleta de las Indias Occidentales, con rumbo a Nueva York. Les pedimos que informaran del barco Frances, de Hitch, en apuros, a ciento veintidós días desde Gottenberg, en Suecia, con destino a St. Thomas, en las Indias Occidentales. Como a nuestros amigos les habían llegado cartas, informándolos de nuestra partida de Gottenberg hacia New Bedford, unos cuatro meses antes, cuando una travesía normal habría requerido un tercio del tiempo, diversas conjeturas se hacían con respecto a nuestro destino. Pocos, si algunos, creían que estábamos entre los vivos.

Cuando el buque correo estaba abandonando el muelle, hacia New Bedford y Fairhaven, la goleta llegó y dio el informe acerca de nosotros. Unas 24 horas después el buque correo de Nueva York tocó el muelle de Fairhaven con el informe, un día antes que el correo. Mi esposa, padre, madre y hermanas estaban en una visita social en la casa de una de mis hermanas, cerca del muelle. El Sr. B., el esposo de mi hermana, los dejó unos momentos y estaba parado en el muelle con otros ciudadanos de Fairhaven, cuando el primer ítem de noticias del buque correo al llegar al muelle de Fairhaven, era que una goleta había llegado a Nueva York de las Indias Occidentales, que se había encontrado con el barco Frances, de Hitch, en la latitud... y longitud..., ciento veintidós días desde la salida de Gottenberg con destino a las Indias Occidentales, *en apuros*. Con esta noticia inesperada, el Sr. B. se apuró a regresar al círculo familiar, declarando que el barco Frances todavía estaba a flote, destinado a las Indias Occidentales En un momento cambió la escena, y la noticia se esparció por toda la población para alegrar otros corazones, porque había otros

[2] Cuando se hace un desvío de la póliza del seguro en el viaje de un navío, se requiere que se haga por la mayoría o la totalidad de la tripulación, de que lo hacen así para la conservación de las vidas, del barco y de la carga. Esta acción debe ser registrada en el cuaderno de bitácora del navío en cuestión, para que los dueños puedan legalmente recuperar su seguro, de ocurrir una pérdida después del desvío. Lo mismo se requiere cuando se echa carga por la borda para preservar vidas.

esposos e hijos a bordo del barco perdido por tanto tiempo. Al llegar el correo al día siguiente, la noticia fue confirmada. Ninguna noticia por varios años había causado tal gozo universal en Fairhaven. El principal dueño del barco y de la carga (William Roach, de New Bedford), dijo que le daba más gozo saber que la tripulación vivía, que todos sus intereses en el barco y su carga. Los dueños y los amigos estaban sumamente ansiosos de escuchar los detalles de cómo se habían sostenido tanto tiempo con solo las provisiones y el agua para más o menos la mitad de dicho tiempo; además qué había producido nuestra tardanza.

Tuvimos un viaje exitoso a St. Thomas, una de las Islas Vírgenes en las Indias Occidentales, que pertenece a Dinamarca. La noche que precedió a nuestra llegada, una goleta nos acompañó, destinada al mismo puerto. Por pedido del capitán Hitch, consintió en acompañarnos durante la noche, ya que él profesaba estar bien familiarizado con esa región. La noche fue deliciosa, con viento favorable. La goleta recogió todas las velas excepto la más alta. Nosotros estábamos bajo una nube de velas, las bajas, las de más arriba, y las velas para guiar el barco, todas llenas con un viento delicioso. El capitán de la goleta parecía haber perdido toda su paciencia hacia nosotros, porque no navegábamos lo suficientemente rápido para mantenernos cerca de ellos. Como a la medianoche, se acercó como para hablar, y gritó: "¡Oigan los del barco!" "Hola" replicó el capitán Hitch "¿Sabe lo que yo haría con ese barco si lo comandara?" "No", fue la respuesta. "Bueno, señor", dijo él, "¡si estuviera a cargo de ese barco lo barrenaría y lo enviaría al fondo con toda la tripulación a bordo!" El fondo de nuestro navío estaba tan lleno de algas y percebes que navegaba a solo la mitad de su velocidad si hubiera tenida un fondo limpio.

Sin embargo, llegamos al día siguiente, y nos sentimos muy agradecidos a Dios por preservarnos y sostenernos a través de las escenas peligrosas que habíamos experimentado. Aun cuando nuestro barco estaba anclado con toda seguridad y nuestras velas todas recogidas, por un tiempo difícilmente podíamos darnos cuenta de cuán seguro es el puerto de St. Thomas. Al ladear el barco para limpiar el fondo, era maravilloso ver la cantidad de algas verdes, de sesenta a noventa centímetros [dos a tres pies], y los grandes percebes que estaban pegados al fondo. La "inspección" decidió que el barco podía ser reparado para proceder a los Estados Unidos.

Capítulo 10

Un niño malcriado – Pasaje a casa desde las Indias Occidentales – Falsa alarma – Llegada a casa – Viaje en barco a Nueva Jersey – Rompiente cerca de Bermuda – Posición peligrosa en una tormenta violenta – Isla de Turcos – Pilas de sal – Carga de sal de roca – Retorno a Alexandria, D. C. – Viaje en el barco Talbot a Liverpool – Tormenta en la Corriente del Golfo – Fenómeno singular en los Bancos de Terranova – Un viejo compañero

Mientras reparaban el barco en St. Thomas, el capitán Hitch fue a visitar a un conocido suyo el domingo, y yo me propuse pasar unas horas en tierra para ver el lugar. Me dijo: "George quiere ir a tierra firme; deseo que lo lleve, pero no lo deje salir *fuera de su vista*". Mientras estaba conversando con un conocido, George desapareció. Cuando volví al barco en compañía del maestre con quien el capitán Hitch había conversado, vimos a George acostado en el bote, ¡*ebrio*! Cuando llegamos al barco donde estaba su padre, éste quedó sumamente exasperado, y procuró de varias maneras despertarlo de su estupor e inducirlo a tomar el remo, porque su padre había arreglado que solo nosotros tres manejaríamos el bote, dejando los otros marineros a bordo. George fue incapaz de hacer nada sino contestar a su padre de una manera muy irrespetuosa, de modo que su padre tuvo que usar el remo para llegar al barco.

Después que George se hubo recuperado un tanto de su borrachera, apareció en el puente de mando, donde su padre comenzó a reprenderlo y amenazarlo con castigo, por degradarse a sí mismo y deshonrar a su padre entre extraños como había hecho. Dijo algunas otras palabras, y George agarró a su padre y lo arrastró cierta distancia hacia la popa antes de que el padre pudiera controlarlo y echarlo al suelo, con su rodilla sobre él. El padre se dio vuelta hacia mí, diciendo: "Sr. Bates, ¿qué haré con el muchacho?" Yo contesté: "¡Péguele, señor!" Dijo él: "¡Lo haré!" y lo golpeó con la mano abierta varias veces por la espalda diciendo: "¡Toma esto!" etc.

George estaba tan irritado y excitado porque su padre le había pegado, que corrió hacia la cabina para matarse. En unos pocos momentos, el cocinero vino corriendo desde allí diciendo: "¡Capitán Hitch! ¡George dice que saltará por la ventanilla de la cabina para ahogarse!" "¡Déjelo saltar!" dije yo. Para este instante, ya se encontraba suficientemente sobrio como para saber lo que hacía, porque era un gran cobarde.

George Hitch tenía unos trece años de edad en este momento, y cuando estaba libre de la influencia de las bebidas fuertes era un muchacho generoso y de buen corazón, y con la dirección correcta habría llegado a ser una bendición en vez de una vergüenza y maldición como estaba siendo para sus padres y amigos. Su padre descargó su corazón conmigo acerca de esto, y dijo: "Cuando era pequeño, su madre y yo temíamos que no fuera suficientemente vivo para ser un hombre inteligente, así que lo consentimos en sus picardías infantiles, y pronto aprendió a escapar de la escuela y asociarse con muchachos malos, y otra gentuza, lo que molestaba tanto a su madre tanto que no podía tenerlo más en casa. Por esto lo traje conmigo".

Su padre sabía que George bebía licor cada vez que podía, y no obstante mantenía licor en la garrafa que estaba en su ropero, donde George podía obtenerlo libremente en nuestra ausencia. A veces su padre le preguntaba al cocinero qué había pasado con el licor en la garrafa. Él sabía que ni el segundo maestre ni yo lo habíamos tomado, porque ninguno de nosotros tomábamos bebidas fuertes; por ello debía haber sabido que George lo había tomado.

Nuestro comerciante en Gottenberg había puesto en manos del capitán Hitch una caja de cordial [un licor] muy fino como regalo para la Sra. Hitch. Después de haberse terminado nuestras pequeñas reservas y licores durante nuestra larga travesía, yo vi a George con sus brazos alrededor del cuello de su padre una noche en la cabina. El capitán Hitch me dijo: "¿Qué piensa que quiere este muchacho?" "No sé, señor", contesté. "Él quiere que yo abra la caja de cordial de su madre, y le dé un poco". El indulgente padre cedió, y muy pronto la caja de cordial se vació. Esta sed de licor, no controlada por sus padres, maduró al hacerse hombre, y lo llevó a apartarlo de toda sociedad decente, y finalmente a la tumba de un borracho a la mitad de la vida. Su madre lloró y lo lamentó, y murió afligida por su muchacho arruinado, antes que él. Su padre vivió atormentado y amenazado con la muerte [por su hijo] si no le daba dinero para gratificar la insaciable sed que lo estaba llevando apresuradamente a su fin prematuro, y bajó al sepulcro entristecido de haber sido el padre de un niño tan rebelde. Otra advertencia a padres y niños supervivientes que dejan de seguir la Biblia, en obediencia a la regla infalible de Dios. Proverbios 22:6.

En nuestro viaje de St. Thomas a New Bedford, Massachusetts, nos encontramos con una tormenta muy tempestuosa en la corriente del golfo, frente a Cabo Hatteras. Durante la guardia de la medianoche, George vino corriendo a la cabina, gritando: "¡Padre, padre! ¡El barco se está hundiendo!" El segundo maestre, que estaba a cargo de la guardia, lo siguió, declarando que el barco se estaba hundiendo. Mientras toda la tripulación corría a cubierta, le pregunté al Sr. Nye cómo sabía que el barco se estaba hundiendo. "Porque", dijo él, "se ha hundido dos o tres pies [sesenta a noventa centímetros]. Levantamos la escotilla de popa para ver cuánta agua había en ese agujero, y encontramos que era solo la usual. Los casi continuos truenos y relámpagos vívidos en la rugiente tormenta, lo alarmaron y engañaron, aunque toda la guardia en cubierta también creía que el barco se hundía.

Unas tres semanas desde la salida de St. Thomas vimos la Isla Block. En la mañana estábamos a unos 45 kilómetros [25 millas] de New Bedford, cuando el viento vino del frente, del norte, en un fuerte vendaval, amenazando con empujarnos fuera de nuestra ruta. Atamos nuestros cables alrededor del mástil, y bajamos nuestras anclas, decididos a hacer un esfuerzo desesperado, y probar la fuerza de nuestros cables en agua profunda antes que ser soplados lejos de la costa. Entonces, con las velas que el barco podía soportar comenzamos a dirigir su cabeza hacia el lado del viento buscando un puerto en el Canal de Vineyard. Según las olas y las salpicaduras pasaban sobre nosotros se congelaban en las velas y aparejos, así que antes de virar, lo que era frecuente, teníamos que quitar el hielo de nuestras velas, aparejos y escotillas con garfios de mano. De este modo ganamos unos dieciocho kilómetros [diez millas] hacia el viento, y anclamos en la Caleta Tarpaulin, a unos 27 kilómetros [quince millas] de New Bedford. Desde el observatorio de New Bedford vieron nuestra señal justo cuando entrábamos a la caleta. Cuando nuestra ancla llegó al fondo, la pobre tripulación, medio congelada, estaba tan feliz que dieron tres hurras por estar en un lugar seguro. Después de dos días, la tormenta se abatió, y nos hicimos a la vela y anclamos en el puerto de New Bedford, el 20 de febrero de 1819, casi seis meses desde la salida de Gottenberg. Hasta donde tengo conocimiento de la navegación, esta fue una de las travesías más providenciales y singulares de Europa a América, en su naturaleza y duración, que se haya registrado.

Este viaje, incluyendo nuestro viaje a las Indias Occidentales, podría haberlo hecho nuestro barco, con buenas condiciones del velamen, en menos de sesenta días. Nuestros amigos estuvieron casi tan felices de vernos como nosotros de llegar con seguridad a casa. El contraste entre el continuo golpetear de las bombas para mantener nuestro barco a flote, y las ululantes tormentas de invierno con las que tuvimos que luchar, y un buen fuego crepitante en la sala de la casa, rodeados por las esposas, hijos y amigos, era realmente algo grande, y nos alegraba sobremanera. Pensamos que estábamos agradecidos a Dios por preservar nuestras vidas. Esta era la tercera vez que había regresado a casa en diez años.

"El Viejo Frances", como llamábamos al barco, aparentemente listo para deslizarse a su tumba líquida, pronto fue totalmente reparado y preparado para la tarea de cazar ballenas, que siguió con éxito en los océanos Pacífico e Índico por muchos años. El capitán L. C. Tripp y yo somos ahora los únicos sobrevivientes.

Después de unos pocos meses placenteros en casa con mi familia, navegué otra vez a Alexandria, D. C., y me embarqué como maestre principal a bordo del barco New Jersey, de Alexandria, D. C., con D. Howland como comandante. Subimos por el río James cerca de Richmond, Virginia, para cargarlo hacia Europa. Desde allí a Norfolk, Virginia, donde finalmente completamos la carga y partimos hacia Bermuda.

Al llegar a Bermuda, nuestro barco tenía tanto calado que fue necesario que ancláramos en alta mar, y esperáramos un mar tranquilo y vientos suaves para entrar al puerto. El capitán y el piloto fueron a tierra esperando regresar, pero un violento vendaval y tempestad comenzó apenas llegaron a tierra, lo que nos puso en una situación difícil y peligrosa por casi dos días. No estábamos familiarizados con los peligrosos arrecifes rocosos que limitan los lados norte y este de la isla, pero con la ayuda del catalejo desde la cumbre del mástil, a muchas millas de distancia podía ver las olas furiosas rompiendo, hasta la altura del mástil, por sobre los arrecifes y rocas, al este y al norte; y hacia el oeste de nosotros, la Isla Bermuda recibía toda la fuerza del mar contra su costa bordeada de rocas, tanto como podíamos ver hacia el sur. Desde mi lugar de observación vi que había apenas una posibilidad para nuestras vidas, si durante el vendaval nuestro barco fuera arrancado de su anclaje, o se partiera el cable, de pasar por el sur, siempre que pudiéramos izar velas suficientes para pasar por las rompientes del extremo sur de la isla. Nuestras velas para tormentas estaban recogidas, y habíamos hecho toda la preparación por si los cables se rompían, para cortarlos en el molinete, y aferrarnos a las velas de tormenta que el buque podía soportar, para pasar, de ser posible, las rompientes de sotavento. A medida que el vendaval aumentaba habíamos soltado casi todo nuestro cable, reservando suficiente para evitar el roce en la proa, lo que era muy frecuente. Pero contra todos nuestros presentimientos temerosos, y los que estaban en tierra llenos de ansiedad por nuestra seguridad, especialmente nuestro capitán y piloto, nuestro barco abofeteado se vio al amanecer de la segunda mañana luchando todavía con su enemigo implacable, sosteniéndose de sus anclas bien arraigadas por los largos y tensos cables, que habían sido probados al máximo durante la violenta tormenta que ahora había comenzado a amainar. Al bajar las olas, el capitán y el piloto regresaron, y el barco siguió su camino y ancló con toda seguridad en el puerto, y bajamos nuestra carga.

Navegamos de Bermuda a la Isla de Turcos por una carga de sal. En la vecindad de esta isla hay un grupo de islas bajas, arenosas, donde los habitantes obtienen grandes cantidades de sal del agua de mar. Al pasar cerca de estas islas, los extraños pueden ver algo de la cantidad de mercadería que tienen, ya que está amontonada en pilas para su venta y exportación. Un poco más allá de estas pilas de sal y de las casas donde viven, se observa un paisaje muy parecido a las casitas en las praderas del oeste, con sus numerosas parvas de trigo que se encuentran alrededor de ellas después de la cosecha. La sal de la Isla de Turcos es lo que también se llama "sal de roca". Aquí anclamos nuestro barco a unos cuatrocientos metros [como un cuarto de milla] de la orilla, nuestra ancla a unos setenta metros [doscientos cuarenta pies] de profundidad, listos para recoger nuestros cables y salir al mar en cualquier momento de peligro por el cambio de viento o el tiempo; y cuando el tiempo se calmara, volver y terminar de cargar. En unos pocos días recibimos de los nativos, por medio de sus esclavos, doce mil *bushels* [unos cuatrocientos veinte mil litros] de sal, que nos pasaban de sus botes en bolsas de medio *bushel* [casi 18 litros] cada una. El mar alrededor de esta isla abunda con pequeños caracoles de todos colores, muchos de los cuales eran obtenidos por expertos nadadores que se zambullen por ellos en aguas profundas. Volvimos a Alexandria, D. C., en el invierno de 1820, donde terminó nuestro viaje.

Antes de haber descargado la carga del New Jersey, me ofrecieron el mando del barco Talbot, de Salem, Massachusetts, que entonces estaba cargando en Alexandria con destino a Liverpool. En unas pocas semanas, estábamos saliendo otra vez de la Bahía de Chesapeake, desde Cabo Henry para atravesar el Océano Atlántico.

Poco después de dejar tierra, un violento vendaval y tempestad nos sobrecogió en la Corriente del Golfo, acompañado de terribles truenos y vívidos rayos. Las densas y negras nubes parecían estar apenas sobre nuestros mástiles, y nos mantuvieron inmersos en una oscuridad casi impenetrable, según la noche se cerraba sobre nosotros. Nuestras mentes solo eran aliviadas por las cortinas de fuego que iluminaban nuestro camino, y nos mostraban por un instante que no había otro barco directamente delante de nosotros, y también la forma de las olas delante nuestro, sobre las que nosotros volábamos con todas las velas que el barco podía soportar, cruzando a toda velocidad esta corriente oscura, temida y lúgubre de agua caliente que se extiende desde el Golfo de México hasta los bajíos de Nantucket en nuestra costa atlántica. No podríamos decir si la tormenta disminuyó en la corriente que cruzamos, pero encontramos un clima muy diferente del lado oriental de la misma. He escuchado a marinos que cuentan haber experimentado días de un clima muy agradable mientras navegaban en este golfo, pero no tengo conocimiento de tal cosa en mi experiencia.

Después de esto planeamos un derrotero como para pasar por el borde sur de lo que se llaman los Grandes Bancos de Terranova. De acuerdo con nuestros cálculos y las señales de los sondeos, estábamos acercándonos a este punto notable por la tarde. La noche cerró en medio de una llovizna, que pronto comenzó a congelarse, de modo que para medianoche nuestras velas y aparejos estaban tan helados y endurecidos por el hielo que tuvimos muchas dificultades en sacarles el hielo y dirigir el barco alejándonos del banco otra vez a las profundidades insondables, donde se nos dijo que el agua nunca se congela. Esto fue cierto en este caso, porque el hielo se derritió después de unas pocas horas de viajar rumbo al sur. No nos detuvimos a bajar una sonda, pero supusimos que estábamos en unos trescientos sesenta metros de agua sobre los bancos, cuando tomamos rumbo a sotavento a medianoche. Aquí, aproximadamente a un tercio de los cinco mil quinientos kilómetros [tres mil millas marinas] del ancho del océano, y a centenares de kilómetros de la tierra más próxima, y a unos cien metros [trescientos sesenta pies] por sobre el fondo del mar, experimentamos severas heladas de las que nos vimos completamente aliviados después de navegar hacia el sur por unos cuarenta kilómetros [veinte millas]. Si hubiéramos estado dentro de unos treinta kilómetros de tierra, lo que ocurrió no hubiera sido tan singular. Al principio supusimos que estábamos en la vecindad de islas de hielo, pero llegamos a la conclusión de que no podía ser, ya que nos encontrábamos un mes antes de su aparición. Esto sucedió en abril.

Pocas semanas después del incidente recién relatado, llegamos a Liverpool, la ciudad comercial donde diez años antes yo fui injusta e inhumanamente tomado por una cuadrilla de rufianes del gobierno, que me tomaron a mí y a mi compañero de barco de nuestra tranquila casa de pensión en la noche, y nos alojaron en una sala de prensa o una cárcel inmunda hasta la mañana. Cuando fuimos llevados ante un oficial naval para probar mi ciudadanía, el oficial de la cuadrilla de rufianes declaró que yo era irlandés, perteneciente a Belfast, en Irlanda. Suprimidos mis derechos de ciudadanía, de allí en adelante fui transferido al servicio naval del rey George III, sin limitación de tiempo. Luego yo mismo e Isaac Bailey de Nantucket, mi compañero de pensión, fuimos tomados cada uno de los brazos por cuatro hombres fuertes, y nos llevaron marchando por el medio de las calles como criminales hasta la orilla del agua; de allí, en un bote a lo que ellos llamaban la Antigua Princesa de la Marina Real.

Durante esos diez años había ocurrido un gran cambio en los potentados y los súbditos de la civilizada Europa. Las temibles convulsiones de las naciones habían disminuido en gran medida. Primero, la paz entre los Estados Unidos y la Gran Bretaña, que les otorgó a los primeros, "*Libre comercio, y los derechos de los marineros*"; habían asegurado en unos pocos meses después de la gran batalla decisiva de Waterloo, en 1815, fue seguida por lo que nunca antes se había oído: un cónclave de los gobernantes de los grandes poderes de Europa, unidos para mantener la paz del mundo. (Predicho en tiempos antiguos por el gran Gobernante soberano del universo. Apocalipsis 7:1).

Los dos grandes poderes beligerantes que durante quince años habían convulsionado el mundo civilizado por sus actos opresivos y combates mortales por tierra y mar, habían concluido su lucha mortal. El primero en el poder usurpó el derecho de tomar y forzar obligadamente a su servicio a tantos marineros como requerían sus buques de guerra, sin distinción de color, o si hablaban el idioma inglés. El segundo, con toda su ambición de conquistar y gobernar el mundo, fue exiliado a lo que una vez fue una roca desolada y desértica, muy lejos en el Océano Atlántico Sur, ahora desolado y moribundo.

La gente estaba ahora de duelo por la muerte del primero, es decir, de mi viejo jefe, el rey George III. Le habían sacado la corona, su jornada había acabado, y fue puesto a dormir con sus padres hasta el gran día decisivo. *Luego* había una niña jugando en los brazos de su madre, destinada a gobernar su vasto reino con una actitud menos despótica. Durante esos diez años mis circunstancias también habían cambiado materialmente. Las cuadrillas de reclutamiento y las prisiones de guerra eran cosas de mi pasado, de modo que gocé ininterrumpidamente la libertad de la ciudad de Liverpool en común con mis conciudadanos.

Cuando estábamos casi terminando de cargar lo que llevaríamos de regreso de sal de Liverpool a Alexandria, un hombre vestido con una chaqueta y pantalones azules, con una fusta de ratán en su mano, se acercó a mí con: "Por favor, su señoría, ¿desea usted contratar a un 'estibador' para cargar su sal con la pala?" "No", le contesté, "no lo quiero". "Vea usted, su señoría, yo estoy acostumbrado a este trabajo, y tomo estas tareas". Otra vez rehusé emplearlo, y le dije: "Yo lo conozco". Me preguntó dónde lo había conocido. Yo le dije: "¿Perteneció usted al buque de Su Majestad Rodney, de 74 cañones, estacionado en el Mediterráneo en los años 1810-12?" Él me contestó en la afirmativa. "Yo lo conocí allí", le dije. "¿Me recuerda usted?" "No, su señoría. ¿Era usted uno de los tenientes, o qué cargo ocupaba? ¿O era usted uno de los oficiales del barco mercante norteamericano que detuvimos?" "Ni lo uno ni lo otro", le contesté. Pero por las muchas preguntas que le hice, él se convenció de que yo lo conocía. Habíamos vivido y comido a la misma mesa por unos 18 meses.

Capítulo II

Quién era el extraño – Lista negra – Palear sal – Cima del pico – Termina el viaje. Visita a mi familia – Viaje a Sudamérica – Vientos alisios – Pez del mar – Río de Janeiro – Situación desesperada – Montevideo – Volviendo al norte – Conexión con una ballena – Resolución de nunca beber bebidas ardientes – Llegada a Alexandria – Preparativos para otro viaje – Visita a mi familia – Escape de un escenario. Navegación a Sudamérica – Pez singular – Llegada a Río de Janeiro – Navegación al Río de la Plata – Entregar mi mercadería en Buenos Aires – Huésped católico

Este hombre era el cabo del barco en la guardia opuesta a la mía, y era el capitán de esos infortunados llamados "hombres de la lista negra", sujetos a realizar el trabajo sucio del barco, y también de fregar el bronce, el cobre y el hierro, donde y cuandoquiera hiciera falta. En esta tarea él aparecía deleitado en honrar al rey. El látigo en su mano se parecía al mismo que usaba para azotar a aquellos infortunados hombres. Ya he contado antes, en parte, cómo el primer teniente (Campbell) me amenazó con una paliza sin misericordia si no me movía según su instrucciones, porque yo había intentado alejarme nadando del San Salvadore del Mondo, unos pocos días antes de que me presentaran a bordo del Rodney, como he mostrado antes. Después de observarme por más de un año para ejecutar su amenaza, un día le dijeron que había un par de pantalones cerca del mástil principal. Yo reconocí que los pantalones eran míos, ofensa por la cual me mantuvo en la "lista negra" por seis meses.

Teníamos unas dos horas por semana para fregar y lavar ropa en agua salada; a veces en unos pocos litros de agua dulce, si uno podía conseguirlos antes de que se cumplieran las dos horas. Y no se podía secar la ropa en ningún otro momento, excepto nuestras hamacas, cuando era necesario lavarla. Cada mañana en la temporada cálida se nos requería presentarnos con camisetas y pantalones limpios: si se informaba que no estaban limpios, el castigo era la "lista negra". Si yo hubiera conseguido del sobrecargo que me diera del baúl de pacotilla las ropas que claramente necesitaba, nunca hubiera estado desesperado, como estaba, de evitar la "lista negra". En diferentes ocasiones afirmé al oficial de nuestra división cuán carente yo era en comparación con otros, y le rogué que me diera una muda para poder presentarme bien. En esto fracasé, y porque mis viejas ropas estaban demasiado gastadas para ser decentes, sufrí mucho. Nunca supe de otra razón para exigirme, como fue, que "hiciera ladrillos sin paja", que la de mi primera ofensa de escapar de su servicio nadando. Era un negocio para el gobierno darnos ropa, porque nos la cobraban al precio que querían, y deducían esa cantidad de nuestras escasas pagas. Tuve una oportunidad de saber que no era porque yo viviera ignorando mi deber, como muchos otros hacían, pues el mismo Sr. Campbell me promovió más de una vez a cargos más elevados, y se me dijo que mi salario aumentaría en proporción. Este cabo nunca usó su látigo conmigo, pero la forma en la que *entonces* me "*honraba*", era sacándome de mi hamaca (si había sido tan afortunado de subir a ella después de mi tarea en cubierta a la medianoche), y poniéndome a trabajar con la cuadrilla de la "lista negra", hasta que llegaba la hora en que tocaba mi guardia otra vez en cubierta, y no tenía más oportunidad de dormir hasta que terminara la guardia nocturna. De este modo, a veces tenía el privilegio de unas cinco horas de sueño diario, y más a menudo ¡apenas cuatro de las veinticuatro! Yo estaba seguro de que él podría haberme favorecido en este asunto, si hubiera querido; pero obedecíamos, sabiendo bien que si él informaba negligencia o desobediencia, nuestra tarea habría sido todavía más dura y más degradante. ¡Y todo esto por intentar secar un par de pantalones para que mi nombre apareciera en la lista de los limpios!

Sin satisfacer su curiosidad respecto de quién era yo, supe por él las andanzas de muchos de los oficiales y tripulantes, por muchos de los cuales yo sentía una fuerte conexión. Empleé a dos irlandeses de apariencia fornida para palear nuestra sal de los lanchones de sal a la escotilla de carga, una apertura en el costado del barco. Mientras avanzaban en su trabajo, los vi recostarse sobre sus palas para la sal. Les pregunté: "¿Cuál es el problema?" "Problema suficiente, señor, sus hombres no pueden palear la sal tan rápido como nosotros se la pasamos a ellos". Unos siete u ocho hombres estaban paleando la sal hacia el interior del barco. Dije yo: ¿Cuál es el problema, hombres? ¿No son capaces de palear la sal tan rápido como estos dos hombres la echan en el barco? Respondieron que no podían. Dijo uno de los irlandeses que estaba escuchando junto a la escotilla de carga: Si nosotros tuviéramos tanta carne para comer como ustedes, entonces les daríamos tanto más sal". "¿Por qué?" dijo uno de mis marineros, que parecía muy perturbado por esto, "¿no tienen ustedes suficiente carne?" "No", dijeron ellos, "no hemos tenido nada esta quincena".

"Entonces, ¿qué comen ustedes?" dijo el marinero. "Papas, por cierto", fue la respuesta. Mis marineros vivían entonces con todas las variedades de comida de las buenas pensiones disponibles en Liverpool. Muchos eran de la opinión de que la carne imparte fortaleza superior a la clase trabajadora. Ésta era entonces una prueba en contra de tal cosa.

Por causa de los vientos occidentales prevalentes en nuestro viaje de regreso, llegamos a la vecindad de las Islas Occidentales. Aquí vimos la elevada Cima del Pico mezclándose con las nubes. Por nuestras observaciones a mediodía supimos que estábamos a unos ciento cincuenta kilómetros [ochenta millas] al norte de la misma. Navegando hacia ella unos ciento diez kilómetros (sesenta millas) probablemente habríamos descubierto su base. Llegamos con seguridad a Alexandria, Distrito de Columbia, en el otoño de 1820. Como no se ofrecieron tareas para el barco, regresé a mi familia en Nueva Inglaterra, habiendo estado ausente unos 16 meses.

Temprano en la primavera de 1821, navegué otra vez hacia Alexandria, y tomé a mi cargo otra vez al Talbot, para realizar un viaje a Sudamérica. El grueso de nuestra carga era harina. Mi cargo era de más responsabilidad que antes, porque toda la carga, así como el barco, se me habían confiado para la venta y el regreso. Mi compensación por los servicios de este viaje era más del doble. Mi hermano F. era mi maestre principal. Nuestro destino era Río de Janeiro, en Brasil. Con un viento aceptable, a unas pocas horas de navegación desde Alexandria, estábamos pasando frente a la plantación del ex presidente Washington, en Mount Vernon. Los marineros dicen que era costumbre de algunos comandantes bajar sus velas más altas como señal de respeto cuando pasaban frente a su tumba silenciosa. A unos doscientos ochenta kilómetros [ciento cincuenta millas] de Washington, se pasan los variados y agradables paisajes del Potomac al entrar en la Bahía Chesapeake. Teníamos a un experimentado y hábil piloto; pero su sed por las bebidas fuertes exigían del mayordomo que le preparara ginebra y una mezcla de aguardiente con coñac, con tanta frecuencia, que despertó nuestros temores por la seguridad de la navegación de nuestro barco, de modo que consideramos necesario ponerlo en una ración de tres vasos de bebidas alcohólicas por día, hasta que hubiera piloteado el barco más allá de los cabos de Virginia.

Desde los cabos de Virginia dimos curso hacia el este sureste para el Cabo de las Islas Verdes (como es habitual), para encontrar los vientos alisios del noreste que nos llevaran directamente al promontorio noreste del Brasil, o Sudamérica, bajando hasta el ecuador de la tierra, donde encontramos los vientos alisios que soplan hacia el sur. Al seguir estos vientos alisios del noreste, llama la atención el brillo de la estela que deja el barco en su curso durante la oscuridad de la noche. La luz es tan brillante que he sido tentado a leer a la medianoche a su luz, sosteniendo mi libro abierto en dirección a la estela. De no ser por el cabeceo del barco por llenar el abismo que se abre ante la proa, lo que hace que las letras del libro se confundan, la luz de esta estela haría posible leer texto común en la noche más oscura. Algunos que han examinado este extraño fenómeno, nos dicen que es porque el mar, específicamente allí, está lleno de animales vivos, o pequeños peces luminosos, llamados animálculos. Indudablemente, éstos son alimentos para peces mayores. Más al sur nos encontramos con otra especie de pez de unos treinta centímetros [un pie], provisto de pequeñas alas. De repente un gran cardumen se levanta del mar, a veces recorren un trecho y luego caen otra vez a su elemento. La causa de estos vuelos cuando uno lo ve, es un delfín con todos los colores del arco iris, nadando de aquí para allá como un rayo de luz, en persecución de su presa que ha escapado de su alcance, saliendo de su elemento y tomando un camino diferente. En la noche con frecuencia vuelan hasta la cubierta del barco, proveyendo a los marineros un delicioso desayuno.

Al llegar a las afueras del espacioso puerto y ciudad de Río de Janeiro nos quedamos admirados, al ver las antiguas montañas ásperas, cubiertas por nubes, y especialmente el elevado pan de azúcar que forma un lado de la entrada al puerto. Aquí entregamos una gran parte de nuestra carga, y zarpamos para Montevideo, a la entrada del río La Plata. Unos pocos días antes de nuestra llegada nos encontramos con un vendaval y tormenta terrible, al finalizar los cuales fuimos arrastrados hacia una costa deshabitada llena de rocas. El viento se detuvo y teníamos una calma chicha, las olas y la corriente nos empujaban hacia las rocas. Nuestra única salida era atar nuestros cables y bajar nuestras anclas. Afortunadamente para nosotros sostuvieron el barco. Con mi catalejo subí al tope del mástil para investigar la costa rocosa. Después de unos momentos, decidí que había un lugar en la orilla hacia el cual, si los cables y las anclas cedían, podíamos dirigir nuestro barco; donde podríamos vararlo, y si no nos abrumaba el oleaje podríamos llegar a la orilla. Después de decidir esto, hicimos todos los preparativos necesarios, en caso de que el viento volviera durante la noche, para cortar nuestros cables y hacer un esfuerzo desesperado para alejarnos de las rocas que estaban a nuestro lado. Después de unas treinta horas de ansioso suspenso, el viento comenzó a levantarse otra vez del mar; levamos las anclas, y antes de la medianoche nos consideramos fuera de peligro de esa zona.

Pronto después de ese evento llegamos a Monte Video [Montevideo], y descargamos el resto de nuestra carga, y volvimos a Río de Janeiro. Invertí mis recursos en cueros y café, y después de hacer los papeles necesarios zarpamos para Bahía o San Salvador. En los bancos Abrolhos nos encontramos con el barco Balena, del capitán Gardiner, de New Bedford, fundiendo la grasa de una ballena de esperma que habían arponeado el día anterior. El capitán Gardiner era recientemente de New Bedford, en un viaje ballenero por el Océano Pacífico.

Después de conseguir que estos enormes monstruos de lo profundo estén al lado del barco, con espadas agudas atadas a largos palos, les cortan la cabeza, y con unas "cucharas" de mangos largos sacan el aceite más puro y mejor, llamado "aceite principal". Algunas de esas cabezas producen veinte barriles de este rico producto, que se vende a veces por cincuenta dólares el barril. Entonces con sus grandes "ganchos para la grasa" de hierro, enganchan una tira de su grasa, que son como grandes anzuelos atados a cordeles que se recogen con un molinete, y los marineros van halando mientras otros hombres con las espadas van separando la tira de grasa de la carne. Según la tira de grasa se va extrayendo, el cuerpo de la ballena va girando hasta que toda la grasa está a bordo del barco. El cadáver que queda es abandonado, y pronto los tiburones dan cuenta de él.

La grasa se troza en pequeños pedazos, y se arroja a unos grandes calderos de hierro para purificarla. Cuando las impurezas se tuestan, las tiran debajo de los calderos como combustible. El aceite caliente lo ponen luego en toneles, se los deja enfriar, y se los guarda para el mercado. Mientras este trabajo se va realizando, el cocinero y el mayordomo (si el capitán lo ve bien) trabajan en los barriles de harina, preparando montones de rosquillas ("doughnuts") que se cocinan pronto en el aceite hirviendo como un bocadillo especial para todos los tripulantes. Los marineros llaman a esto tener una "comilona". El aceite caliente es tan dulce como la grasa nueva de cerdo.

El capitán Gardner me entregó noticias recientes de mi casa, y dejó cartas conmigo para los Estados Unidos. En pocos días más, llegué a Bahía, y de allí navegamos a Alexandria, D. C.

Mientras íbamos rumbo a casa me convencí seriamente de un error tremendo que había cometido, al permitirme, como lo había hecho por más de un año, beber bebidas ardientes, después de haber practicado una abstinencia completa, por haber quedado disgustado por sus efectos degradantes y desmoralizadores, y convencido de que los hombres que bebían se estaban arruinando diariamente, y avanzando a paso rápido a la tumba de un borracho. Aunque había tomado medidas para asegurarme de no ir por el sendero de la ebriedad, al no permitirme en ningún caso beber sino solo un vaso de aguardiente por día, a lo que me adhería muy estrictamente, no obstante el fuerte deseo de ese solo vaso cuando llegaba la hora de cenar (el momento usual para ello), era más fuerte que mi apetito por comida, y me alarmó mucho. Mientras reflexionaba acerca de este asunto, resolví solemnemente que nunca bebería otro vaso de licores espirituosos mientras viviera. Ahora han pasado unos 46 años desde esa era importante en la historia de mi vida, y no tengo conocimiento de haber violado alguna vez ese voto, excepto con propósitos medicinales. Esta circunstancia le dio nuevas fuerzas a todo mi ser, y me hizo sentir como un hombre libre. Todavía se consideraba cortés beber vino en compañía elegante.

Tuvimos un viaje agradable desde Bahía hasta los cabos de Virginia, y llegamos a Alexandria a fines de noviembre de 1821. Me esperaba una carta de mi esposa, anunciando la muerte de nuestro único hijo. El Sr. Gardner, el dueño del Talbot, estaba tan satisfecho por el lucrativo viaje que compró un bergantín veloz, y una carga variada en Baltimore, para que yo hiciera un viaje comercial al Océano Pacífico, mientras el Talbot permanecía en Alexandria para someterse a reparaciones necesarias. Mientras se hacían los preparativos para este viaje contemplado, tomé un pasaje en la diligencia postal de Baltimore a Massachusetts para visitar a mi familia. Salimos de Baltimore un miércoles, y llegamos a Fairhaven, Massachusetts, el primer día por la tarde, después de una tediosa ruta de más de cuatro días, deteniéndonos solo para un cambio de caballos, y una comida apresurada hasta que llegamos a Rhode Island. Mientras pasábamos por Connecticut, por la noche, los caballos se asustaron y se desviaron del camino, donde había un banco elevado, volcando el vehículo. Un hombre muy pesado sentado junto a mí, se sostuvo de una correa hasta que ella cedió, y cayó sobre mí y me aplastó a través del costado de la diligencia contra el suelo helado. Si el conductor no hubiese saltado sobre el banco mientras la diligencia caía, y detuvo a sus caballos, habríamos muerto todos. Pasaron varias semanas hasta que me recuperé completamente. Sin embargo seguí adelante hasta que llegué a casa.

Después de permanecer con mi familia unas pocas semanas, en mi regreso a Baltimore, al entrar a Filadelfia cerca de medianoche, en un coche de invierno, cerrado, con una puerta, y siete pasajeros varones, al pasar por sobre una hondonada, las sogas del asiento de los conductores cedieron, y los dos conductores cayeron bajo las ruedas, sin que lo supiéramos los que estábamos arropados adentro. Me pregunté por qué los caballos iban a tanta velocidad. "Déjelos", dijo otro, "me gusta ir rápido". No quedé muy satisfecho, así que me saqué la manta, abrí la puerta y llamé al conductor; pero al no recibir respuesta, y percibir que los caballos seguían a toda velocidad por la calle tres, me asomé hacia adelante y noté que los conductores habían desaparecido, y las riendas estaban sueltas detrás de los caballos. Bajé el estribo, pisé sobre él, y tal vez a unos treinta centímetros [un pie] del suelo, y esperé una oportunidad para saltar sobre un banco de nieve, pero los caballos seguían sobre el pavimento donde la nieve había desaparecido. Los pasajeros detrás me urgían a que saltara, como deseaban hacerlo ellos también antes que la diligencia se hiciera pedazos.

Finalmente salté hacia adelante con la marcha de la diligencia con todas mis fuerzas, y justo vi cómo las ruedas de atrás pasaron junto a mí, cuando caí de cabeza, y no sé cuántas veces di tumbos antes de detenerme. Encontré que tenía una herida en la cabeza de la que salía sangre copiosamente. Oí que la diligencia iba a los saltos, furiosamente calle abajo. Con la ayuda de la luz de la luna encontré mi sombrero, y seguí detrás de la diligencia. Pronto llegué al Sr. Gardner, el hijo de mi patrón, que me acompañaba desde Boston. En su susto, saltó directamente desde la diligencia y estaba seriamente herido. Después de ponerlo al cuidado de un médico, comencé a saber de la suerte de los otros cinco, y nuestro equipaje. Encontré los caballos con un conductor, volviendo con la diligencia con las ruedas deterioradas. Cuatro otros pasajeros siguieron nuestro ejemplo, y no resultaron muy heridos. El último hombre era muy pesado, y saltó después que el coche dejó el pavimento, sobre la arena, sin heridas. Los caballos corrieron hasta el río y de repente giraron hasta pasar bajo un galpón bajo y aplastaron la diligencia sobre sus ruedas, lo que con toda probabilidad hubiera matado a todos los pasajeros que se hubieran atrevido a quedarse. Supimos por la mañana que los conductores apenas escaparon con sus vidas, las ruedas de la diligencia aplastaron los dedos de uno de ellos, y le sacaron el sombrero de la cabeza al otro. Después de unos días, pudimos seguir, y llegamos a Baltimore.

Pronto después de mi regreso a Baltimore, me pusieron al mando del bergantín Chatsworth, con una carga variada, adecuada para el viaje contemplado, con poder ilimitado de seguir comerciando mientras pudiera encontrar negocios rentables. También se nos dieron armas de fuego y municiones para defendernos en casos de piratería y motines. Mi hermano F. todavía era mi maestre jefe. Hicimos los papeles para Sudamérica y el Océano Pacífico, y zarpamos de Baltimore el 22 de enero de 1822.

Después de pocas semanas estábamos pasando las Islas de Cabo Verde, girando nuestro rumbo hacia el Océano del Sur.

En la vecindad del ecuador, con tiempo moderado y calma, nos encontramos con una especie singular de peces (más numerosos que en latitudes más altas) provistos de algo parecido a remos y velas. Los naturalistas a veces los llaman "Nautilus". Son una especie de moluscos. Con sus largas patas como remos para estabilizarlos, se levantan y surgen por sobre el agua de diez a quince centímetros [cuatro a seis pulgadas] de largo, y más o menos lo mismo de alto, y se parecen mucho a un pequeño navío con todas las velas blancas. Navegan y se desvían alrededor del barco, caen sobre las olas, como si estuvieran volteadas por una ráfaga de viento, se ponen derechas otra vez, y se deslizan hacia adelante con su velocidad acostumbrada, al parecer para mostrar al marino que ellas también son barcos, y cómo pueden navegar mejor que ellos. Pero tan pronto como se levanta el viento, su valentía les falla; despliegan todas las velas y se esconden bajo el agua hasta que llega otra calma. Los marineros los llaman "medusas". [Las medusas son hidrozoarios, y no tienen patas, sino tentáculos].

Como el 20 de marzo llegamos y anclamos en Río de Janeiro. Como no encontramos demanda para toda nuestra carga, zarpamos otra vez para el Río de la Plata. Al acercarnos a la entrada norte del río, en la tranquilidad de la noche, aunque a unos cinco kilómetros [tres millas] de la orilla, podíamos oír claramente los perros del mar (focas) que gruñían y ladraban desde la playa de arena, donde habían salido del mar para divertirse. Al día siguiente anclamos en Montevideo para preguntar por el estado de los mercados, y pronto supimos que nuestra carga era muy deseada río arriba en Buenos Aires. Al navegar en la noche este nuevo canal angosto, nuevo para nosotros, sin piloto, tocamos fondo, y fuimos obligados a aligerar nuestro barco arrojando algo de su carga al mar para que el barco pudiera flotar otra vez en el canal. A nuestra llegada a la ciudad de Buenos Aires, nuestra carga se vendió de inmediato con una gran utilidad.

Mientras estábamos en Buenos Aires, en espera de salir otra vez de navegación, un viento "norte" fuerte sopló toda el agua del río por muchas leguas. Era singular ver a los oficiales y las tripulaciones pasar de un barco a otro, y a la ciudad, sobre un fondo firme y seco, donde solo el día anterior sus barcos flotaban y se hamacaban fijos a sus anclas en cuatro metros y medio [quince pies] de agua. Pero era peligroso andar muchos kilómetros, porque si el viento paraba, o cambiaba de dirección en la boca del río, el agua volvía como una catarata rugiente, y hacía flotar los barcos muy rápidamente para otra vez balancearse sostenidos por sus anclas.

Hasta la supresión de la Inquisición en 1820, ninguna otra religión fuera de la Católica Romana era tolerada en Buenos Aires. Era singular notar, como teníamos oportunidades frecuentes de hacerlo, con qué respeto supersticioso la masa de sus habitantes consideraba las ceremonias de los sacerdotes, especialmente la administración del sacramento a los moribundos. El sonar de pequeñas campanillas de mesa anunciaba en las calles la venida de la *Hostia*, generalmente en el siguiente orden: Un poco antes del sacerdote se veía a un niño negro haciendo sonar la campanilla, y a veces dos soldados, uno a cada lado del sacerdote, con sus mosquetes al hombro, con bayonetas fijadas para reforzar la orden eclesiástica de que toda rodilla debía doblarse cuando la Hostia estuviera pasando, o se sometía a la punta de la bayoneta de los soldados. Se me dijo que un inglés, que rehusó hincar sus rodillas cuando la Hostia pasó delante de él, fue acuchillado con la bayoneta de un soldado. Las personas a caballo desmontaban para arrodillarse junto con los hombres, mujeres y niños en las calles, y en el umbral de sus casas, los almacenes y los despachos de bebidas, mientras la Hostia, o el sacerdote, estaba pasando con la hostia y el vino. Nosotros los extranjeros podíamos pararnos en las cuatro esquinas y presenciar la venida de la Hostia, e irnos por otro camino antes que nos alcanzara.

A unos 55 kilómetros [treinta millas] al sur de Buenos Aires hay un buen puerto para las embarcaciones, llamado Ensenado [sic; es Ensenada]. En este lugar me dirigí con el Chatsworth, y lo preparé para un viaje de invierno alrededor del Cabo de Hornos.

Capítulo 12

Cruzando las pampas de Buenos Aires – Preparación para el Océano Pacífico – Resolución de no tomar vino nunca más – Aspecto del cielo estrellado – Posición alarmante en Cabo de Hornos – Doblamos el Cabo - Isla de Juan Fernández – Montañas del Perú – Llegada al Callao – Viaje a Pisco – Paisaje y clima de Lima – Terremotos – Destrucción del Callao – Barco fuera de su elemento – Cementerio y ubicación de los muertos

Mientras estábamos en Ensenada, nuestras comunicaciones comerciales con Buenos Aires requerían que cruzáramos las pampas, o vastas praderas que se encuentran en la parte sur de esa provincia. Para hacerlo, y también para protegernos de los asaltantes en las rutas, nos uníamos en grupos, y nos armábamos para nuestra defensa. Nuestro camino era primero unos treinta kilómetros [veinte millas] atravesando la pradera, y luego treinta kilómetros [veinte millas] más sobre "lomas", o tierras altas, hasta llegar a la ciudad. Salir sobre esa enorme llanura sin un guía, es casi como estar en el vasto océano sin una brújula. No hay un árbol, ni un arbusto, ni nada sino cañaverales y pastos altos salvajes que se ven tan lejos como puede alcanzar la vista. Más o menos lo único que atrae la atención y alivia la mente mientras se pasa por los pantanos de juncos, profundos y peligrosos, y quietos y tramposos lodazales, cruzando arroyos y corrientes de agua, eran rebaños ocasionales de ovejas, piaras de cerdos, ganado vacuno con grandes cuernos, y caballos, todos pastando tranquilamente en su propio orden organizado. Sobre los dos últimos mencionados se podían ver pequeñas aves tranquilamente paradas sobre sus lomos, ya que no tienen otro lugar de descanso. Montados sobre nuestros caballos alquilados, medio salvajes, situando a nuestro bien pagado postillón adelante, pasamos así por esta llanura, en fila india, siguiendo los senderos lodosos del ganado, una parte del tiempo con los brazos alrededor del cuello de los caballos, temiendo que nos arrojaran a un pozo de barro entre los carrizales, o tener que nadar en una de las corrientes.

Después de unas cuatro horas de camino, las "lomas" aparecieron adelante, luego una casa de un granjero, y luego, la taberna de medio camino a casa, para comer, y cambiar de caballos. Pronto un rebaño de cien o más caballos fueron traídos de la llanura a un "corral" o patio, y los hicieron correr a toda velocidad alrededor del patio, mientras los hombres, con sus lazos, o largas sogas de cuero con un lazo corredizo en el extremo, de una manera muy diestra, arrojaban su lazo sobre las cabezas, y los llevaban a un poste. Luego, salvajes o no, eran sostenidos allí hasta que el jinete lo montaba, y luego seguían en fila india detrás del postillón, y pronto seguían al caballo guía sin darse vuelta, ya que sabían a dónde ir con los rebaños en la llanura. El mismo orden se observó al regresar a Ensenada. Durante nuestra estadía aquí, los numerosos arribos de los Estados Unidos saturaron el mercado, y abrieron el camino para que comprara una carga para el Pacífico en términos muy razonables. El Chatsworth estaba ahora cargado, y con franquicia para Lima, en el Perú.

Como en el viaje anterior había resuelto nunca más usar aguardiente excepto con propósitos medicinales, ahora, al partir de Buenos Aires, también resolví que nunca más bebería otro vaso de vino. En esta obra de reforma me encontré totalmente solo, y expuesto a los comentarios burlones de aquellos con quienes más tarde me asocié, especialmente cuando declinaba beber con ellos. No obstante, después de todos sus comentarios, de que no era inapropiado o peligroso beber moderadamente, etc., ¡se vieron impelidos a admitir que mi curso de acción era perfectamente *seguro*!

Al pasar del hemisferio norte al hemisferio sur, uno se asombra por el notable cambio en los cielos estrellados. Antes de llegar al ecuador, la bien conocida estrella polar se ponía aparentemente en el horizonte norte, y una gran cantidad de estrellas bien conocidas en el hemisferio norte se iban retirando de la vista del marino. Pero esta pérdida es suplida por el espléndido, nuevo y variado escenario de los cielos del sur, al navegar hacia las regiones polares meridionales. Aquí, lejos en los cielos del sudoeste, en la senda de la vía láctea, cada noche estrellada se pueden ver dos pequeñas nubes estacionarias, blancas, llamadas por los marineros la "nubes de Magallanes". Ferguson dice: "Con la ayuda de un telescopio parecen ser una mezcla de pequeñas nubes y estrellas". Pero lo más notable de todas estas estrellas *nebulosas*, dice él, "es que en el medio de la espada de Orión, hay siete estrellas (tres de las cuales están muy juntas) que parecen brillar a través de una nube. Parece una "*abertura en el cielo*", a través de la cual se puede ver como si fuera una región mucho más brillante. Aunque la mayoría de estos espacios son unos pocos minutos de un grado de ancho, no obstante siendo que están entre las estrellas fijas debe haber espacios mayores que los que ocupa nuestro sistema solar; *y en los cuales parece haber un día perpetuo, ininterrumpido, entre los innumerables mundos que ningún arte humano puede siquiera descubrir".*

Esta brecha o lugar en el cielo indudablemente es el mismo del que se habla en las Escrituras. Ver Juan 1:51; Apocalipsis 19:11. El centro de esta constelación (Orión) está a medio camino de los polos del cielo, y directamente sobre el ecuador de la tierra, y pasa por el meridiano más o menos el veintitrés de enero, a las nueve de la noche. La inspiración testifica de "haber constituido el universo por la palabra de Dios". Hebreos 11:3. "Cuelga la tierra sobre nada". "Su espíritu adorna los cielos" (Job 26:7, 13).

En nuestro viaje desde Buenos Aires hasta el Cabo de Hornos [Cape Horn], llegamos a la proximidad de las Islas Falkland [Islas Malvinas] entre quinientos cincuenta y setecientos cincuenta kilómetros [entre trescientas y cuatrocientas millas] al noreste del Cabo. Aquí procuramos establecer un puerto durante una tormenta, entrando al Estrecho de Falkland, pero el creciente vendaval nos obligó a seguir nuestro rumbo al sur. Al llegar frente al Cabo de Hornos, por julio y agosto, la estación más fría y tormentosa del año, por unos treinta días estuvimos luchando con los fuertes vientos del oeste, y con islas flotantes de hielo, de las regiones polares tratando, (como dicen los marineros) de doblar el Cabo de Hornos. Mientras esperábamos con una vela en parte recogida frente al Cabo, en un fuerte viento oeste, olas cruzadas subieron a la cubierta por el lado de babor, rompiendo nuestra defensa y arrancando parte de los tablones, y empujaron todo eso contra el mástil desde cerca del molinete hasta el paso hacia las cabinas. En esta condición expuesta y peligrosa, que podría permitir la entrada de agua que nos hundiría de inmediato, aparejamos la vela principal, y pusimos el barco en dirección de donde venía el viento; y para mantenerlo todavía más estable, también habilitamos la vela delantera, que hizo que aumentara tan furiosamente su velocidad que prevenía que el espacio abierto fuera expuesto al agua excepto ocasionalmente. Afortunadamente, teníamos una lona alquitranada nueva a mano. Con tiras de ella, ocupamos a toda la tripulación, cuando se ofrecía la oportunidad, para extenderla sobre los espacios rotos y abiertos, y clavarla para asegurarla, y volver corriendo a nuestros lugares en donde nos afirmábamos hasta que el barco se inclinaba otra vez hacia estribor. En unas dos horas conseguimos asegurarla de este modo, en forma provisoria, sobre los espacios abiertos, recogimos la vela principal y la delantera, y quedamos otra vez con las velas necesarias para equilibrar el barco. Después de bombear el agua y despejar lo roto, tuvimos tiempo para reflexionar sobre cómo habíamos escapado a duras penas de una destrucción total, y cómo Dios, en su misericordia, había abierto el camino para salvarnos en esta difícil hora. Después que se abatió el vendaval, al día siguiente, reparamos con más cuidado los daños, y al final de unos treinta días de lucha frente a Cabo de Hornos contra vientos del oeste, y fuertes tormentas de nieve, pudimos doblar el cabo y dirigir nuestro rumbo a la isla de Juan Fernández, a unos dos mil seiscientos kilómetros [unas mil cuatrocientas millas] al norte de nosotros. Los vientos del oeste estaban ahora a nuestro favor, de modo que en pocos días cambiamos de clima, y estábamos navegando junto a esta isla de mucha fama, que una vez fue el mundo entero para Robinson Crusoe. Después de navegar hacia el norte unos cuatro mil ochocientos kilómetros [unas dos mil seiscientas millas] desde el tormentoso Cabo de Hornos, las elevadas montañas del Perú eran claramente visibles, aunque a una distancia de unos ciento cincuenta kilómetros [ochenta millas] de la costa. Navegamos adelante, echamos el ancla en la espaciosa bahía de Callao, a unos once kilómetros [seis millas] al oeste de la celebrada ciudad de Lima. Los productos norteamericanos estaban con buena demanda. Algunas de mis primeras ventas de harina fueron a más de setenta dólares el barril. Pronto, después de nosotros, llegaron otras cargas, y el precio se redujo a unos treinta dólares. Aquí contraté el Chatsworth a un comerciante español para un viaje a Pisco, a unos ciento ochenta kilómetros [cien millas] más al sur, con el privilegio de vender mi carga y volver con la de él.

Pronto después de nuestra llegada aquí, el maestre jefe y dos de los hombres fueron al pueblo, a unos cinco kilómetros [tres millas] del puerto, para conseguir carne y verduras para el almuerzo. Los hombres pronto volvieron con la declaración de que soldados patriotas habían descendido de las montañas y sitiado el pueblo, y saqueado los comercios donde parte de nuestra carga estaba expuesta para la venta, y habían llevado al maestre a las afueras del pueblo para fusilarlo, y también declararon que bajarían para tomar nuestro barco por causa del comerciante español que habíamos traído de Lima. El maestre pronto apareció en la playa. Después que un bote lo trajo a bordo, dijo que los soldados, al saber que era el maestre del Chatsworth, lo arrastraron a un lado de la aldea para fusilarlo. Al llegar al lugar, uno de los soldados persuadió a los otros que no lo mataran. Habían decidido dejarlo ir, pero lo golpearon sin misericordia con sus espadas. Hicimos los preparativos para defendernos, pero nuestros enemigos pensaron que sería mejor no exponerse al alcance de nuestras balas de cañón. A pesar de nuestros enemigos, que siguieron amenazándonos, vendimos toda la carga aquí a un precio mejor que el ofrecido en Callao, y volvimos a ese puerto con la carga del comerciante español.

Mientras estuvimos en el Callao, apareció una ballena en la bahía. Un ballenero de Nantucket en ese momento la siguió con sus barcos, y la arponearon. La ballena se metió entre los barcos, arrastrando al ballenero, como un rayo en medio del agua espumosa, y se zambulló directamente debajo de un gran bergantín inglés, dándole a sus perseguidores apenas un momento de preaviso para que pudieran cortar la soga y salvar sus vidas, algo como felicitar a sus enemigos desconocidos diciendo: "Si me siguen, nunca arponearán a otra pobre ballena". La ballena pasó por entre los barcos a gran velocidad, hasta la cabecera de la bahía, en aguas playas. El bote la siguió, y la volvieron a sujetar, cuando se dio vuelta y salió de la bahía, y en poco tiempo apenas podíamos distinguir el barco, al ponerse el sol, con su bandera de señales ondeando, lo que significaba que la ballena estaba muerta.

El teniente Conner (ahora Comodoro), que comandaba la goleta Dolphin de los Estados Unidos, se puso en marcha, y al día siguiente llegó con la ballena y el bote ballenero a la rastra. Por invitación, al día siguiente, los ciudadanos de Lima bajaron en cantidades para presenciar cómo los norteamericanos cortaban y se llevaban las grandes ballenas de sus aguas.

El clima en este región es saludable, y las escenas, deleitosas. Había nubes blancas que flotaban, y detrás de ellas se podía ver el cielo densamente azul, aparentemente al doble de la distancia de la tierra que en América del Norte. Y además hay un aire saludable y dulce, y fuertes vientos alisios, y campos muy verdes, y árboles inclinados por su deliciosa fruta, mientras el suelo continuamente produce vegetación tanto para hombres como para bestias. No hay tormentas de lluvia, y la gente dice que allí no llueve nunca. La ciudad está amurallada y protegida del lado este por elevadas montañas, fáciles de subir, aun por sobre las nubes que cubren su cima, que se deslizan debajo del admirado espectador hasta que chocan con salientes más elevados de las montañas, luego suben y flotan por sobre el vasto Pacífico al oeste. Y todavía más a la distancia, por el este, a unas noventa leguas, yacen en enorme acumulación los Andes, siempre cubiertos de nieve, todos visibles a simple vista, que continuamente envían corrientes burbujeantes que riegan las llanuras más abajo. También se la conduce por medio de zanjas con paredes, por las calles de la ciudad.

Mucho más se podría añadir a esta interesante descripción para hacer que la residencia en ese lugar fuera deseable. Pero el sacudón de un terremoto (y son frecuentes allí), tal vez en medio de la noche, cuando los habitantes corren a las calles para salvarse de sus casas que se caen, gritando, llorando y clamando a gritos por misericordia, es suficiente para que uno esté perfectamente dispuesto y apurado por cambiar esa posición por casi cualquier región donde la tierra permanezca quieta sobre sus propios fundamentos.

Está registrado en la *Cronología del mundo* de S. Haskell, que Lima fue destruida por un terremoto en octubre de 1746. Creo que esto no puede referirse a la *ciudad* de Lima, sino al puerto de la ciudad, llamado Callao. Porque la parte más célebre y central de la ciudad de Lima es la Plaza del Palacio, en un lado de la cual se encontraba un edificio de madera antiguo, largo, de un solo piso¸ donde los oficiales de la ciudad realizan su trabajo. Se me dijo con frecuencia que este edificio fue el palacio o la casa del aventurero español Pizarro, después de su conquista del Perú. Si esta afirmación es correcta, entonces se aceptará que Pizarro la ocupó mucho antes del terremoto de 1746. Por ello esa parte de la ciudad no pudo haber sido destruida. Pero sí lo fue el puerto, llamado Callao.

La ciudad de Lima está ubicada a unos once kilómetros [seis millas] en el interior, desde su puerto de mar, Callao, y está a unos doscientos metros [setecientos pies] sobre el nivel del mar, sobre un plano inclinado. Mientras estuve allá en 1822-3, setenta y siete años después del terremoto, con frecuencia visité el lugar para ver las enorme pilas de ladrillo, desde unos cuarenta y cinco centímetros [dieciocho pulgadas] bajo el agua hasta donde alcanzaba a ver que componían los edificios y las murallas del lugar en el tiempo del terremoto. Se me dijo que una fragata española estaba anclada en el puerto en ese momento, y después de su destrucción por el terremoto la encontraron a cinco kilómetros [tres millas] tierra adentro¸ más o menos a mitad de camino del puerto de Callao a la ciudad de Lima a unos cien metros [trescientos cincuenta pies] sobre el nivel del mar. Si esta afirmación es cierta, y nunca escuché de un intento de negarla, entonces tiene que haber sido el terremoto que primero hizo que la tierra se levantara debajo del mar, haciendo que el agua entre ella y la tierra se moviera con tal fuerza que la fragata fue llevada hacia arriba por el plano inclinado, y cuando el agua retrocedió, ella quedó a unos cinco kilómetros de la orilla del mar.

Según todas las apariencias, Callao fue inundada por el mar, pues sus ruinas yacen casi a nivel con el mar¸ debajo de un lago de agua separado del océano por una barra de arena. He oído, y también observé, que el mar no sube y baja aquí, en momentos definidos, como lo hace en casi todos los otros puertos y lugares. Por ello es claro que el cuerpo de agua que cubre las ruinas de Callao no es provisto por el mar.

Otra curiosidad singular en este lugar fue el cementerio, a unos ocho kilómetros [cinco millas] fuera de la ciudad, que era diferente de cualquier otra cosa que yo hubiera visto. A la entrada estaba la iglesia con su cruz. Parte del camino alrededor del cementerio tenía una pared doble. El espacio o pasaje entre esos muros parecía ser de unos doce metros [cuarenta pies] de ancho. Las paredes tenían unos dos metros cuarenta de alto [ocho pies] y dos metros diez [siete pies] de espesor, con tres hileras de celdas donde depositaban los muertos. Estas eran alquiladas a quienes podían darse el lujo de depositar a sus muertos en este estilo, por seis meses, o por cualquier lapso. Algunas de esas celdas estaban cerradas con ladrillos, y otras tenían puertas de hierro cerradas con llave. Las que no estaban ocupadas estaban abiertas. En el centro, entre las paredes, había profundas bóvedas cubiertas con un enrejado de hierro, en las cuales podíamos ver cuerpos muertos todos juntos sin un orden. Supe que cuando pasaban los seis meses o el tiempo que se había convenido, los cuerpos eran retirados y arrojados en las bóvedas en el centro. De esta manera otros podían ocupar las celdas exteriores. En otra sección, los muertos eran enterrados bajo tierra en filas. Cerca de la iglesia había una gran bóveda circular que tenía como una cúpula terminada en punta, ubicada a varios pies por sobre la bóveda. Este era otro sitio de sepultura. Al mirar por encima de la baranda colocada a su alrededor para impedir que los vivientes cayeran en ella, la vista era muy repugnante. Algunos estaban de pie, otros con sus cabezas hacia abajo, y en toda posición imaginable, así como cayeron desde las angarillas, con sus ropas andrajosas y sucias que tenían puestas cuando murieron. Estos, por supuesto, eran los más pobres, cuyos amigos no podían pagar el alquiler para un lugar de sepultura bajo tierra, o una de las celdas blanqueadas en las paredes. Los soldados muertos eran traídos de los fuertes y arrojados aquí con poca ceremonia. El aire es tan sano que no se levanta ningún hedor de estos cuerpos muertos. Literalmente se consumen y se secan.

Capítulo 13

La casa de moneda – Troquelando monedas – Iglesias católicas y fiestas – Cómo recordar a Dios – La Inquisición española – Viaje a Truxillo [Trujillo] – Venta del Chatsworth – Modo de contrabandear – Caballos españoles – Método indígena de contrabandear – Entrega del Chatsworth – Viaje al Callao – Problemas con el capitán – Fiesta

Luego visitamos la casa de moneda peruana, para ver cómo hacían y troquelaban sus monedas. En el centro del salón donde las estampaban, había un hueco, de como un metro ochenta [seis pies] de profundidad, y de un metro cincuenta [cinco pies] de diámetro. En el centro del piso de este hueco estaba el fundamento sobre el cual estaba la "pata inferior" de la columna sobre la cual se ponía la moneda para ser troquelada. La máquina de troquelar estaba hecha en la parte alta como un malacate común, con agujeros para recibir dos palancas o barras largas, de más de seis metros [veinte pies] de largo, con un hombre en cada extremo de la barra. Desde la cabeza del malacate se achicaba hasta terminar en un punto en el cual se ponía el troquel. Un hombre en el hueco, con un recipiente lleno de trozos de plata para ser estampados como medio dólar o un cuarto, como fuera el caso, sostiene cada pieza entre su pulgar e índice en la pata inferior. El troquel estaba en la parte baja del malacate, a unos treinta centímetros [un pie] por encima de sus dedos. Los hombres tomaban los extremos de las barras y hacían girar el malacate media vuelta, momento en el cual estampaba la pieza de plata con un ruido fuerte, y volvían con un resorte a su lugar, donde los cuatro hombres tomaban de nuevo las barras, las hacían girar, y otra pieza de plata quedaba acuñada. De este modo estampaban varias piezas en un minuto. Se nos dijo que el troquel caía cada vez con un peso de siete toneladas. El troquel estaba ahora preparado para acuñar monedas de seis peniques. Observé al hombre en el hueco para ver cómo podía sostener estas pequeñas piezas a un pelo de distancia de la estampadora que caía con siete toneladas de peso varias veces por minuto, o tan rápido como él podía poner una pieza nueva bajo el troquel. El hombre parecía perfectamente cómodo en esta tarea, y realizaba su labor con tanta facilidad como una costurera cosía una prenda de vestir. Uno dijo: "Porque está acostumbrado". Pero si hubiera perdido el pulgar y el índice antes de acostumbrarse, ¿qué pasaría? Para mí era una maravilla cómo un hombre podía acostumbrarse a una tarea tan peligrosa sin lastimarse los dedos.

Los peruanos eran católico romanos, y tenían unas sesenta iglesias católicas dentro de los muros de su ciudad, mayormente construidas con piedras y ladrillos. Muchas de ellas eran muy costosas, cubriendo *acres de tierra*, con hermosos jardines en las porciones centrales, con tantos departamentos que era necesario que los extranjeros emplearan un guía para evitar perderse en el camino. Pinturas espléndidas y costosas imágenes de los santos se pueden ver en diversos apartamentos, con seres vivientes arrodillados delante de ellas y moviendo sus labios como en un acto de oración. En muchas de sus iglesias, particularmente en el lugar asignado para la adoración pública, las columnas que sostenían los pesados arcos superiores estaban cubiertas de plata. Sus altares, ricamente adornados estaban salpicados con detalles de oro. Pero los patriotas estaban les estaban quitando el oro y la plata, y transformándolos en monedas en su casa de moneda para pagar a sus ejércitos.

Sus días de fiesta eran numerosos. Tenían el día de los santos y de Todos los santos; pero la fiesta más importante que presencié, en la iglesia, fue la imitación de Jesús y sus discípulos en la Última Cena de Pascua. Se podía ver una gran mesa en el centro de la iglesia cargada con platos de plata, jarras, bandejas de plata, cuchillos, tenedores, etc. Luego Jesús y los doce apóstoles, de manera impresionante, se sentaban todos en orden alrededor de la mesa, exquisitamente vestidos con sombreros de plata en punta sobre sus cabezas. La gente al apiñarse caía de rodillas alrededor de ellos, aparentemente con gran reverencia por la imponente vista. Mientras ellos adoraban en su actitud acostumbrada, los oficiales nos vigilaban, a estos extranjeros protestantes, pidiéndonos que también nos arrodilláramos. Estábamos tan ansiosos por ver cómo se realizaba esta fiesta que seguíamos avanzando y cambiando nuestra posición, hasta que fuimos seguidos tan de cerca y se nos pidió tanto que nos arrodillásemos, que salimos, y visitamos otras iglesias, que también estaban abiertas en esta ocasión.

Algunas de sus iglesias están provistas de muchas campanas, y cuando la ocasión lo requiere y todas tañen al mismo tiempo, es difícil poder escuchar otra cosa. Después de mi llegada a la ciudad estaba parado en la calle conversando con amigos, cuando las campanas comenzar a tañer en un tono fúnebre, lento; todos los comercios se detuvieron en un instante. Todos los carruajes y vehículos en movimiento, se detuvieron. Los hombres, las mujeres y los niños, no importa qué estaban haciendo, o cuán interesante fuera su conversación, dejaron de hablar. Los hombres que iban a caballo desmontaron, y todo hombre, con su cabeza descubierta, respetuosamente esperaron uno o dos minutos, cuando el tono solemne de las campanas cambió a un ritmo alegre, y entonces las transacciones de todas clases reanudaron, y la gente se movió de nuevo con sus cabezas cubiertas, como estaban antes de que sonara la campana. Eso fue a la puesta del sol. Pregunté a mi amigo español (que pareció sumamente devoto durante la ceremonia) el significado de esto. "Bueno", dijo, "es para que toda la gente pueda *recordar a Dios* al final del día". Yo pensé que ciertamente esta era una ceremonia muy respetuosa, digna de imitación universal. No obstante, el caso es que esta gente vivía en violación continua del segundo mandamiento de Dios. Sus sacerdotes no vacilaban en concurrir a los salones de juego y a jugar al billar el domingo, así como en otros días.

Cuando los católicos romanos suprimieron la Inquisición, ésta se practicaba muy notablemente en la ciudad de Lima y ocupaba un gran espacio de terreno. Los peruanos no solo suprimieron esa diabólica institución en ese momento, sino que demolieron la enorme pila de edificios, y los dejaron como un montón de ruinas, excepto una de las salas del tribunal, donde se habían dispuesto los instrumentos de tortura para la cruel tarea de torturar a los herejes. Vimos una cantidad de lugares donde las paredes se habían quebrado en esta sala, y se nos dijo que esos lugares eran donde los elementos de tortura habían sido eliminados. Algunos tinteros antiguos, de plomo, fueron dejados sobre las mesas por la turba. También nos mostraron algunas de las mazmorras horribles que había debajo de las ruinas bajo tierra. En un rincón notamos una cama de tierra cubierta de piedras a unos pocos pies sobre el piso mojado para la cama de los prisioneros. Se nos mostraron también algunos recesos [pequeñas celdas] que todavía estaban en pie. Estos eran para torturar a los herejes, y construidos apenas lo suficientemente grandes como para que una persona estuviera en pie, con sus manos abajo, y con una puerta afirmada contra ella, una posición que una persona puede soportar solo muy poco tiempo. Pero renunciamos a hablar más en esta ocasión de estas así llamadas instituciones cristianas de la iglesia católica romana, instituida y alimentada durante siglos por el papado, otorgando poder a sus obispos y sacerdotes para castigar y dar muerte a los que ellos llamaban herejes, con toda clase de torturas que el fanatismo en forma humana podía inventar.

Tomamos a bordo un cierto número de pasajeros en el Callao, para llevarlos a Truxillo [Trujillo], a la latitud de ocho grados sur. Aquí vendimos el Chatsworth por diez mil dólares a un comerciante español. Siete mil dólares en terrones y piezas de plata, y plata virgen a ser pagada aquí. Como el gobierno peruano había prohibido exportar esto, y todas las monedas de oro y plata, los extranjeros y sus navíos inventaron diversas medidas. Como el acuerdo conmigo era que la plata me fuera entregada fuera del puerto, a bordo del Chatsworth, cuando llegó el tiempo para que dejara Lima, pregunté cómo me entregarían mi dinero. Dijo el comerciante: "Le llegará a usted esta noche como a la medianoche". "¿Pero cómo?" dije yo. "Se lo enviaremos por medio de algunos indígenas" (aborígenes). Pregunté si el dinero debía ser contado antes de dejar la orilla, para que pudiera identificarlo, y el número de piezas según la factura entregada cuando me fueran traídas. El comerciante contestó que él había puesto la cantidad de plata especificada en la factura, en las manos de varios indios muchas semanas antes, sujetas a su orden. Dije yo: "¿Qué hicieron ellos con el dinero?" "Oh, lo enterraron en el suelo en algún lugar". "¿Sabe usted dónde?" "No". "¿Qué seguridad tiene usted de que lo guardarán para usted?" "Ninguna", dijo él. "¿Cómo sabe usted que ellos me lo entregarán esta noche?" Dijo él: "Los he empleado desde hace mucho tiempo, y he puesto en sus manos miles de dólares de esta manera, y les he pagado bien por su trabajo cuando entregaron lo que les había confiado, y nunca hubo ninguna falta de parte de ellos, por lo que no tengo ningún temor. Son las personas más honestas del mundo, particularmente cuando viven por su cuenta, ellos solos".

El Chatsworth estaba a unos tres kilómetros y medio [dos millas] de la costa. Los rompientes que estaban hacia la orilla desde nosotros, eran demasiado peligrosos para que las pasaran los botes de los barcos. El gobierno usaba un bote grande impulsado con dieciséis remos, manejados por indígenas adiestrados para este trabajo, y cuando la ocasión requería que pasaran hacia donde estaban los barcos, o volver pasando esas peligrosas rompientes del mar, otro grupo de indígenas parados en la orilla, tan pronto como el bote se acercaba a los rompientes en su camino hacia afuera, y notaban que las olas subían para caer sobre éste, daban un grito espantoso. Los remeros instantáneamente dirigían su bote hacia los rompientes, y tomaban una posición con sus remos listos a obedecer las órdenes del timonel para mantener su bote en dirección de las olas, mientras era violentamente sacudido por el rompiente; y entonces hacían fuerza para pasar el banco de arena antes que llegara otra ola. Cuando el bote volvía, y ellos oían el grito de los vigías, el timonel guiaba el bote para ponerlo en la dirección correcta delante de los rompientes, y los remeros tiraban con todas sus fuerzas. Después de dos o tres esfuerzos, el peligro había pasado. Los vigías en la orilla daban un fuerte grito de alegría, al que se unían los remeros, anunciando a todos alrededor: "¡Todo está bien!"

La gente aquí, y en otros lugares de la costa, tiene otra clase de botes que ellos llaman "caballos", en los que ellos viajan como si estuvieran a caballo. Estos caballos están hechos de largos juncos, seguramente atados, de unos tres metros [diez pies] de largo, la parte más ancha de unos sesenta centímetros [dos pies], terminando en las puntas de cinco centímetros [dos pulgadas]. Este extremo lo levantan como el cabezal de un barco para que esté bien fuera del agua y corte a través de las olas. La parte ancha es donde se "cabalga". Nadie fuera de los que estaban bien adiestrados podían andar en esa clase de caballos, ni mantenerlos erectos, sino solo unos pocos momentos. La gente, y en especial los indígenas, podían moverse en el agua de una manera magistral, incluso mucho más velozmente que un bote común, con un remo doble, o un remo plano en los dos extremos, sentados como si estuvieran cabalgando. Era interesante verlos remar alternadamente a cada lado de los rompientes, y cuando estaban listos para pasarlos, acostarse sobre su caballo mientras las olas pasaban sobre él, y luego remar antes que llegara la siguiente ola. Me dijeron que esta clase de caballos era de gran importancia en algunas partes de la costa, donde los rompientes no admitían que un bote del barco se acercara. Las comunicaciones y despachos eran hechos por medio de estos caballos, o caballos españoles.

Los indígenas que debían entregarnos la plata tenían que pasar a través de esos lugares peligrosos en la oscuridad de la noche, mientras sus vigías en la orilla esperaban en suspenso y con gran ansiedad su retorno sin problemas. Cuando nosotros pusimos la guardia de noche, le pedí a mi hermano, el maestre jefe, que estuviera en cubierta hasta la medianoche, y si veía alguna cosa que flotara en el agua, acercándose a nosotros, me llamara. Como a la medianoche me llamó, diciendo: "¡Hay dos hombres junto al barco, sentados en el agua!" Bajamos dos baldes vacíos, y una linterna encendida, entonces los indígenas desataron las bolsas de plata que estaban seguramente colgadas con cuerdas debajo de sus caballos, y las pusieron en los baldes para que los levantáramos a cubierta. Cuando todo estuvo a salvo a bordo, ellos parecieron muy complacidos por la realización de su trabajo. Me pareció a esa hora de la noche como una imposibilidad de que pasaran por esos rompientes peligrosos. Les dimos algún refrigerio mientras estaban sentados sobre sus caballos de agua, porque no se atrevían a dejarlos, pero pronto se alejaron tan rápido como era posible para aliviar a sus compañeros en la orilla, y para recibir la compensación que su empleador les había prometido. Como su empleador había afirmado, cada partícula me fue entregada según la factura.

Ahora entregué el Chatsworth al comprador, me despedí de mis oficiales y tripulación, mi hermano quedó como mi sucesor en la dirección del Chatsworth, y el segundo oficial tomó su lugar como maestre jefe, para permanecer en el empleo de los nuevos dueños para comerciar en el Océano Pacífico. Entonces saqué un pasaje para Lima a bordo de una goleta peruana. Percibía que estaba arriesgando mucho en las manos de este extraño y su tripulación, que podrían pensar que la gran cantidad de dinero puesto en sus manos era de más valor para ellos que mi vida; pero no tenía otro medio para viajar a Lima. Procuré no manifestar ningún temor, ni falta de confianza en él como caballero, pero lo observaba muy estrechamente, y procuraba mantenerme al día del manejo de su navío y su rumbo. Anclamos en la Bahía del Callao después de una navegación de siete días. Aquí él rehusó entregarme los siete mil dólares en plata, que había puesto bajo su cuidado hasta nuestra llegada al Callao, alegando que el gobierno del Perú no le permitía entregármelo. Esto lo había entendido bien cuando lo puse a su cuidado para entregármelo a nuestra llegada al Callao. Él también sabía que si informaba que tenía a bordo alguna especie perteneciente a un extranjero, sin importar cuán honestamente lo hubiera conseguido, el gobierno lo tomaría para su propio uso. Como estaba el asunto, él no me lo daría, ni permitiría que el gobierno supiera que había plata a bordo de su navío. Entonces de inmediato arregló para ir a otro país, levó su ancla, y salió al mar. Pronto supe de sus intenciones deshonestas y malvadas. En ese momento estaba a bordo de un ballenero de New Bedford, y lo vi salir. El capitán H. tripuló su bote ballenero, y pronto lo alcanzamos. Todavía rehusaba entregarme la plata, hasta que vio que la resistencia era en vano. Entonces, muy a desgano me permitió recibirlo, y siguió su viaje. Transferimos la plata al barco Franklin, 74, de los Estados Unidos, comandado por el Comodoro Stewart, en depósito hasta que estuviéramos listos para el mar, como otros norteamericanos tenían que hacerlo para guardarlo a salvo.

El Sr. Swinegar, nuestro comerciante peruano, dio una gran fiesta a los capitanes y sobrecargos del Escuadrón Norteamericano, el 22 de febrero, en honor del cumpleaños del General Washington. Como yo era la única persona a la mesa que había decidido no beber vino ni bebidas fuertes por causa de sus propiedades embriagantes, el Sr. Swinegar declaró a algunos de sus amigos que estaban con él en la mesa que influiría sobre mí para que bebiera vino con él. Respondí llenando mi vaso con ¡agua! El rehusó beber a menos que yo llenara mi vaso con vino. Le dije: "Sr. Swinegar, no puedo hacerlo, porque he decidido definitivamente nunca beber vino". Para este tiempo, todos estaban mirándonos. El Sr. Swinegar todavía esperaba que llenara mi vaso con vino. Varios me instaron a cumplir con su pedido. Uno de los tenientes del escuadrón, a cierta distancia en la mesa, dijo: "Bates, ciertamente no objetarás el tomar un vaso de vino con el Sr. Swinegar". Repliqué que no podía hacerlo. Me sentí avergonzado y triste de que tan alegre grupo estuviera con tanto interés en que yo bebiera un vaso de vino, que casi olvidaron la buena comida que estaba delante de ellos. El Sr. Swinegar, al ver que no podía hacerme beber vino, no me presionó más.

En ese tiempo mis profundas convicciones respecto al fumar tabacos me permitió decidir también que desde esa tarde y en adelante nunca fumaría tabaco de ninguna forma. Esta victoria elevó mis sentimientos y mi mente por sobre la bruma del humo del tabaco, que en gran medida había nublado mi mente, y me liberó de un ídolo que había aprendido a adorar entre los marineros.

Capítulo 14

El dinero importa – Asaltantes en el camino – Buscando barcos para carga – Un teniente muerto de un tiro – Navegando a casa – Tabaco – Reflexiones serias – Pasando el Cabo de Hornos – El ecuador – La estrella polar – Vendaval violento – Un repentino cambio de viento – Posición desesperada – Feliz avistamiento de tierra – Canal de Vineyard – Llegada a Boston – En casa – Otro viaje – Frente al Cabo de Virginia – Rumbo afuera

Como recibíamos especias en pago por nuestras cargas de bienes, y el gobierno prohibía exportar tanto eso como el oro y la plata, necesariamente estábamos sujetos a muchos inconvenientes y pérdidas al tratar de obtener ganancias para nuestros dueños. Muchos de los capitanes que comerciaban en el Pacífico también eran sobrecargos. Estando obligados a realizar nuestros negocios en dos aduanas, Callao y Lima, con diez kilómetros [seis millas] de distancia, llegaba a ser necesario tener nuestros propios caballos para pasar entre los dos lugares. Al volver a Callao, generalmente cargábamos nuestras personas con tanto efectivo en dólares y doblones como estimábamos prudente arriesgar, en las botas y los cinturones, atados debajo de nuestra ropa. Hacíamos esto porque estábamos sujetos también a ser asaltados por el camino, y también porque los oficiales de la aduana nos examinaban antes de embarcarnos en el puerto. Generalmente distribuíamos parte entre los tripulantes de nuestros barcos hasta que estábamos a bordo de nuestros navíos, y luego lo depositábamos para ser guardados a bordo de uno de nuestros barcos de guerra, pagándole al comandante el uno por ciento por depósito.

Nuestros oficiales del gobierno recibían y protegían de este modo nuestra propiedad porque era nuestra. Dos de mis tripulantes fueron examinados un día cuando estaba a punto de embarcar, y se les ordenó que fueran a la aduana. Los seguí. Tenían unos doscientos dólares encima. Los dos oficiales que los detuvieron, contaron el dinero, desearon saber cuánto yo estaba dispuesto a darles si soltaban a los marineros sin informar del asunto a la aduana. "Un doblón", le dije. "No", dijeron ellos, "nos dividimos la suma con usted". Les repliqué: "Si no aceptan mi oferta, vayan y hagan el informe y dejen que el gobierno tome todo, si quieren". Ellos intentaron mostrarme que mi proceder era ilegal, y que yo tendría problemas. Les di a entender que yo solo perdería mi dinero, pero ellos, algo más, por ofrecerme dividirlo con ellos y apropiarse de una parte. Decidieron finalmente devolverme todo el dinero, excepto el doblón que les había ofrecido. Después de eso, estos hombres nunca más me molestaron cuando me embarcaba. Un día, un grupo pequeño de hombres estaba de paso con dinero, cuando un grupo de hombres armados a caballo los atacaron y exigieron su dinero, y les pidieron que se sacaran la ropa para estar seguros de conseguir todo lo que tenían. Después de quitarles todo, huyeron a las montañas.

Se informó que el barco Friendship, de Salem, Massachusetts, tenía once mil dólares a bordo, después de haber vendido su carga en Lima. El gobierno envió una compañía de soldados con oficiales a la aduana para tomar posesión del barco. Hicieron una búsqueda diligente, pero no encontraron nada; no obstante, quedaron a cargo del barco muchos días, y les dieron muchas dificultades. El dinero estaba allí, guardado tan ajustadamente entre las vigas que sujetaban la cubierta, en la parte alta de las cabinas, donde el cielorraso estaba terminado y pintado, que nadie habría sospechado que el dinero pudiera estar allí. Después que el gobierno le devolvió el barco al sobrecargo, éste sacó el dinero y lo transportó al barco norteamericano Franklin, 74. Pronto después de esto, un barco de Boston fue secuestrado en el puerto, en la noche, y pasaron varios meses antes que el capitán, quien lo persiguió, lo recuperó y lo trajo de vuelta.

Un día, en conversación con uno de los oficiales peruanos, que estaba jactándose de la independencia del Perú, y de su libertad del gobierno español, le preguntaron cuál era su concepto de libertad. "Bueno", dijo, "si tienes un buen caballo y yo lo quiero, si soy más fuerte que tú, ¡me tomo el caballo!" Parecía que otros, cuando querían nuestro dinero y barcos, tenían la misma opinión.

Mientras estuvimos allí, un teniente del ejército patriota peruano se fugó y se unió a su enemigo. Fue tomado, juzgado, y condenado a ser fusilado fuera de los muros de la ciudad de Lima. Esta era una manera de quitar la vida que nunca presencié. Para satisfacer mi curiosidad me fui con la vasta multitud de ciudadanos, y tomé una posición en la parte alta del muro de la ciudad, muy cerca del lugar donde el condenado estaba sentado, atendido por un sacerdote católico. Poco después le pusieron una venda sobre los ojos. Frente a él, un grupo de oficiales militares estaba maniobrando con sus tropas, hasta más o menos la hora designada para su fusilamiento, cuando todos ellos se ubicaron en columnas, los primeros estaban como a unos 18 metros [veinte yardas] del condenado. Ante una orden, unos seis hombres avanzaron de sus filas hasta unos pocos metros del pobre hombre, y apuntaron sus mosquetes a su cabeza. A otra orden, abrieron fuego. Su cabeza se inclinó sobre su hombro al parecer tan rápidamente como si la hubieran cortado con un hacha. Al parecer murió sin luchar. El escuadrón militar entonces se marchó en medio de una ensordecedora música marcial. El muerto fue llevado para sepultarlo. La excitación de la mañana había pasado. Pronto me encontré casi solo en medio de la vasta concurrencia de ciudadanos que regresaban lentamente a sus estancias, resolviendo en mi mente que nunca más iría voluntariamente a ver cómo fusilaban a otro hombre.

Había estado ahora en el Océano Pacífico unos catorce meses, y estaba terminando mis negocios y preparándome para regresar a los Estados Unidos. El barco Candace, con el Capitán F. Burtody, estaba por zarpar a Boston, Massachusetts, en el cual saqué mi pasaje.

El capitán Burtody y yo acordamos mutuamente que cuando el Candace levara su ancla, desde ese momento dejaríamos de mascar tabaco. Para la última semana de noviembre de 1823, todos los tripulantes fueron llamados para levar anclas. Nadie sino los que experimentan estos sentimientos pueden contar la emoción que llena cada alma, desde el capitán hasta el ayudante de cabina, cuando se da la orden: "¡Levando ancla rumbo a casa!" Nueva vida, con energía y fortaleza, parece impulsar a todos a bordo. Los endurecidos marineros toman sus barras, el torno comienza a girar y traer a cubierta el cable empapado en agua. El gallardo barco, al parecer participando con su alegre tripulación, avanza paso a paso hacia su ancla, hasta que el oficial grita: "¡Paren! ¡El cable está vertical!" Ahora se sueltan las velas más altas, y levantadas hasta el tope del mástil principal, y las velas se ajustan para que la proa del barco apunte a la salida del puerto. Ahora, los hombres vuelven al torno. Pronto el ancla se suelta del fondo. Unas pocas vueltas más del torno, y el barco está libre. El ancla está arriba y la guardan en su lugar, las velas se llenan con el aire de una brisa fresca. Los marineros gritan: "¡Vamos a casa!" Los sentimientos de los marineros que todavía quedan en el puerto, son algo como: "El barco ha levado ancla, y está saliendo del puerto, rumbo a casa. Les deseamos éxito. Desearía que también fuéramos nosotros". No importa cuántos mares hay para viajar, o cuántas tormentas los esperan, o cuán lejos están de casa, el alegre sentimiento todavía vibra en cada corazón: "¡Hogar, dulce hogar! ¡Nuestra ancla se levanta para ir a casa!"

Nuestro buen barco ahora estaba con su vela principal en el mástil, hasta que el barco llegó al lado del comodoro que tiene nuestras especias y la plata, que el capitán Burtody y yo habíamos ganamos comerciando. Cuando todo eso está seguro a bordo, se izan todas las velas. Ahora es de noche, y estamos pasando nuestra última referencia (San Lorenzo), y saliendo para un largo viaje de quince mil kilómetros [ocho mil quinientas millas]. El mayordomo informa que la cena está lista. "Aquí va mi tabaco, Bates", dijo el capitán Burtody, sacándoselo de la boca y arrojándolo por la borda. "Y aquí va el mío, también", dije yo, y esa fue la última vez que contaminó mis labios. Pero el capitán Burtody no pudo vencer, y me rogaba que reanudara mi hábito. Ahora yo estaba libre de los espíritus o licores destilados, del vino y del tabaco. Paso a paso había ganado esta victoria; la naturaleza nunca los requirió. Nunca usé los artículos, excepto para acompañar a mis asociados. Cuántos millones se han arruinado por tales hábitos degradantes y ruinosos. Cuánto más humano me sentí cuando gané el dominio en estas cosas, y las vencí todas. También estaba haciendo grandes esfuerzos para conquistarme a mí mismo en otro pecado flagrante, que había aprendido de los malvados marineros. Era el hábito de usar lenguaje profano. Mi padre había sido un hombre de oración desde el momento en que tuve conciencia de él. Mi madre abrazó la religión cuando yo tenía unos doce años de edad. Nunca me atreví, ni siquiera después de casado, a hablar con irreverencia de Dios en la presencia de mi padre. Como él procuró enseñarme el camino en que debía andar, yo conocía el camino, pero las escenas variadas de los anteriores 16 años de mi vida me habían arrancado del camino que ahora estaba procurando recuperar. En nuestro viaje del Cabo de Hornos al Pacífico, traté con energía quebrar el viejo hábito de jurar, y le dije a mi hermano que él no debía jurar, ni permitir que los marineros lo hicieran, porque yo no lo permitía. Como ahora tenía mucho tiempo libre, leía gran parte de mi tiempo y muy a menudo, especialmente los domingos, muchos capítulos de la Biblia. Al hacer esto, llegué a la conclusión de que *me estaba haciendo* un cristiano bastante bueno.

Nuestro barco continuó avanzando, y al llegar al Cabo de Hornos, nos encontramos con una tormenta violenta; pero el viento era favorable para ir hacia el este, de modo que en 48 horas habíamos dado la vuelta sin problemas al Cabo de Hornos en el Océano Atlántico sur, con rumbo hacia el norte, hacia casa. Al acercarnos al ecuador, algunas de las estrellas bien conocidas del hemisferio norte comenzaron a aparecer, particularmente las Guardas [Pointers] de la Osa Mayor, que siempre dirigen al marino andariego hacia la estrella Polaris. Como nuestro buen navío Candace seguía avanzando desde el océano meridional al ecuador, las "Guardas" indicaban que la estrella polar estaba en el horizonte norte.

La noche era clara, los guardias en cubierta estaban todos esperando la aparición de la estrella polar. Al fin la vieron, apenas pasando la neblina del horizonte norte, aparentemente a un metro veinte a uno cincuenta [cuatro o cinco pies] por sobre la superficie del océano. Esta primera visión de esta bien conocida estrella de los marinos, ascendiendo desde el Océano Meridional, a menudo es más reconfortante a sus corazones que 24 horas de viento normal. Si no teníamos manera de determinar nuestra latitud por medio de instrumentos náuticos, deberíamos saber por la anterior aparición de esta estrella, que estábamos por lo menos a doscientos veinte kilómetros [ciento veinte millas] al norte del ecuador. Mientras nuestra buena reina Candace avanzaba en su curso entrando al Océano del norte, estremeciéndose bajo la refrescante brisa de los vientos alisios del noreste, nuestros corazones se alegraban noche tras noche al ver la misma estrella elevándose más y más en los cielos del norte, una señal inequívoca de que estábamos avanzando rápidamente hacia el norte, acercándonos cada vez más a casa.

He oído afirmar de los marineros portugueses, que cuando sus barcos regresaban rumbo a casa en su viaje de Sudamérica a Portugal, tan pronto como veían la estrella polar sobre el horizonte norte, era el momento y el lugar donde arreglaban cuentas y pagaban a los tripulantes de sus barcos hasta esa fecha.

Habíamos pasado ahora del lado del viento las Islas de las Indias Occidentales, lejos de la influencia de los vientos alisios del noreste, y nos estábamos acercando a la temida Corriente del Golfo en la costa sur de Norteamérica, avanzando delante de un veloz aumento del viento del sureste, que parecía muy semejante a la de 1818, que había experimentado a bordo del barco Frances, mencionado antes. El capitán Burtody y yo mismo recordamos nuestra anterior experiencia en esos tiempos tan difíciles, y la posición peligrosa en que se ubican los barcos al encontrar un cambio instantáneo del viento en esas tormentas violentas, a menudo volviéndolos inmanejables, especialmente en esta corriente y alrededor de ella.

El Candace estaba en buen estado en términos de sus aparejos, y tal vez tan bien preparado para contender con esta tormenta como cualquier otro barco. Ahora volaba viento en popa delante del terrible vendaval bajo una vela delantera y la superior atada. Al hacerse de noche, los elementos parecían en una temible conmoción. La tarea importante de los oficiales y el timonel ahora era mantener el barco quieto, o directamente delante de las olas montañosas. Como el capitán Burtody se había ubicado en el puente de mando, para dar todas las órdenes necesarias respecto al manejo del barco durante la violencia de la tormenta, y mi confianza en su habilidad náutica no había disminuido, llegué a la conclusión que debía ir abajo y descansar si podía, y como los demás pasajeros, no estorbar.

La lluvia caía fuerte, y como a la medianoche escuché el fatídico grito: "¡El barco está parado!", otro grito al timonel, y otro para que toda la tripulación fuera a cubierta. Corrí hasta la escalerilla, donde vi que lo que más habíamos temido estaba ocurriendo; o sea, la rugiente tormenta del sureste había cesado de repente, y ahora rugía del cuadrante opuesto. Tan pronto como llegué a cubierta, vi que las velas de tormenta estaban contra el mástil, y la proa estaba girando hacia el oeste contra las tremendas y montañosas olas que casi parecían pasar por encima de nosotros desde el sur, y causar nuestra inmediata destrucción. El capitán Burtody, con toda la tripulación que se podía ver, estaban tirando con todas sus fuerzas de las vergas principales del lado de estribor. Viendo el peligro inminente en que estábamos, grité con todo lo que daba mi voz, "¡Suelten las vergas de estribor, y vengan de este lado, y tiren de las vergas de babor!" El capitán había supuesto que el barco obedecería a su timón, y giraría la proa hasta el este. Cuando mi grito captó su atención, él vio que la proa del barco estaba moviéndose en la dirección opuesta. Entonces soltaron las vergas de estribor, y se amontonaron para tirar de las vergas de babor. Las velas se llenaron, y el barco una vez más se puso en la dirección correcta, aunque en una posición sumamente peligrosa por las terribles olas contra su lado opuesto al viento. Antes de que sus velas se llenaran, había perdido su avance, y apenas había escapado de ser volcado con una ola furiosa, que le daba la apariencia de ir hacia abajo de proa. Cómo había escapado de ser envuelto por estas olas, es algo que supera nuestro entendimiento. Después que se restableció el orden, le expresé mis disculpas al capitán por asumir la dirección de su barco, y fui alegre y libremente perdonado.

Con el paso del huracán, cruzamos el Golfo, y anduvimos por aguas profundas cerca de la costa. Ahora nos dimos cuenta de que estábamos en medio del invierno. Al final se levantó el grito: "¡*Tierra*!" Descubrimos que era Block Island, R. I. Una vista ansiada, poder ver nuestra tierra natal a sesenta y cinco kilómetros [cuarenta millas] de casa, asomándose a la distancia. Sí, ver tierra después de haber estado viendo cielo y agua por tres largos meses, fue un gran alivio. Pero aquí viene el bote con un piloto. "¿De dónde vienen?" "Del Océano Pacífico". "¿Hacia dónde se dirigen?" "A Boston". "¿Tomarán un piloto para pasar el Canal de Vineyard? Siempre es más seguro en el invierno". "Sí, venga". En pocos minutos más, el piloto toma el control total del barco, apuntando al Canal de Vineyard. El bote de pilotos entonces gira hacia el mar para buscar a otro barco que se dirige a casa. Lo siguiente es: "¿Qué noticias hay de los estados, piloto?" "¿Qué se sabe de Europa?" "¿Cuál es el estado del mundo?" "¿Quién será nuestro próximo presidente?" etc., etc. Sin esperar una respuesta, "¿Tiene usted algunos diarios?" "Sí, pero no son el último". "No importa, será nuevo para nosotros; hace mucho tiempo que no hemos sabido nada de la tierra de los vivientes".

A la noche, anclamos en Holmes' Hole, un puerto espacioso en Vineyard para barcos que navegan a vela hacia Boston. Pronto había a nuestro lado muchos botes. De las muchas canastas con diversas clases de pasteles, tortas fritas, manzanas, etc., etc., que esta gente presentaba en nuestras cubiertas, fuimos llevados a creer que la buena gente de la orilla adivinó que estábamos muy hambrientos de sus buenos productos. En realidad, tuvimos un festín momentáneo. Además de estas cosas, tenían una abundancia de grandes canastos con medias tejidas, guantes, etc. Una provisión de estas cosas era muy aceptable en esta estación fría. Al dejar el barco en la tarde, hubo bastante inquietud entre los boteros por buscar sus canastos. Un hombre estaba mirando en el pasillo de las cabinas, preguntado a su vecino John si había visto algo de su *trabajo tejido*. ¿Qué? pensé yo, ¿los hombres tejen medias aquí? ¿Llevan sus tejidos con ellos? Pronto supe que él se refería a su canasta de medias. El viento nos favoreció, y pronto pasamos alrededor del Cabo Cod y entramos a la Bahía de Massachusetts, y al día siguiente anclamos cerca de la ciudad de Boston, alrededor del 20 de febrero de 1824, después un viaje de tres meses desde la Bahía de Callao.

Nuestro viaje fue muy lucrativo, pero desafortunadamente uno de los dos dueños quebró durante el viaje, lo que costó mucho tiempo y gastos antes de que se realizara un arreglo final.

Unos noventa kilómetros [cincuenta y cinco millas] por diligencia, y estaba una vez más en casa. Una niñita de ojos azules de dieciséis meses, a quien nunca había visto, me esperaba con su madre para darme la bienvenida una vez más ante el alegre y cómodo fuego en la sala. Como había estado ausente de casa más de dos años, me propuse gozar la sociedad de mi familia y amigos por un tiempo. Después de unos pocos meses, sin embargo, me comprometí para otro viaje a Sudamérica, o a cualquier parte donde pudiera hacer un buen negocio. Se había botado un nuevo bergantín, arreglado a nuestro gusto, llamado Empress, de New Bedford. Parte de una carga surtida se recibió a bordo en New Bedford. De allí zarpamos como el 15 de agosto de 1824, hacia Richmond, Virginia, para terminar de cargar harina para Río de Janeiro y el mercado.

Después de terminar la carga en Richmond, pasamos por el río James y anclamos en Hampton Roads, para conseguir nuestro armamento en Norfolk. Como no encontramos ningún cañón montado, seguimos nuestro viaje sin él. No es necesario ahora que un comerciante lleve cañones como era antes, por causa de los barcos piratas. El 5 de septiembre desembarcamos a nuestro piloto cerca del faro del Cabo Henry, y emprendimos curso hacia el sureste, para encontrarnos con los vientos alisios del noreste.

Desde el momento en que resolví no beber más vino (en 1822), ocasionalmente había bebido cerveza y sidra. Pero ahora al levar ancla de Hampton Roads decidí que de ahora en adelante no bebería malta, cerveza o sidra de ninguna clase.

Mi perspectiva de hacer un viaje lucrativo y exitoso era ahora más lisonjera que mi último viaje, porque ahora era dueño de una parte del Empress y de su carga, y tenía la confianza de mis asociados para vender y comprar cargas tan a menudo como fuera para nuestro beneficio, y usar mi juicio acerca de ir a la parte del mundo que deseara. Pero con estas muchas ventajas para obtener riquezas, me sentía triste y nostálgico. Me había provisto de una cantidad de lo que estimaba libros interesantes, para leer en mis horas de ocio. Mi esposa pensó que había más novelas y romances de lo necesario. Al empacar mi baúl de libros, colocó un Nuevo Testamento de bolsillo, sin que yo lo supiera, encima de lo demás. Al abrir este baúl para buscar algunos libros de mi interés, tomé el Nuevo Testamento, y encontré en la página inicial la siguiente pieza poética, de la Sra. Hermans, puesta allí para capturar mi atención:

"Las hojas tienen su momento de caer,
y las flores de marchitarse ante el soplo del viento norte,
y las estrellas de ponerse, pero todo,
tú eres dueña de *todas* las estaciones, ¡oh Muerte!

El día es para los asuntos de la vida,
la tarde para felices encuentros junto al fogón,
la noche, para los sueños al dormir, la voz de la oración,
pero todo para ti, tú, lo más poderoso de la tierra.

La juventud y un pimpollo de rosa
pueden parecer cosas por demás gloriosas para decaer,
y sonreírte… pero tú no eres de aquéllos
que esperan que madure la flor para arrancar su presa.

Conocemos cuando las lunas decrecen,
cuando las aves del verano el océano de lejos cruzan,
cuando los matices del otoño tiñen el dorado grano,
pero, ¿quién nos enseñará cuándo esperarte?

¿Será cuando el primer viento primaveral
surge para susurrar dónde están las violetas?
¿Será cuando en nuestra senda las rosas empalidecen?
Ellas tienen una estación... ¡*todas* son nuestras para morir!

Tú estás donde las ondas espuman,
tú estás donde la música se disuelve en el aire;
tú estás con nosotros en nuestro tibio hogar,
el mundo nos llama... y allí tú estás!

Capítulo 15

Convicción de pecado – Enfermedad y muerte de un marinero – Funeral en el mar – Oración – Pacto con Dios – Un sueño – Llegada a Pernambuco – Su apariencia – Bajar a una dama norteamericana – Vino en una cena – Vendo mi carga – Otro viaje – Conceptos religiosos – Ballenero – Harina brasileña – Llegada a Sta. Catalina – También Paraiba – Vendo mi carga – Tercer viaje

Las líneas mencionadas en el capítulo anterior atrajeron mi atención. Las leí una y otra vez. Mi interés en leer novelas y aventuras cesó desde ese momento. Entre los muchos libros, elegí *Surgimiento y progreso de la religión en el alma*, de Doddridge. Este y la Biblia ahora me interesaron más que todos los otros libros.

Christopher Christopherson, de Noruega, uno de mis tripulantes, cayó enfermo poco después de nuestra partida del Cabo Henry. Su caso parecía más y más dudoso. El primer verso de *La hora de la muerte*, particularmente la cuarta línea, estaba casi continuamente en mi mente:

"Tú tienes todas las estaciones para ti misma, ¡oh Muerte!

Anhelaba ser cristiano; pero el orgullo de mi corazón y las vanas atracciones del mundo malvado, todavía me retenían en su poderosa mano. Sufría intensamente en mi mente, antes de decidirme a orar. Parecía como si hubiera postergado esta tarea demasiado tiempo. También temía que mis oficiales y hombres supieran que estaba bajo convicción. Además, no tenía un lugar secreto para orar. Cuando miraba hacia atrás, a algunos de los incidentes de mi vida pasada, cómo Dios había interpuesto su brazo para salvarme, cuando la muerte me estuvo mirando a los ojos una y otra vez, y cuán pronto había olvidado todas estas muestras de su misericordia, sentí en ese momento que tenía que ceder. Finalmente, decidí probar la fuerza de la oración, y confesar todos mis pecados. Abrí la escotilla debajo de la mesa, donde me preparé un lugar de modo que pudiera estar fuera de la vista de mis oficiales, si entraran a la cabina durante mi momento de oración. La primera vez que doblé mis rodillas en oración, me pareció que los cabellos de mi cabeza *estaban parados*, por presumir de abrir mi boca en oración al Dios grande y santo. Pero decidí perseverar hasta que encontrara el perdón y la paz para mi mente turbada. No tenía ningún amigo cristiano cerca para que me dijera cómo, o cuánto tiempo debía estar convicto antes de la conversión. Pero recordé que cuando era un muchacho, durante la gran reforma de 1807, en New Bedford y Fairhaven, había oído a los conversos cuando relataban su experiencia, decir que habían estado entristecidos por sus pecados unas dos o tres semanas, hasta que el Señor les dio paz a sus mentes. Supuse que mi caso sería algo similar.

Pasó una quincena, y ninguna luz brilló sobre mi mente. Una semana más, y todavía mi mente era como un mar embravecido. Por ese tiempo, yo estaba caminando por la cubierta de noche, y estuve fuertemente tentado a saltar por la borda y poner fin a mi vida. Pensé que esa era una tentación del diablo, e inmediatamente abandoné la cubierta, y no me permití salir de mi cabina hasta la mañana.

Christopher estaba muy enfermo y débil. Y se me ocurrió que si él moría, debería ser doblemente ferviente acerca de mi salvación. Ahora lo traje a la cabina, y lo puse en una litera junto a la mía, donde pudiera darle más atención, y encargué a los oficiales mientras lo cuidaban durante las guardias nocturnas, que si veían algún cambio en él, me llamaran. Desperté en la mañana poco después que aclaró. Mi primer pensamiento fue: ¿Cómo está Christopher? Me acerqué a su cama y puse mi mano en su frente; la sentí fría. Estaba muerto. Llamé al oficial de la guardia matutina: "¿Qué pasó, Sr. Haffards?" dije yo, "¡Christopher está *muerto*!" Haffards respondió: "Estuve con él hace media hora, y le di su medicina, y no vi alteración entonces". El pobre Christopher fue acostado en cubierta, y finalmente cosido en una hamaca, con una pesada bolsa de arena a sus pies. Después que fijamos el momento de sepultarlo, estuve muy perturbado en relación con mi deber. Sentía que era un pecador a la vista de Dios, y no me atrevía a orar en público. Y sin embargo no podía consentir en arrojar al pobre hombre al océano sin alguna ceremonia religiosa. Mientras estaba resolviendo lo que debía hacer, el mayordomo me preguntó si no querría tener un Libro de Oración de la Iglesia de Inglaterra. "Sí", le dije, "¿tiene uno?" "Sí, señor". "¿Quiere traérmelo?"

Era justo el libro que yo quería, porque cuando estaba en el servicio británico, había oído al secretario del barco leyendo oraciones de ese libro, cuando nuestros marineros eran sepultados. Pero este era el primer sepelio en el mar en ocurrir bajo mi mando.

Abrí el libro y encontré una oración adecuada para la ocasión. Prepararon un tablón, sobre el cual pusieron su cuerpo, con un extremo sobre la baranda del barco y los pies hacia el mar, de modo que al levantar el otro extremo del tablón, el cuerpo se deslizaría con los pies hacia adelante al océano. Todos menos el timonel estuvieron alrededor del pobre Christopher, para decirle el último adiós, y entregar su cuerpo a lo profundo tan pronto como se diera la orden. La idea de intentar realizar un servicio religioso sobre el muerto, siendo un inconverso, me turbaba mucho. Había pedido al maestre jefe que me llamara cuando los preparativos estuvieran completados, y me fui a la cabina. Cuando el oficial informó que todo estaba listo, subí temblando, con el libro abierto en la mano. La tripulación, respetuosamente, descubrió sus cabezas. Al comenzar a leer, mi voz vaciló, y estaba tan agitado que encontré difícil leer claramente. En realidad sentí que yo era un pecador ante Dios. Cuando terminé la última frase, avisé con la mano que inclinaran el tablón, y me volví a la cabina. Al pasar por la escalera, oí al pobre Christopher caer al agua. Seguí bajando hasta mi lugar de oración y ventilé mis sentimientos en oración por el perdón de todos mis pecados, y los del pobre hombre que se estaba hundiendo más y más debajo de las ondulantes olas.

Esto ocurría el 30 de septiembre, 26 días desde los cabos de Virginia. Desde entonces sentí que me adentraba en la voluntad de Dios, resolviendo de allí en adelante renunciar a las infructíferas obras del enemigo, y procurar cuidadosamente la vida eterna. Creo ahora que todos mis pecados fueron perdonados por ese tiempo. Entonces también hice el siguiente pacto con Dios, que encontré en *Surgimiento y progreso de la religión en el alma* de Doddrige:

UN SOLEMNE PACTO CON DIOS

"Eterno y siempre bendito Dios: Deseo presentarme delante de ti con la más profunda humildad y humillación de alma. Siento cuán indigno es un gusano pecador como para aparecer ante la Santa Majestad del Cielo, el Rey de reyes y Señor de señores... Vengo por lo tanto, reconociéndome un gran ofensor. Golpeando mi pecho y diciendo con el humilde publicano, 'Dios sé misericordioso a mí, pecador'... este día con la máxima solemnidad me rindo a ti. Renuncio a todos los anteriores señores que han tenido dominio sobre mí, y consagro a ti todo lo que soy, y todo lo que tengo... Úsame, Señor, te ruego, como un instrumento a tu servicio, cuéntame entre tu pueblo peculiar. Lávame en la sangre de tu amado Hijo. A quien, junto contigo, oh Padre, se asignen alabanzas eternas, por todos los millones que así son salvados por ti. Amen"

Hecho a bordo del bergantín Empress, New Bedford, en alta mar, 4 de octubre de 1824, en la latitud 19° 50' norte, y longitud 34° 50' oeste, con rumbo a Brasil.

JOSÉ BATES, H.

Desearía que siempre pudiera tener la entrega a la voluntad de Dios que sentí la mañana en que firmé este pacto. No obstante no podía creer entonces, ni por muchos meses después de esto, que sentía otra cosa que no fuera una profunda convicción de pecado. Estoy seguro de que no siempre consideré este pacto en la luz solemne en la que ahora lo comprendo. Pero estoy contento de haberlo hecho, y que Dios preservó mi vida para permitirme todavía hacer todo lo que en él había prometido hacer.

Después de firmar el mencionado pacto, tuve un sueño notable sobre algunas comunicaciones desde la oficina de correos. Una parecía ser un rollo de papel escrito, otra una larga carta que comenzaba con espacios como los siguientes:

¡EXAMINA! ¡EXAMINA! ¡EXAMINA!
¡EXPERIMENTA! ¡EXPERIMENTA¡ ¡EXPERIMENTA!
¡TÚ MISMO! ¡TÚ MISMO! ¡TÚ MISMO!

Luego seguía una larga carta que comenzaba con instrucción religiosa, apretadamente escrita, de la cual leí unas pocas líneas, y desperté. Luego la escribí sobre papel y la archivé con otros papeles, pero ahora se me han perdido. Había mucho más que me he olvidado, pero creo que el sueño, de ese modo puesto sobre papel en forma peculiar, fue para convencerme de que mis pecados estaban perdonados. Pero no vi eso en ese momento, porque me había convencido de que Dios se manifestaría de tal modo que nunca dudaría de mi conversión después de esto. No había aprendido todavía la sencillez de la obra de Dios, llena de gracia, sobre el corazón del pecador.

Hubiera sido de gran alivio para mí si hubiese podido liberarme de las pesadas responsabilidades de mi viaje comercial, considerando cómo mi mente estaba entonces preocupada. Pero nuestro viaje continuó, y llegamos a Pernambuco el 30 de octubre. Allí encontramos que el estado del comercio estaba muy lejos de ser próspero en relación con nuestro viaje. Pero estábamos en el mejor mercado para vender; por lo tanto, vendimos nuestra carga. Al mismo tiempo me chasqueé mucho al no encontrar un profesante de religión para conversar con él, entre los miles de personas allí, pero estaba plenamente resuelto a perseverar para una salvación completa y gratuita.

Pernambuco, en Brasil, está ubicado a orillas del mar. Al acercarse a ella desde el océano, tiene una apariencia impresionante y hermosa. Pero los navíos tienen que anclar en el mar abierto a cierta distancia de tierra, y por causa del oleaje en la costa, es difícil bajar a tierra con seguridad.

El capitán Barret, de Nantucket, Massachusetts, llegó a este puerto poco después de nosotros. Decidió vender aquí también, así que envió su bote para llevar a su esposa a la orilla. Cuando el bote de la Sra. Barret estaba entrando a la orilla, un buen grupo de nosotros nos reunimos cerca del lugar de desembarco con el capitán para recibirla. Una cantidad de esclavos negros también esperaban, cuya tarea era vadear hasta los botes y cargar en sus espaldas la carga y los pasajeros, y si era posible llevarlos con seguridad a través de los rompientes hasta el puerto. La tarifa a través de los rompientes por cada pasajero, sin tropezar, era de "un real", o doce centavos y medio. Pronto se decidió quién debía tener el honor de llevar a la dama norteamericana a través de los rompientes. El capitán Barret le pidió a su esposa que se sentara sobre los hombros del hombre negro que ahora la estaba esperando. Esta era una manera de viajar que la dama no conocía; además, para ella era muy dudoso si el hombre podría pasar los rompientes sin ser tumbado por las olas. Por lo tanto, ella vacilaba, y guardaba silencio. El capitán Barret y sus amigos la instaban, declarando que no había otro modo de transporte. Finalmente ella se sentó sobre los hombros y se aferró a su cabeza con ambas manos, mientras él, varonilmente y en forma firme la llevaba a los brazos de su esposo en nuestro medio, mientras sus compañeros elevaban un grito alegre felicitándolo por la forma sólida y varonil con que había realizado el acto de llevar a tierra a la dama norteamericana.

Aquí también, como en otros lugares, mis asociados me abrumaron por rehusar beber vino o bebidas embriagantes con ellos, especialmente vino en la mesa de la cena, que era muy común en Sudamérica. Daré un ejemplo. Un grupo grande de nosotros estábamos cenando con el cónsul norteamericano, el Sr. Bennet. Su esposa a la cabecera llenó su vaso y dijo: "Capitán Bates, ¿tendré el placer de un vaso de vino con usted?" Yo respondí, y llené mi vaso con agua. La Sra. Bennet declinó, a menos que llenara mi vaso con vino. Ella sabía por nuestros encuentros anteriores que yo no bebía vino, pero se sintió dispuesta a inducirme a pasar por alto mis resoluciones anteriores. Como nuestra posición de espera atrajo la atención del grupo, uno de ellos dijo: "Bueno, Sr. Bates, ¿rehúsa usted beber a la salud de la Sra. Bennet un vaso de vino?" Yo contesté que no bebo vino en ninguna ocasión, y le rogué a la Sra. Bennet que aceptara mi ofrecimiento. Ella sin dificultad condescendió, y bebió a mi salud en el vaso de vino, y yo a la de ella en un vaso de agua. El tema de la conversación ahora se volvió hacia el consumo de vino, y mi posición al respecto. Algunos llegaron a la conclusión de que un vaso de vino no le hacía daño a nadie. Es cierto, pero la persona que bebió un vaso es probable que beba otro, y otro, hasta que no haya esperanza de reforma. Uno dijo: "Desearía poder hacer como hace el capitán Bates; estaría mucho mejor". Otro supuso que yo era un borracho reformado. Ciertamente no había daño en beber moderadamente. Procuré convencerlos de que la mejor manera de arreglar el asunto es *no usarlo de ningún modo*. En otra ocasión un capitán me dijo: "Ud. es como el viejo Sr.----- de Nantucket; ¡él no bebía ni agua endulzada!"

Después de una estadía de seis semanas, habiendo vendido la mayor parte de nuestra carga en Pernambuco, zarpamos en otro viaje a Sta. Catalina, en la latitud 27º 30' sur. Me di cuenta que las preocupaciones y la atención del negocio, me habían privado, en cierta medida, del gozo espiritual que tenía al llegar a Pernambuco. Ahora tenía más tiempo libre para escudriñar las Escrituras, y leía otros libros sobre el tema de la religión. Aquí comencé un diario de mis ideas y sentimientos, que me fue de gran ayuda. Este lo envié a mi esposa tan a menudo como le escribía. Estas hojas fueron enrolladas y atadas, y no fueron leídas por unos treinta y cinco años. Supongo que este era uno de los rollos de papel que vi en el peculiar sueño que tuve en relación con mi experiencia en el viaje de salida. Pensé qué gran privilegio sería tener un solo cristiano profeso para comparar mis ideas y mis sentimientos sobre este tema tan absorbente, o estar en reunión de oración por una hora o algo así de modo que pudiera ventilar los sentimientos que estaban encerrados dentro de mí.

Llegamos a Sta. Catalina como el primero de enero de 1825, donde compramos una carga de provisiones para la costa norte del Brasil. Esta isla está separada del continente por un canal angosto para los barcos. Sta. Catalina es el único puerto marítimo comercial por centenares de millas en la costa. Su extremo norte es una montaña alta, donde los vigías, con su equipo de banderas de señales, estaban observando si había ballenas en la vecindad. Cuando se daba la señal de que había ballenas a la vista, los botes de la pesquera, a unos dieciocho o veinte kilómetros [diez o doce millas] de distancia, remarían hacia ellas, y si tenían la suerte de arponear y matar alguna, las remolcarían hasta donde las faenaban, y las transformaban en aceite. Hace cincuenta años este negocio era muy floreciente allí, pero las ballenas ahora las visitan muy rara vez, así que este negocio casi se acabó.

Cuando dejé Pernambuco, la provincia estaba en un estado de revolución, y tenían gran necesidad de fariña. Se esperaba que el gobierno brasileño permitiera a los navíos extranjeros comerciar en este artículo en sus costas, si la demanda continuaba en aumento como había ocurrido en los últimos meses. En previsión de eso, seguí a Sta. Catalina y cargué para Pernambuco.

Como muchos de mis lectores pueden no conocer este producto alimenticio, indicaré que primero se cultiva en forma muy parecida a las batatas o papas dulces de Carolina, y se parece a ellas, solo que son mucho más largas. Maduran entre nueve y dieciocho meses, si no las destruyó la helada, y se llaman "mandioca". El proceso de transformarla en harina en sus cobertizos o galpones era como sigue: Una vaca uncida al extremo de una barra, caminaba en círculo y movía una rueda cubierta con cobre, en la que había perforaciones como de un rallador. Un hombre con su recipiente lleno de mandioca la presionaba contra la rueda moledora, que la molía hasta volverla una masa, trozo tras trozo. Esta masa esponjosa la ponían en una máquina como una prensa de queso, y le sacaban todo el jugo. Entonces era arrojada en grandes pailas de hierro, poco profundas, sobre un fuego encendido, donde en unos veinte minutos, se secaban dos o tres "bushells" [cada bushell equivale a un volumen de más o menos 35 litros], los sacaban y los enviaban al mercado, y se me dijo que se podía guardar hasta tres años. Esto lo llaman "fariña", o harina brasileña. La forma general de prepararla para la mesa era meramente escaldarla con una sopa caliente en platos, y pasarla como si fuera pan. Las clases más pobres y los esclavos la recogen con las puntas de los dedos, y la arrojan a la boca en trozos de unos quince gramos [media onza], y la bajan con agua. En este tiempo se la importa a los Estados Unidos y es vendida en los almacenes.

A mi llegada a Pernambuco, la fariña tenía una buena demanda, pero el gobierno no me permitía entrar porque era ilegal que los navíos entraran para comerciar en la costa. En unos pocos días, vino un mensaje por tierra del presidente de una de las provincias norteñas, invitándome a ir al puerto de Paraíba y negociar mi carga. Aquí vendí toda mi carga a un precio subido, el gobierno compró una buena parte para sus tropas. Como la sequía seguía, y mi barco navegaba velozmente, el presidente me otorgó el permiso para importar otra carga de inmediato, y me dio una carta de presentación para el presidente de Sta. Catalina para que me ayudara a avanzar. A mi llegada a Sta. Catalina, los comerciantes, sabiendo de la demanda de comida en el norte, procuraron impedirme de comprar hasta que estuvieran listos para despachar navíos propios. Después de una detención de unas pocas semanas, usé un intérprete y seguí con mi bote un poco más adelante por la costa. Dejando nuestro bote para volverse y que nos buscara al día siguiente, subimos las montañas para comprar fariña de los granjeros. En algunas granjas la encontramos llenando toda una habitación, dormitorios, o salas, en todo lugar que tuvieran para protegerla de la lluvia, para su uso y para la venta. Algunas de sus habitaciones estaban atestadas y repletas con este artículo.

Los comerciantes en Sta. Catalina, oyendo de nuestro éxito en la compra del producto de los granjeros y su transporte en bote hasta nuestro barco, procuraron levantar sus prejuicios contra nosotros. Pero nuestros "patacones" de cuarenta, ochenta y ciento veinte centavos cada uno, con los cuales les pagábamos su fariña al precio más alto del mercado, era muy superior a su tráfico de permuta, y prefirieron aceptarlo. La primera noche que pasé en la montaña fue difícil, y sin dormir. Tenía dos bolsas pesadas de plata, y la noche nos había alcanzado en una casa donde habíamos hecho una compra, para ser entregada en la mañana. Le dije al hombre, por medio de mi intérprete: "Aquí tengo dos bolsas de plata que tenemos para comprar fariña; quiero que me las guarde en lugar seguro hasta la mañana". "Oh sí", replicó, y las guardó en un cajón.

Capítulo 16

Dificultad para conseguir carga – Momentos para refrescar el alma en el bosque – Efigie de Judas Iscariote – Zarpando de Sta. Catalina – Llegamos a Paraíba – Cuarto viaje - Llegada a la Bahía de los Espíritus - Posición peligrosa – San Francisco – Río Grande – Bancos de arena – Una ciudad en ruinas – Charqui – Rio Grande a Paraíba – Catamarán – Procesión y sepultura católica – Zarpamos a Nueva York – Llegada a casa – Oración de familia – Reavivamiento espiritual – Experiencia

A la hora de acostarnos se me mostró una piecita oscura para mí solo. No puse objeciones, sabiendo que no me debía pedir más, después de la confianza que puse en él al poner mi dinero en sus manos. Después de orar, me acosté, no para dormir, sino para pensar en mi posición insegura, y escuchar la conversación del extraño y mi intérprete, que continuó hasta muy tarde, pero unas pocas palabras de la cual pude comprender. Mi información sobre el carácter traicionero de esta gente resultó sin fundamento, al menos en la que aquel extraño atañe, porque cuando llegó la mañana y nos preparamos para pagarle por su "fariña", él manifestó fuertes sentimientos de gratitud por la confianza que había puesto en él. Esto abrió el camino para negociar con sus vecinos.

En mis transacciones con esta gente, quienes eran todos católicos, no encontré a ninguno para conversar sobre el tema de la religión. A menudo pensé qué privilegio sería encontrarme con *un* cristiano, y cuán deleitado estaría de pasar una hora en una reunión de cristianos que oran, o escuchar otra voz en oración además de la mía. Sentí un deseo profundo de un lugar de retiro, para librar mi alma y expresar mis sentimientos reprimidos, que me parecía que si pudiera entrar en un bosque denso, podría sentir alivio en cierta medida. Pronto se me dio esta oportunidad. Con mi Biblia como compañía, salí de la ciudad y seguí la orilla del mar, hasta que encontré una apertura en el espeso bosque, en el cual entré. Aquí gocé la libertad para orar más allá de cualquier otra cosa que hubiera experimentado antes. Era realmente un lugar celestial en Cristo Jesús. Cuando mis negocios lo permitían, solía pasar la tarde en algún lugar en estos bosques; y a veces, por temor a los reptiles, solía subirme a un árbol grande, y afirmarme con seguridad en las ramas, donde gozaba de los momentos más preciosos de leer las Escrituras, cantar, orar, y alabar a Dios. Su preciosa verdad parecía el gozo de mi alma, y sin embargo, por extraño que parezca, ni *entonces* sentía que mis pecados estuvieran perdonados; pero me regocijaba en que todavía estaba bajo la convicción. Cuando llegaba el momento de poder ir de nuevo, sentía que había dependido mucho de estar allí, y no recuerdo haber regresado sin una bendición especial. ¡Oh! Cuán oscuro me parecía, el regreso al bullicio y el apretujamiento de la gente, después de esos preciosos períodos.

Los católicos en Brasil observan numerosas fiestas, y lo que ellos llaman "días santos". Mientras estaba en el puerto de Sta. Catalina, en uno de sus días santos anuales, fue nuestro privilegio presenciar su indignación contra su enemigo mortal, Judas Iscariote, por traicionar a su Maestro. Temprano en la mañana, los navíos católicos ladeaban las velas, apuntando los palos hacia arriba a los cielos, y a una señal dada a mediodía, sus velas eran escuadradas otra vez, y en el extremo del brazo de la vela del comodoro (por el día), Judas, el traidor, era colgado en efigie. Después de esperar un tiempo razonable para que muriera, lo dejaban caer del brazo de la vela al mar. Entonces le pegaban por un tiempo con garrotes, y levantándolo hasta el palo por el cuello, lo dejaban caer otra vez al mar. Así seguían colgando, ahogando, y golpeando al traidor, hasta que sus sentimientos de indignación quedaban satisfechos. Entonces era remolcado hasta la orilla por el cuello, y no sepultado, sino entregado en las manos de los muchachos que lo arrastraban por la plaza pública y las calles, golpeándolo con sus palos y piedras hasta que quedaba muy maltrecho.

Sacamos los papeles y navegamos con otra carga, y a nuestra llegada a Paraíba supimos del hambre que todavía prevalecía. Las autoridades, al saber que estábamos entregando algunas de nuestras provisiones para alimentar a los pobres hambrientos, abrieron las puertas de sus prisiones para permitir que sus presos también vinieran y mendigaran de nosotros. Pero al no estar autorizado por mis copropietarios a regalar su propiedad de este modo, sentí vacilación de hacerlo; pero estimé que era un privilegio, por mi propia cuenta, por un tiempo alimentar a estas criaturas pobres, casi muertas de hambre y prácticamente desnudas, que vagaban cerca de nuestro lugar de desembarco, como si fuera su única esperanza de no morir de hambre. No los conté, pero creo que a veces eran más de cincuenta los que recibían fariña cada vez. La forma en que la extraían para comer de sus recipientes al momento de recibirlas de la tripulación de nuestro bote, era evidencia de su estado de hambruna.

Un hombre pobre vino del interior con un caballo miserable y demacrado, a comprar unos pocos sacos de fariña para su familia. Dijo que había viajado setenta leguas, más de trescientos veinte kilómetros [doscientas millas]. Representaba al pueblo y su ganado que morían por hambre mientras venía. Creo que dijo que no había habido lluvia por más de dos años.

Para cuando hubimos vendido nuestra carga, el presidente me otorgó la libertad de importar otra carga, y me dio una carta de presentación con un pedido urgente al presidente de la provincia que nos permitiera comprar una carga de provisiones para Paraíba. Por ese tiempo los capitanes J. y G. Broughton, de Marblehead, Massachusetts, llegaron a Paraíba. Ellos fueron los primeros cristianos profesantes que había conocido desde que salí de los Estados Unidos. Con el Capitán G. Broughton gocé de una agradable relación durante los pocos días en que estuvimos juntos. Fueron unos días de refrescante relación. Desde el tiempo que hice un pacto con Dios, había tenido el hábito de pasar todo mi tiempo antes del desayuno en oración, leyendo la Biblia, y en meditación. Después supe que esta es la mejor manera de comenzar el día.

En agosto de 1825 zarpamos de Paraíba en nuestro cuarto viaje. Sacamos los papeles para "Espíritu Santo", o Bahía de los Espíritus, en la latitud 20º sur. A nuestra llegada tuvimos alguna dificultad en encontrar nuestro camino al lugar de anclaje sin un piloto. No supe la razón por la que este lugar era la "Bahía de los Espíritus", pero creo que era el lugar más romántico y de aspecto más salvaje que alguna vez había visto. El viento venía silbando por entre las grietas y lugares de aspecto oscuro de las montañas escarpadas, con rachas tan repentinas, que tenía miedo de que nuestra ancla se soltara de su lugar antes que nuestras velas pudieran ser arrolladas. Más tarde, al viajar varias millas en nuestro bote hasta el pueblo y la residencia del presidente, el mismo escenario salvaje se presentó otra vez. Entregamos nuestra carta de presentación y el pedido especial al presidente, pero él rechazó nuestro pedido de comprar una carga, diciendo que era "contrario a la ley". Se me dijo que él estaba enviando fariña por barco, y estaba muy contento de saber que Paraíba era el mejor mercado.

Zarpamos de allí al sur hacia el río San Francisco. Mientras viajábamos paralelos a la costa, a la puesta del sol, podíamos apenas discernir la tierra desde la cima del mástil. Luego trazamos nuestro rumbo como para encontrar una zona de mar profundo durante la noche. A eso de las 8 de la noche, observamos que el agua se había vuelto muy blanca; en ese momento estábamos avanzando rápidamente bajo la presión del viento. Echamos nuestra ancla de mar profundo desde la proa, y para nuestro asombro, teníamos solo cinco brazas de agua, o nueve metros [treinta pies]. De inmediato viramos hacia el viento y tomamos rumbo alejándonos de la tierra, con todas las velas que el bergantín podía soportar, por unas tres horas, antes que encontráramos aguas profundas. Durante ese tiempo estuvimos en temible suspenso, temiendo que nuestro navío tocara fondo y se rompiera en pedazos, al estacionarse entre las olas cortas y rápidas. Por nuestros cálculos en la mañana, encontramos que estábamos a casi treinta y seis kilómetros [veinte millas] de la tierra, a la latitud 21° 30' sur, cuando descubrimos las aguas blancas a las 8 de la noche. Nuestro libro de instrucciones y cartas de navegación estaban ambas silenciosas con respecto a este peligroso lugar. Nos sentimos muy agradecidos al Señor por librarnos de esta posición inesperada y peligrosa.

En el Río San Francisco había tantos navíos cargando que no pudimos completar nuestra carga, sino que seguimos de allí a Río Grande, a más de novecientos kilómetros [quinientas millas] más al sur. Aquí en lugar de las montañas escarpadas en la orilla del mar que dejamos en la desembocadura, no había más que pequeñas colinas de arena, que se movían con cada viento fuerte, como los de la costa de Barbary, o las acumulaciones de nieve en Norteamérica. Las olas también la empujaban bajo el agua en cada dirección. Me señalaron el faro que está sobre un banco de arena, en seco, y me dijeron que ese promontorio ahora está donde antes estuvo el canal de navegación. En lugar de que los pilotos subieran a bordo de los navíos que entraban, como siempre había visto, vimos un gran bote abierto que se acercaba, con pilotos y hombres en él, un hombre tenía banderas, y otros con largos palos para sondear el fondo, pidiéndonos que nos mantuviéramos a una distancia prudente detrás de ellos. Mientras ellos avanzaban, buscando a tientas el agua más profunda, los movimientos de la bandera para virar a la derecha o a la izquierda o detenerse, debían ser obedecidos de inmediato, hasta que llegaban al faro, y allí es que los pilotos suben a bordo y lo dirigen a su punto de anclaje.

La ciudad de Río Grande está a varios kilómetros río arriba del faro. Unos pocos años antes de que yo llegara allá, un vendaval muy violento arrastró la arena a la ciudad y literalmente llenó las casas con ella, algunas hasta el primer piso y otras hasta las ventanas del segundo piso, de modo que los habitantes tuvieron que huir, edificar otra vez, algo más de un kilómetro y medio [una milla] de distancia de donde antes vivían. Era inútil palear la arena fuera de sus casas, a menos que pudieran llevarla a cierta distancia, gasto que hubiera sido mayor que construir casas nuevas; de este modo, las antiguas fueron abandonadas. La arena era tan fina que entraba a las casas aunque tuvieran todas las ventanas y las puertas cerradas. Esto lo presencié más de una vez mientras estuve allí.

Posteriormente recuerdo haber leído un informe, dado por un viajero inglés, quien al llegar a la lengua o la orilla del mar egipcio, escribió en su libro de anotaciones cuán fácil sería para Dios cumplir la profecía de Isaías 11:15. Supongo que él vio claramente que un poderoso viento hacia el mar pronto arrastraría los bancos de arena sobre las poblaciones, algo parecido a la manera de las arenas movedizas descritas más arriba en Río Grande.

Completamos nuestra carga en la ciudad de Río Grande con cueros y charqui [carne seca]. Después de sacarle el cuero al ganado, le quitan la carne de sus huesos en dos pedazos, y los salan en bateas parecidas a las que usan las curtiembres para sus cueros. Después que la salmuera las satura, las cuelgan y las secan sobre palos, y luego las enrollan en paquetes para el mercado. Del mismo modo también curan sus cerdos, porque en ese clima la carne no se mantiene si no se sala en barriles. Dentro de las costas, más allá de las colinas de arena, el país anteriormente abundaba con ganado.

Después de un viaje de treinta días desde Río Grande, llegamos a Paraíba. Aquí, como de costumbre, tomamos nuestro piloto de un "Catamarán", una clase de navío que en estas partes, usaban en lugar de botes. Este catamarán consiste sencillamente en cuatro a ocho vigas de seis metros de largo [veinte pies] unidas juntos, con un mástil para izar su vela. Algunas veces los hemos visto casi fuera de la vista de la tierra, pescando en el océano. A distancia pareciera como que hay un hombre sentado en el agua junto a un palo largo. Estos palos son muy porosos, de madera muy liviana, y pronto se saturan con agua y se hunden debajo de la superficie. Cuando regresan a la orilla son sacados para que se sequen, antes de usarlos de nuevo.

Uno de nuestros marinos, a quien dejamos aquí con viruela, murió poco después que zarpamos de Paraíba. Lo dejé al cuidado del Cónsul Británico, quien también, bondadosamente, me ayudó en la realización de mis transacciones con la aduana. Su empleado principal, un brasileño, perdió a un niño pequeño de unos dos años de edad, que debía ser sepultado la tarde después que llegué. El cónsul estaba entre los principales deudos en la procesión. Me invitó a caminar junto a él. Como nunca había presenciado una ceremonia de esta clase, rápidamente acepté su invitación. Ahora tenía el privilegio de aprender de él muchas cosas en relación con la procesión, etc., que deseaba saber.

A eso de las ocho de la noche, se formaron dos filas de personas para marchar a cada lado de la calle. Entonces encendieron velas de cera, de unos siete centímetros [tres pulgadas] de diámetro y de un metro veinte [cuatro pies] de largo, que fueron entregadas a cada hombre en la procesión. El cadáver, que estaba ricamente vestido y adornado con flores frescas, fue puesto en una pequeña canasta con cuatro manijas, y cuatro niñitos lo llevaban. Parecía un dulce niño dormido. La procesión, con el sacerdote delante del niño en el medio de la calle, y dos largas filas de hombres con velas encendidas a cada lado, era una vista bastante imponente en la noche oscura. La caminata fue de como dos kilómetros y medio [como una milla y media] hasta una iglesia de piedra que parecía antigua, en la parte alta del pueblo. Al entrar a la iglesia vi una de las grandes piedras del piso que estaba levantada, y una pequeña pila de huesos y tierra junto a ella. El cónsul me dijo que el niñito sería puesto allí. El niño fue puesto junto al altar. El sacerdote ocupó unos pocos momentos en hablar, luego tomó un recipiente redondo con manija, que estaba lleno de agujeros como un rallador, a través de los cuales, mientras susurraba algunas palabras, salpicó al niño con lo que ellos llaman *agua bendita*, algo de la cual, sea por accidente o de otro modo, cayó sobre nosotros que estábamos a la cabeza de la procesión. Después de esta parte de la ceremonia, todos menos el niño volvieron en orden en la procesión. El Sr. Harden, el cónsul, al volver me dijo de qué modo se ocuparían del niño. Dos esclavos negros quedaron con él, le quitarían toda la ropa lo cubrirían con cal viva para que le comiera la carne, luego lo meterían en ese agujero junto con los otros huesos y la tierra, y repondrían la piedra otra vez en su lugar, y ellos se quedarían con la ropa en pago por su trabajo. De esta manera se ocupaban de sus muertos en esa dilapidada casa sepulcral, y lugar de adoración divina. Me dijeron que era uno de los poblados más antiguos de Sudamérica, con más de trescientos años de existencia.

Después de vender nuestra carga en Paraíba, invertimos nuestros recursos en cueros y pieles, y zarpamos hacia Nueva York. Después de un agradable y próspero viaje de unos treinta días, con la excepción de algunas tormentas frías y congeladoras sobre nuestras cosas, llegamos al lugar de la cuarentena a varias millas antes de la ciudad de Nueva York, hacia fines de marzo de 1826. Como no teníamos enfermos a bordo, se me permitió el privilegio el domingo de llevar mi tripulación conmigo para escuchar el servicio en la Iglesia Reformada Holandesa. Esta era la *primera* asamblea religiosa que yo había encontrado desde que había hecho mi pacto de servir a Dios, y lo gocé mucho. Se estaba bien allá. En pocos días fuimos liberados de la cuarentena, y me alegró el reunirme con mis compañeros y hermanas en Nueva York. Mi hermano F. tomó mi lugar a bordo del

Empress para otro viaje a Sudamérica, y yo salí para Fairhaven, para gozar de un tiempo en la sociedad de mi familia y amigos, después de una ausencia de unos veinte meses.

Una de mis viejas conocidas vino para darme la bienvenida a casa otra vez, y muy bondadosamente me preguntó cuánto tiempo hacía que tenía una esperanza, o que *estaba convertido*. Le contesté que nunca. Ella era una buena cristiana, y parecía muy chasqueada por mi respuesta. Mi esposa había procurado antes de esto animarme a creer que Dios, por amor de Cristo, me *había* perdonado. Le rogué que no me engañara en un asunto tan importante como éste. Ella dijo que no quería hacer eso, sino que estaba convencida por mis cartas y diario durante mi ausencia, que mi conversión era tan auténtica como la suya. Le contesté que me parecía que debía estar completamente convencido de mi conversión antes de poder regocijarme con ello.

Yo había resuelto decididamente, que a mi regreso a casa, establecería el altar familiar. Satanás trató con fuerza impedirme hacerlo de varias maneras, pero resolví comenzar tan pronto como hubimos tomado el desayuno. En ese momento, uno de mis antiguos asociados, que era muy opuesto a la religión experimental, llamó pues quería verme. Al principio sentí alguna duda, pero la conciencia y el deber prevalecieron. Abrí la Biblia y leí un capítulo, y nos arrodillamos con mi familia y nos entregamos a nosotros y a nuestro amigo al Señor. Él parecía muy serio y pronto se retiró. Después de esta victoria no recuerdo haber experimentado ningún estorbo similar. Si hubiera cedido aquí, estoy seguro de que habría tenido que vencer más veces, si intentaba orar de la misma manera otra vez.

Ahora tenía el privilegio de reuniones religiosas y amigos cristianos, y también una reunión de oración semanal en mi propia casa. El pastor H., un ministro presbiteriano, y amigo especial de mis padres, me invitó a asistir a un reavivamiento religioso interesante que ocurría en ese tiempo, en Taunton, a unos treinta kilómetros [veinte millas] de distancia. Después que le relaté mi experiencia pasada, y estábamos cerca de Taunton, le pedí al pastor H. que no me pidiera hablar en la reunión, porque no tenía experiencia en este tipo de obra. En la noche asistí a lo que se llamaba una "reunión de investigación" de los conversos, y de los que estaban bajo convicción de pecado. El pastor de la iglesia congregacional, y el pastor H., comenzaron averiguando el estado de sus mentes, y preguntando a los conversos que contaran lo que el Señor había hecho por ellos. Como ésta era la primera reunión de esta clase en mi experiencia, escuché con un inusitado grado de interés y atención, para aprender cómo todas estas personas se habían convertido en un tiempo *tan corto*. La sencilla historia de lo que el Señor había hecho por ellos cuando se sentían convictos de pecado, y estaban abrumados con la carga de culpa y vergüenza, y cómo fueron al Señor con toda su carga y confesaron sus maldades, y las diversas maneras en las que encontraron alivio, algunos en la oración secreta, algunos en la reunión, y otros en la casa, cómo Dios les dio paz a sus almas turbadas; también los diversos estados de sus sentimientos cuando sus cargas los dejaron, todo me parecía claro. Había mucha semejanza en esto con mi experiencia, que me dije a mí mismo: Esta es la operación del Espíritu de Dios sobre el corazón por medio de Jesucristo.

Después de escuchar por unos momentos estos testimonios sencillos, me pareció que yo entendía el mismo lenguaje, y comencé a razonar, y a preguntarme: ¿Es esto la conversión del pecado? ¿Es esto realmente? Entones yo la he experimentado. Mi corazón ardía dentro de mí. Oh, cómo deseaba que el pastor H. me pidiera en ese momento que *hablara*, para poder contar lo que Dios había hecho por mí.

Por unos dieciocho meses yo había estado reacio a creer que el Señor había perdonado mis pecados, porque había estado buscando alguna evidencia o manifestación de su poder, (yo no sabía de qué manera o cuándo), que me convenciera más allá de las dudas. Mis ideas limitadas de la conversión, y un fuerte deseo de no ser engañado en este asunto importante, me hicieron pasar por alto la forma sencilla en la que Dios, misericordiosamente condesciende a perdonar al pecador culpable pero suplicante.

Después de la reunión, mi lengua se soltó para alabar a Dios por lo que había hecho por mí tantos meses antes. Desde ese momento, toda duda y vacilación respecto de mi conversión y mi aceptación por parte de Dios, desaparecieron como el rocío de la mañana, y sentí una paz como un río, por semanas y meses, que ocupó mi corazón y mi mente. Ahora podía dar una razón de la esperanza dentro de mí, y decir con el apóstol, "Nosotros sabemos que hemos pasado de muerte a vida, en que amamos a los hermanos". "Las cosas viejas pasaron; he aquí todas son hechas nuevas". 1 Juan 3:14; 2 Corintios 5:17.

Capítulo 17

Reavivamiento religioso – Bautismo – Se une a la iglesia – Sociedad de Temperancia – Ejército del agua fría – Otro viaje – Reglas para el viaje – Viaje de temperancia – Altar de oración a bordo – Periódico semi semanal en el mar – Culto dominical – Llegada a Sudamérica – Paraíba – Bahía – Pirata – Sta. Catalina

Durante la primavera del año 1827 fuimos bendecidos con un reavivamiento espiritual en Fairhaven, especialmente en la iglesia Cristiana. En esta temporada mi propia mente estaba más o menos agitada respecto de unirme a alguna denominación cristiana. Mi compañera había sido miembro de la iglesia cristiana varios años antes de nuestro casamiento. Al asistir con ella, después de nuestro casamiento, cuando estaba en casa, me había relacionado algo con su forma de ver la Biblia. Ellos tomaban las Escrituras como su única regla de fe y práctica, renunciando a todos los credos.

Mis padres eran miembros de muchos años de la iglesia congregacional, con todos sus hijos convertidos hasta entonces, y ansiosamente esperaban que nosotros también nos uniéramos con ellos. Pero ellos aceptaban algunos puntos en su fe que yo no podía comprender. Nombraré solo dos: su modo de bautizar, y la doctrina de la trinidad. Mi padre, que había sido diácono por mucho tiempo entre ellos, procuró convencerme que ellos estaban en lo cierto en cuanto a puntos de doctrina. Le informé que mi mente estaba inquieta en relación con el bautismo. Él dijo: "Te hice bautizar cuando eras un infante". Yo respondí que todo eso podía estar en armonía con su fe; pero la Biblia enseñaba que debemos primero creer y luego ser bautizados (Mar. 16:16; 1 Ped. 3:21), y que yo que no era capaz de creer cuando era un infante. Respecto de la trinidad, llegué a la conclusión de que era una imposibilidad para mí creer que el Señor Jesucristo, el Hijo del Padre, era también el Todopoderoso Dios, el Padre, uno y el mismo ser. Le dije a mi padre: "Si puedes convencerme que nosotros somos uno en este sentido, de que tú eres mi padre, y yo tu hijo; y también que yo soy tu padre, y tú eres mi hijo, entonces puedo creer en la trinidad".

Nuestra discusión en este asunto me llevó a hacer de mi deber un tema especial de oración, particularmente en relación con el bautismo; después de lo cual, al abrir la Biblia, mi ojo reposó en el Salmo 27. Cuando terminé de leer el último versículo, dije: "Señor, ¡lo haré! Si espero en ti de acuerdo con tu palabra, debo ser sumergido, sepultado con Cristo en el bautismo". Colosenses 2:12. Dios fortaleció mi corazón y me liberó desde ese momento, y mi deber era perfectamente claro. Su promesa era dulce y poderosa. En unos pocos días fui bautizado por inmersión, y me uní a la iglesia cristiana.

El mismo día, mientras nos estábamos cambiando la ropa, le pedí al pastor M., que me bautizó, que me ayudara a formar una Sociedad de Temperancia. Como mi mente estaba ahora libre con respecto a este último deber, quedé impresionado muy fuertemente de que debía unir mis energías con las de otros, para frenar, si era posible, los estragos crecientes de la intemperancia. Siendo que yo había dejado de usar bebidas embriagantes, me veía impelido a considerarlo como uno de los pasos más importantes que alguna vez di. Por ello deseaba ardientemente la misma bendición para los que me rodeaban. El pastor M. fue la primera persona a la que le pedí que me ayudara en esta empresa; al no conseguir su ayuda, seguí solo, y presenté mi propuesta pidiendo suscritores. El pastor G., el ministro congregacional, sus dos diáconos, y unos pocos, doce o trece, de los hombres principales del lugar, alegremente y bien dispuestos firmaron sus nombres, y de inmediato se llamó a una reunión, y se organizó la "Sociedad de Temperancia de Fairhaven".

La mayoría de los pocos que éramos, habíamos sido capitanes de barcos, y habíamos visto la influencia degradante que las bebidas ardientes ejercían sobre quienes las usaban, afuera y en casa. Por lo tanto, ellos parecían más listos para dar sus nombres e influencia para frenar este vicio monstruoso. El pastor G. exclamó: "¡Bien, capitán Bates, esto es justo lo que he estado queriendo ver!" La reunión fue organizada y se eligió al capitán Stephen Merihew, presidente, y al Sr. Charles Drew, secretario. Quedó pendiente la discusión de adoptar un estatuto, se votó que nos comprometeríamos a abstenernos del uso de bebidas embriagantes. No teniendo antecedentes ante nosotros, finalmente votamos que el ron, el gin, el aguardiente y el whisky, eran bebidas prohibidas. El vino, la cerveza, y la sidra se usaban tan libremente como bebida, que la mayoría de nuestros miembros en ese momento se oponían a incluirlos en la lista. Algunas dudas surgieron con la minoría, si debíamos ser capaces de sostener el espíritu de nuestros estatutos sin abstenernos de todas las bebidas embriagantes. Uno de nuestros miembros, que era conocido por su hospitalidad, dijo: "Sr.

Presidente, ¿qué debo hacer cuando mis amigos vienen a visitarme desde Boston?" "Haz como yo hago, capitán S.", dijo otro. "Yo no he ofrecido a mis amigos ningún licor para beber en mi casa estos diez años". "Oh, usted está equivocado", dijo el presidente, "¡son veinte años!" Sin duda se dijo esto, porque el hombre había dejado de seguir la moda de ofrecer licor a sus amigos antes de que otros estuvieran listos para unirse a él.

Se preguntó luego si se conocía alguna Sociedad de Temperancia. Se afirmó que ciertas personas en Boston habían concordado juntos, que en lugar de comprar su licor en pequeñas cantidades en los negocios, los obtendrían por barriles, y lo beberían en sus propias casas. Esta asociación se llamó "La asociación del barril". No sabíamos de ninguna Sociedad de Temperancia que se hubiera organizado alguna vez, anterior a la de Fairhaven. Poco después de nuestra organización, se informó que uno de nuestro grupo había violado su compromiso. Él lo negó. "Pero, usted estaba borracho", dijimos nosotros. Él declaró que no había bebido nada sino sidra, y eso estaba permitido. (Se nos dijo que su esposa decía que ella prefería que él bebiera aguardiente, porque cuando se emborrachaba con sidra se ponía igual de mal.) Durante el juicio de este miembro, él seguía declarando que no había violado la letra de los estatutos. Pero era evidente para la Sociedad que él había violado la intención y el espíritu de ellos, lo que él no estaba dispuesto a admitir, o siquiera prometer reformarse. Por lo tanto, fue expulsado.

La Sociedad aquí vio la necesidad de enmendar los estatutos y eliminar las palabras "bebidas espirituosas", e insertar en su lugar, "todas las bebidas embriagantes", o algo parecido que sostuviera y ayudara a la causa. A partir de esto, se introdujo una reforma que finalmente resultó en el rechazo de todas las bebidas embriagantes, excepto por propósitos medicinales. Esta reforma nos dio el nombre de "Teetotalers", es decir, "Abstemios".

Antes de esto, nuestra Sociedad de Temperancia había llegado a ser sumamente popular. Nuestras casas de reuniones a su vez, estaban atestadas con toda clase de personas para escuchar las conferencias sobre el tema, y los conversos, tanto hombre como mujeres, alegremente se comprometían por veintenas a seguir los Estatutos de Temperancia. Muchos de los ciudadanos de New Bedford que vinieron para escuchar, también se unieron a nosotros. De allí, se organizó una sociedad en su pueblo y también en otros. Pronto se hicieron arreglos, y se organizó una Sociedad de Temperancia del Condado de Bristol, y pronto siguió la Sociedad de Temperancia del Estado de Massachusetts. Periódicos de temperancia, folletos y conferenciantes, se multiplicaron por el país, y la oposición comenzó a rugir como las olas del mar, haciendo que la marea de la Temperancia disminuyera por un tiempo. Entonces vino "El Ejército del Agua Fría", formado por niños desde los cuatro años en adelante, mezclando sus cantitos sencillos para alabar el agua —agua fría y pura—, nada mejor que el agua fría sin mezclas. Sus apelaciones sencillas y emocionantes, especialmente cuando estaban en asamblea en las reuniones de su sociedad, parecían dar un nuevo ímpetu a la causa, y volver a animar a sus padres a la obra de la abstinencia total de todas las bebidas embriagantes. Al examinar mis papeles el otro día, vi el libro que contenía los nombres de cerca de *trescientos niños* que habían pertenecido a nuestro "Ejército del Agua Fría" en Fairhaven.

En medio de nuestras labores de temperancia, mi hermano F. llegó de Sudamérica en el Empress. Pronto lo cargamos otra vez con una carga variada bajo mi mando, y sacamos papeles para ir a Sudamérica. Zarpamos de New Bedford en la mañana del 9 de agosto de 1827. Encontré mucho más difícil separarme de mi familia y amigos esta vez que nunca antes.

Nuestro piloto ahora nos dejó con una fuerte brisa que nos sopló una vez más al océano tempestuoso para un largo viaje. Como de costumbre, nuestras anclas estaban ahora guardadas y todo asegurado en caso que nos encontráramos con una tempestad. Al hacerse de noche y apartarnos del Faro Gay Head, distante unos veintiocho kilómetros [quince millas], todos los tripulantes fueron llamados a reunirse en el puente de mando. Todos menos uno eran extraños para mí, ya que habían venido de Boston el día antes. Leí nuestros nombres y el acuerdo para realizar este viaje, según los papeles de navegación, y pedí su atención mientras establecía las reglas y reglamentos que deseaba que observaran durante nuestro viaje.

Les hablé de la importancia de cultivar sentimientos bondadosos hacia los demás mientras estábamos solos en el océano, durante nuestro viaje programado. Declaré que con frecuencia había visto el surgimiento de sentimientos ásperos y odio a bordo, por no llamar a los hombres por sus nombres propios. Dije: "Aquí está el nombre de William Jones; que todos recuerden que mientras estamos realizando este viaje lo llamaremos William. Aquí está John Robinson; llámenlo John. Aquí está James Stubb; llámenlo James. No permitiremos que se llame a ninguno Bill, ni Jack, ni Jim aquí". De la misma manera leí todos sus nombres, con el del primer y segundo maestres, y les pedí que siempre se dirigieran a los demás de una manera respetuosa, y se llamaran por sus nombres propios; y si los oficiales se dirigían a ellos de otro modo, deseaba que me informaran de ello.

Otra regla era que no permitiría juramentos durante el viaje. Dijo William Dunn: "Yo siempre he tenido ese privilegio, señor". "Bien", dije, "no podrá tenerlo aquí", y cité el tercer mandamiento, y procuré mostrar cuán malo era jurar, pero él añadió: "¡No puedo evitarlo, señor!" Le contesté: "Entonces le ayudaré a evitarlo". Él comenzó a razonar acerca de ello, y dijo: "Cuando me llaman en la noche para atar las velas superiores en mal tiempo, y las cosas no van bien, maldigo antes de pensarlo". Le dije: "Si lo hace aquí, sé lo que haré con usted; lo llamaré y lo enviaré abajo, y dejaré que sus compañeros hagan el deber que le corresponde a usted". Dunn vio que tal camino lo desprestigiaría, y dijo: "Trataré, señor".

Otra regla era que no permitiríamos lavar o remendar ropa los domingos. Le dije a la tripulación: "Tengo un buen surtido de libros y papeles a los que ustedes tendrán acceso cada domingo. También procuraré enseñarles, para que puedan guardar santo el día del Señor. Tendrán todos los sábados de tarde para lavar y arreglar su ropa, tanto en el mar como en los puertos, y espero que aparezcan cada domingo de mañana con ropa limpia. Cuando lleguemos a un puerto podrán tener el mismo sábado de tarde en su turno para ir a tierra firme para ver el lugar, y conseguir lo que deseen, si vuelven a bordo de noche sobrios, porque observaremos el día de reposo a bordo en el puerto, y no les daremos ninguna libertad en tierra en domingo.

A esto Dunn recalcó otra vez: "Ese es el privilegio del marinero, y siempre he tenido la libertad de ir a tierra en domingo". "Yo sé eso muy bien", dije, interrumpiéndolo, "pero no puedo darle esa libertad", y procuré mostrarles cuán malo era violar el santo día de Dios, y cuánto mejor se gozarían al leer y mejorar sus mentes, que en unirse a toda la maldad que los marineros tenían el hábito de hacer en los puertos extranjeros en ese día.

"Otra cosa que quiero decirles es, que no tenemos licor, o bebidas embriagantes a bordo". "¡Eso me alegra!" dijo John R. Tal vez este era el primer viaje que realizaría alguna vez sin ellos. Añadí: "Tenemos una botella de aguardiente común y también una de ginebra, en el botiquín; yo los administraré, como los otros remedios, cuando crea que ustedes los necesiten. Esto es todo el licor que tenemos a bordo, y todo lo que tengo la intención de tener a bordo de este navío durante nuestro viaje; y prohíbo estrictamente a cualquiera de ustedes que traiga algo de este tipo a bordo cuando tengan la libertad de ir a tierra en puertos extranjeros. Y me gustaría poder persuadirlos de no beber nada cuando estén en tierra. Cuando se los llame a hacer su deber en las guardias abajo, esperaremos que vengan rápida y alegremente, y podrán retirarse otra vez tan pronto esté realizada su tarea, y también tener su guardia de la mañana abajo. Si cumplen estas reglas, y se portan como hombres, serán tratados bondadosamente, y nuestro viaje será muy placentero". Luego me arrodillé y nos encomendamos al gran Dios, cuyas tiernas misericordias están en todas las obras de sus manos, para que nos proteja y guíe en nuestro camino por el océano a nuestro puerto de destino.

A la mañana siguiente, todos los hombres excepto el timonel, fueron invitados a la cabina con nosotros en nuestra oración matutina. Les dijimos que esta sería nuestra práctica mañana y tarde, y que estaríamos felices de tenerlos a todos con nosotros, para que podamos orar con ellos y por ellos. Y para animarlos más a leer, e informar sus mentes, nos propusimos publicar un diario dos veces por semana, o sea, los martes y viernes de mañana, durante el viaje. Antes de zarpar, había preparado una cantidad de libros, con los últimos periódicos, y también el último volumen de un periódico religioso semanal interesante, publicado en Boston, llamado "El Heraldo de Sion". Comenzamos a entregar el primer número del volumen, exigiendo el retorno del último número antes de emitir el siguiente; este lo pusimos debajo del volumen, para ser recibido otra vez al final de seis meses.

La novedosa idea de un periódico bisemanal en el mar, interesó muchísimo a la tripulación, y cuando el primer número volvió a salir, y ellos comenzaron a re-leerlo, no escuché nada con respecto a que lo hubieran visto antes. Su interés en el periódico continuó durante todo el viaje. Durante la guardia de la mañana, abajo, con frecuencia caminaba hacia adelante, sin que me vieran, y escuchaba alguno de ellos leyendo en voz alta de su periódico matutino, y las observaciones que hacían.

Los domingos, cuando el tiempo lo permitía, teníamos cultos de adoración religiosos en el alcázar o cubierta de popa, si no, lo hacíamos en la cabina, cuando generalmente leíamos algún sermón selecto, y de la Biblia. Cuando estábamos en un puerto, no podíamos tener toda su atención en domingo, como cuando estábamos en el mar. A veces parecía difícil para ellos ser privados del privilegio de ir a tierra con otros grupos de marineros que nos pasaban para ese propósito. Pero gozábamos de paz y tranquilidad, mientras los otros alborotaban en tonteras y ebriedad. Después de unas pocas semanas era realmente gratificante verlos elegir sus libros de nuestra pequeña biblioteca el domingo de mañana, y leerlos, como también sus Biblias, para informar sus mentes: era tan diferente de sus prácticas anteriores a bordo del barco. También parecían alegres y dispuestos a obedecer cuando los llamábamos, y así siguieron.

Después de un viaje de cuarenta y siete días, llegamos sin dificultades a Paraíba, en la costa oriental de Sudamérica. De allí continuamos nuestro viaje a Bahía o Salvador, donde llegamos el 5 de octubre. No encontrando venta para nuestra carga, hicimos los arreglos para seguir a Sta. Catalina. La noche antes de nuestra llegada a Bahía, un corsario de Buenos Aires nos atacó a cañonazos y nos detuvo. El capitán pretendía creer que yo estaba cargado con mosquetes y pólvora para sus enemigos, los brasileños. Después de satisfacerse de lo contrario, nos liberaron.

Capítulo 18

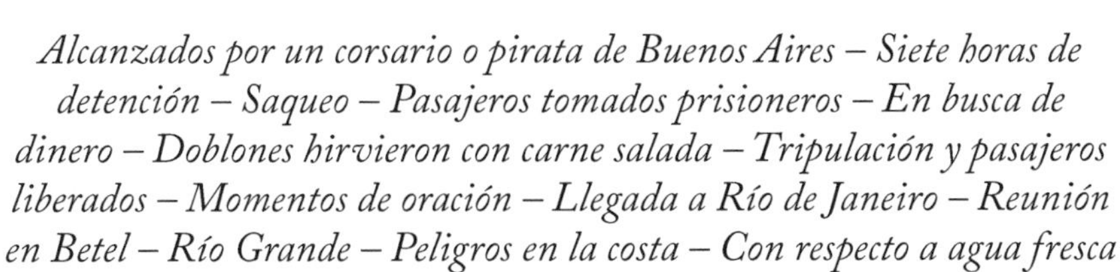

Alcanzados por un corsario o pirata de Buenos Aires – Siete horas de detención – Saqueo – Pasajeros tomados prisioneros – En busca de dinero – Doblones hirvieron con carne salada – Tripulación y pasajeros liberados – Momentos de oración – Llegada a Río de Janeiro – Reunión en Betel – Río Grande – Peligros en la costa – Con respecto a agua fresca - Conceptos religiosos – Navío perdido – Carta – Zarpamos y llegamos a Sta. Catalina –Zarpamos para Nueva York – Fenómeno singular

Al llegar a Sta. Catalina, tocamos tierra, vendimos nuestra carga, y cargamos de nuevo arroz y fariña, y zarpamos hacia Río de Janeiro. Varios días después que salimos de Sta. Catalina, se descubrió una vela extraña a cierta distancia a nuestro costado, dirigiéndose a nosotros, temprano en la mañana. Pronto comenzó a disparar cañonazos, pero le prestamos muy poca atención, y nos mantuvimos en nuestro rumbo bajo una brisa muy suave. El Pan de Azúcar, y otros montes altos a la entrada del puerto de Río de Janeiro asomaban ahora a la distancia, a unos ciento cincuenta kilómetros [ochenta millas] delante de nosotros. Vimos que las velas extrañas nos estaban alcanzando rápidamente, y con la ayuda de mi catalejo descubrimos que estaba avanzando con grandes remos, y ocasionalmente lanzando unos cañonazos. Izamos la bandera norteamericana de franjas y estrellas, y pronto descubrimos que era un bergantín con la bandera de Buenos Aires al tope. Teníamos ocho pasajeros varones a bordo, seis de ellos comerciantes brasileños que iban a Río de Janeiro para aumentar sus reservas de bienes. Estos estaban sumamente agitados y nerviosos, al saber que su enemigo se acercaba. Les dije: "Si ustedes creen que lo mejor es que icemos todas las velas, y si la brisa las llena, pronto podremos alejarnos de ellos, pero si no, caerán sobre nosotros, y en el caso de que nos alcancen para ustedes puede ser difícil. Personalmente no tengo miedo de ellos, mientras esté bajo la bandera de los Estados Unidos. Pero si nos quedamos quietos, ellos cesarán de disparar y nos tratarán más bondadosamente. Haré cualquiera de las dos cosas: elijan ustedes cuál". Pronto decidieron que era mejor quedarnos quietos y dejarlos que vengan hacia nosotros. Así lo hicimos, y con calma esperamos la aproximación del enemigo.

En la hora siguiente nos alcanzaron, dieron la vuelta a nuestro alrededor y se pusieron a nuestro lado, y gritaron: "¡Bergantín aló! ¡Hola! ¡Baje su bote, señor, y venga a bordo inmediatamente!" "¡Sí, señor!" Ellos gritaron otra vez: "Apúrese, señor, y traiga sus papeles consigo". "¡Sí, señor!" Le indiqué al segundo maestre que tomara a cargo el bote, para impedir que se averiara mientras estuviera junto al barco del corsario. Al llegar a la cubierta, me vinieron al encuentro dos hombres con apariencia de rufianes, con pistolas al cinto, y el capitán en pie en el pasillo a la cabina quien dijo: "¿Por qué no se detuvo, señor, cuando abrí fuego contra usted? ¡Tengo el ánimo de volarle los sesos ahora mismo!" seguido por una andanada de imprecaciones blasfemas. Le contesté: "Estoy en sus manos, señor; puede hacer lo que le plazca", y luego agregué: "Detuve mi navío tan pronto que determiné quién era usted"; y señalé a nuestros colores que flameaban y repliqué: "Esa es una bandera norteamericana, y espero que usted la respete". Entonces vino otra andanada de juramentos con una amenaza de hundir mi barco, y gritó: "¡Vaya atrás, allí, señor, sobre el alcázar! Aquí me tomó mis papeles. Cuando llegué atrás vi que toda mi tripulación estaba conmigo. Dije: "Sr. Browne, ¿por qué no se quedó en el bote?" "Pues, señor, ellos nos ordenaron a todos a venir a cubierta, y pusieron tripulantes propios; allá van a bordo del Empress". El maestre del corsario entonces preguntó: "Capitán, ¿cuál es su carga?" "Arroz y fariña", fue la respuesta. "Usted tiene municiones para el enemigo debajo de su fariña". "No, señor; no tengo tal cosa en mi carga. Ustedes tienen mis facturas e información de embarque". Él dijo que sabía que yo les estaba ayudando a los brasileños, y que él me llevaría a Montevideo como un trofeo. Yo dije: "Si lo hace, encontraré amigos allá". "¿Qué dice?", dijo él, "¿ha estado alguna vez allí?" "Sí", contesté. Él dijo: "Quemaré su barco, y lo hundiré", y llamó a su oficial y le ordenó que abriera las escotillas, y con varas revisara el fondo de la carga.

En esto llegó su tripulación en nuestro bote para descargar lo que habían saqueado de nuestro barco. Le dije: "Capitán, ¿saqueará mi barco?" "Sí", me contestó, "yo les prometí a estos hombres que saquearan el barco si lo alcanzábamos". Mi reclamo solo lo hizo maldecir y jurar acerca de lo que nos haría a todos. Mis papeles y cartas fueron esparcidos en el alcázar. Le pregunté qué quería hacer con mis papeles y cartas privadas. Me contestó que quería descubrir mi correspondencia con el enemigo, los brasileños. Le dije: "Usted tiene allí las cartas de mi esposa de los Estados Unidos". Él dijo: "Usted puede tenerlas, y también su propiedad privada. El bote estaba descargando el saqueo, y le dije: "Sus hombres acaban de pasar mi catalejo; ¿me permitiría tenerlo?" "No", dijo él, le prometí a mi tripulación que saquearan el barco si los alcanzábamos, y no puedo detenerlos".

Mientras examinaba la factura, de repente preguntó: "¿Dónde está su dinero?" Le contesté: "Usted tiene mis papeles con la factura de mi carga; si encuentra alguna cuenta de dinero, tómelo". Entonces ordenó a sus oficiales que buscaran cuidadosamente el dinero en el barco. Como no encontraron nada le dijo al mayordomo que lo colgaría si no decía dónde estaba el dinero del capitán. Él declaró que no tenía conocimiento de ningún dinero. Nuestro dinero estaba en monedas de plata; nadie sabía dónde estaba, sino solo yo. Lo había escondido en bolsas donde yo tenía muy poco temor de que los piratas lo encontraran. Este capitán era inglés, y tenía una tripulación mixta, de apariencia salvaje, que aparentemente estaban listos para cualquier tipo de asesinato. Dos o tres veces él movió su barco tan cerca del nuestro que temí que chocaran estropeándose y hundiéndose, y como yo hablaba acerca de tener cuidado, él derramó sus epítetos abusivos sin restricciones. Después de una hora o algo así, su excitación comenzó a bajar, cuando me invitó a bajar a la cabina con él y beber un vaso de ron con agua. "Gracias, señor" le dije, "yo no bebo nada". Pues él sí, y bajó por unos momentos para tragarse otra mortal copita.

Justo antes de que volviera, les dije a los comerciantes brasileños: "No me digan nada acerca de su dinero; asegúrenlo de la mejor manera que puedan. Sin duda me preguntará por ello, y si no sé nada, puedo afirmarlo". Les dieron sus relojes de oro a los marineros, quienes los guardaron sobre sus personas fuera de la vista. Más tarde me dijeron que arrojaron una cantidad de sus doblones de oro en los "cobres" del cocinero, donde la carne de res y de cerdo estaba hirviendo en agua salada para nuestra cena. Estos comerciantes estaban bien provistos con ropa de verano y de lino, que estos codiciosos hombres tomaron, sacándoles todo menos las camisas y los pantalones.

Después de un tiempo, la tripulación insaciable que registraba nuestro barco en busca dinero, sintiendo los retortijones del hambre, se apoderaron de la carne y el puerco que estaban cocinándose en los calderos. Pareció que una Providencia misericordiosa les impidió descubrir el dorado tesoro en el fondo de los calderos de cobre; porque si lo hubieran descubierto, habrían sospechado que había más de lo mismo en otros lugares, y muy probablemente algunos de nosotros habríamos sido colgados o fusilados antes de que terminara la búsqueda.

Durante esta abusiva detención de siete u ocho horas, o de las once de la mañana hasta la puesta del sol, la tripulación de mi barco y yo mismo estuvimos apretadamente de pie en la parte posterior del alcázar, sin comer nada. A última hora de esa tarde, los comerciantes brasileños fueron traídos a bordo del corsario como prisioneros de guerra, y se les ordenó pararse delante del tablado de carga del lado de sotavento, o como lo llaman los marineros "los desagües de sotavento". Los pobres hombres daban mucha lástima. Sus perspectivas parecían muy oscuras y dudosas. Había oído que ellos dijeron, hablando entre ellos poco después de salir de Sta. Catalina, que por causa de nuestras oraciones con ellos y nuestros marineros cada mañana y cada tarde, no habría peligro, sino que tendrían un viaje seguro a Río de Janeiro. Su fe ahora estaba puesta a prueba. Allí estaban parados, con sus ojos fijos en el capitán corsario y nuestro pequeño grupo.

Un poco antes de la puesta del sol, el capitán ordenó que todos sus hombres a bordo del Empress volvieran. Mientras nuestro bote regresaba con ellos, él me dijo: "Ahora puede tomar sus papeles y su bote y volver a bordo de su barco". "Muchas gracias, señor", le contesté. "¿Dejará que mis pasajeros vuelvan conmigo?" "¡No!" dijo, "son mis prisioneros". "Yo sé eso, señor, pero le estaré sumamente agradecido si me permitiera tenerlos de vuelta". Me dijo que él deseaba que yo comprendiera su propio negocio. Yo estaba en libertad de ir a bordo cuando quisiera, pero que no tendría a sus prisioneros. Mis hombres habían entrado al bote, y me estaban esperando.

Estos pobres hombres no entendían inglés, pero les era muy claro, por sus miradas agónicas y perturbadas, que sabían que su suerte se estaba sellando. Todo para ellos parecía pender de unos pocos momentos. Yo apelaba a sus sentimientos ingleses y humanos con respecto a su tratamiento de prisioneros que no estaban en armas contra ellos, y le dije: "Estos hombres se han comportado como caballeros a bordo de mi barco; me pagaron cincuenta dólares cada uno por su pasaje antes de salir de Sta. Catalina; estaban atendiendo tranquilamente sus propios asuntos. En cuanto a intereses mundanos, yo no ganaré nada, pues ya me pagaron; pero quiero cumplir mi compromiso con ellos, y dejarlos en tierra con toda seguridad en Río de Janeiro. No le han hecho ningún daño a usted, y aquí le estarán estorbando. Ahora, capitán, ¿por qué no me permite tenerlos?" "Llévelos", dijo en un tono suave. "Gracias, señor, por su bondad". La forma en que estos hombres pasaron sobre el costado del barco corsario a nuestro bote, cuando les señalamos que vinieran, era prueba muy clara de que habían entendido todo lo que dije de ellos. El capitán procuró darme una disculpa por su trato no bondadoso conmigo. Le dije adiós, y una vez más estábamos a bordo del Empress a la puesta del sol.

Aquí encontramos las cosas en gran confusión; nuestra chalupa estaba desamarrada, las escotillas estaban todas abiertas, la carga estaba expuesta a la primera ola que viniera a nuestra cubierta. Los pasajeros y la tripulación trabajaron diligentemente para poner el Empress en forma para seguir viaje, y al cerrarse la noche sobre nosotros, ya estábamos fuera del alcance de los cañones del corsario, bajo una buena brisa, y los pasajeros se felicitaban unos a otros por su liberación sin daños de una muerte cruel. Cuando se restauró el orden, nos reunimos como de costumbre en la cabina para agradecer a Dios por sus misericordias diarias, y especialmente por su manifiesta intervención en librarnos del poder de esa tripulación pirata temeraria de alta mar. ¡Gracias a su santo nombre! Los marineros entregaron los relojes a los pasajeros y todo lo demás que les habían dado para guardarlo a salvo. Sus doblones también estaban a salvo en los calderos. El enemigo no obtuvo nada de su dinero; pero habían saqueado sus baúles, y los habían dejado en una condición deplorable para encontrarse con sus amigos en Río. A la tarde del día siguiente anclamos en el puerto de Río de Janeiro. Cuando el informe del asunto llegó a la ciudad, el gobierno despachó una fragata en persecución del corsario, pero no lo encontraron.

El domingo la bandera de Betel se vio flameando a bordo de un bergantín inglés en el puerto. [Betel es el nombre del lugar donde funciona una capilla para marineros.] Con la tripulación de mi barco nos unimos a ellos. No había muchos presentes, y la manera formal y monótona en que manejaron la reunión pareció quitarle todo interés espiritual. Después que terminó la reunión, los oficiales de los diferentes barcos presentes fueron invitados a la cabina, donde había una mesa cubierta con diversas clases de licores, a las cuales nos invitaron a servirnos a gusto. Decliné participar en esta parte de los ejercicios, y volví a mi navío muy chasqueado por perder la bendición que había esperado. Antes de dejar el puerto, sin embargo, algunos amigos vinieron a encontrarse con nosotros a bordo del Empress, y tuvimos una interesante reunión de oración, con la bendición del Cielo.

Como las autoridades de la aduana rehusaron otorgarme la libertad de vender mi carga en Río de Janeiro, arreglamos los papeles y zarpamos otra vez para Sta. Catalina. A nuestra llegada allá, el presidente de la provincia, habiendo justo recibido una comunicación de la provincia de Río Grande por dos cargas de fariña para las tropas en el sur, me otorgó el primer privilegio, y me dio una carta para las autoridades de Río Grande. Preparados así, nos dimos a la vela otra vez, y llegamos a la barra del Río

Grande el último día del año 1827. Los marinos que se acercan a esta costa no pueden ser demasiado cuidadosos, y los bancos de arena, tanto arriba como debajo de las olas, están continuamente cambiando de posición. Al acercarnos a la costa al final del día, el agua disminuía de profundidad tan rápidamente que anclamos en el mar abierto, y quedamos allí hasta la mañana, cuando descubrimos que estábamos a casi cincuenta y cinco kilómetros [unas treinta millas] de la costa. Los bancos de arena en la orilla son de un metro cincuenta a unos siete metros y medio [cinco a veinticinco pies] de altura, y a veces hacían sumamente ver el faro antes de estar en peligro de chocar con los bancos de arena. Los restos de navíos, en el proceso de ser enterrados en la arena por el empuje de las olas a lo largo de la costa a pocas millas de la entrada al puerto, es evidencia suficiente para el observador, de que se requiere la mejor atención y destreza de los navegantes al acercarse al lugar, para entrar sin daños.

Es singular cómo se obtiene el agua dulce para los navíos en el puerto. Los barriles de agua son remolcados a la orilla, y los marineros cavan pequeños huecos en la arena, a unos seis a nueve metros [veinte o treinta pies] del borde del océano. En unos dos o tres minutos, estos huecos se llenan con agua dulce pura, que es fácilmente sacada con palas o cucharones y puesta en los barriles. El agua así obtenida está a menudo más de medio metro [dos pies] por encima del agua del mar. En tiempo agradable, las mujeres estaban con frecuencia entre las dunas cerca del agua salada, cavando huecos en la arena para obtener agua dulce y blanda, suficientemente grandes como para lavar sus ropas finas y blancas. Cuando éstas se extienden sobre la arena, con la brillante luz del sol, se secan en más o menos una hora. Cuando están secas, con una sacudida la arena cae, y sus ropas no quedan sucias, porque la arena está libre de polvo.

Mientras estuvimos en este puerto, tuvimos reuniones a bordo de nuestro barco cada domingo; pero ninguno de nuestros vecinos, que estaban anclados cerca y alrededor de nosotros, vino para unirse a nosotros, sino que prefirieron pasar sus horas de ocio en tierra. Sus hombres volvían a la noche, generalmente en una condición turbulenta y bochinchera. Nuestros principios religiosos y de temperancia a bordo del barco eran nuevos, y por supuesto, objetables a todos los que nos rodeaban; sin embargo, tuvieron que admitir que gozábamos de paz y quietud a bordo de nuestro navío a la que ellos en general eran extraños, especialmente los domingos de noche. El sobrecargo de un bergantín de Filadelfia, que estaba anclado cerca de nosotros, solía con frecuencia ridiculizarnos y maldecir acerca de mis ideas religiosas de una manera violenta, cuando me encontraba con él. Aprovechó la ocasión para hacer esto especialmente en los grupos con los que realizábamos nuestras transacciones. Algunas veces él se enfriaba y me felicitaba por mi paciencia, y prometía que no maldeciría más en mi presencia. Pero siempre olvidaba sus promesas muy pronto.

Cuando su barco estaba saliendo rumbo a casa, le escribí una carta, rogándole que se volviera de sus malvados caminos y sirviera al Señor, y le hablé de las consecuencias que cosecharía si continuaba en el camino que estaba siguiendo, y se la di para que la leyera cuando tuviera más tiempo. Él siguió con su viaje, y se estaba acercando a su puerto de destino, cuando un día, mientras los oficiales y tripulación estaban abajo comiendo, de repente e inesperadamente una violenta turbonada golpeó el barco y le dio vuelta. La tripulación apenas escapó con sus vidas. Fueron recogidos por otro navío, y el sobrecargo llegó a Nueva York. Allí se encontró con un antiguo conocido mío, a quien le relató las circunstancias de llegar a conocerme en Río Grande, y le refirió la instrucción religiosa que le di en la carta antes mencionada, y me maldijo e insultó por ser la causa de su desgracia y sufrimiento actual. Este castigo que Dios permitió que lo alcanzara de una manera tan repentina e irrevocable, sin duda le hizo sentir que era por sus acciones blasfemas que había realizado y todavía practicaba. Al buscar de algún modo tranquilizar su agitada conciencia y justificarse a sí mismo, sin duda encontró algo de alivio en achacarme todo a mí.

Después de alguna demora vendimos nuestra carga al gobierno, e invertimos la mayor parte de nuestros recursos en cueros secos, e hicimos los papeles para Sta. Catalina. Después de navegar unos quince kilómetros [ocho millas] desde nuestro lugar de anclaje hasta el faro a la entrada del puerto, fuimos impulsados a anclar para la noche y esperar la luz del día y un viento regular para pasar por sobre los bancos de arena.

Al recibir mi cuenta corriente del Sr. Carroll, el comerciante brasileño a quien yo empleaba para realizar mis negocios extranjeros, lo repasé sin encontrar ningún error. Pero todavía me parecía que yo había recibido más dinero efectivo de lo que me correspondía. Pero muchas otras cosas, en ese momento necesarias, ocuparon mi mente (como ocurre cuando se levan anclas para seguir con un viaje), hasta que fuimos obligados a anclar cerca del faro. Descubrí que el comerciante se había equivocado en el balance de mi cuenta, a mi favor. Esto, por supuesto, no era culpa mía; pero él me había pagado quinientos dólares de más en doblones de oro. Delante de mí había solo un camino para comunicarme con él, y eso era enviándole mi bote. Nuestra situación arriesgada cerca de los bancos de arena y los rompientes parecieron demandar que no solo nuestro bote, sino también nuestra tripulación debieran quedar a la mano, en caso de que nuestras anclas dejaran de sujetarnos durante la noche. Pero el dinero no era mío, y sentía que no sería bendecido por Dios si intentaba seguir mi viaje sin esfuerzos de mi parte por devolverlo. Mi barco podría desaparecer, y también el dinero del Sr. C.; entonces, por supuesto, la culpa me sería cargada a mí. Por lo tanto, despaché mi bote con la siguiente carta:

> "SR. CARROLL: Apreciado señor. Desde que me separé de usted me preguntaba cómo era que tenía tanto dinero. Una vez repasé mis cuentas y concluí que estaban bien. Esta noche, estando más tranquilo y libre de preocupaciones, y no satisfecho, puse delante de mí, y preparé un recordativo de las ventas y las compras, que me llevaron a descubrir el error: quinientos dólares y treinta y cuatro centavos. He estado pensando la mejor manera de alcanzarle su dinero con seguridad; ya que es tarde, y con la perspectiva de un viento aceptable temprano en la mañana, decidí enviar mi bote. Para aumentar la diligencia de mis hombres, le he prometido 960 "reis" a cada uno. No sé de ninguna otra manera que sería segura".
>
> JOSEPH BATES
>
> *"Bergantín Empress, en los bancos de arena del Río Grande, 8 de marzo de 1828".*

Por la bendición de Dios nuestro bote volvió con seguridad, con las gracias del comerciante, a tiempo para hacernos a la mar temprano en la mañana, con un viento favorable. Fuimos prosperados con un viaje seguro a Sta. Catalina donde terminamos de cargar cueros y café, e hicimos los papeles para Nueva York. El gobierno brasileño estaba en un estado muy inestable, debido a la guerra con Buenos Aires, y su comercio estaba muy deprimido.

Nuestro viaje a casa fue agradable y próspero. Nos alegramos una vez más al ver la bien conocida estrella polar, al avanzar un poco al norte del ecuador, saliendo del Océano Meridional. Después de pasar el extremo noreste de Sudamérica, al dirigirnos hacia el noroeste, pronto estuvimos bajo la influencia alentadora de los vientos alisios del noreste y del este, que nos hicieron volar hacia adelante, hacia nuestro hogar y nuestros amigos, a veces a la velocidad de trescientos setenta kilómetros [doscientas millas] en veinticuatro horas. Los marineros calculan sus días como lo hacen los astrónomos, de medio día a medio día. Cada noche la aparición de la estrella polar, su ascenso en el hemisferio norte era muy perceptible, y también animador, demostrando que navegábamos hacia adelante y al norte.

Al avanzar en nuestro camino hacia barlovento [el lado de donde viene el viento] de las islas de las Indias Occidentales, al llegar a cubierta una mañana, observé que las velas se veían rojas. Llamé a uno de nuestros marineros, que estaba en lo alto, y le dije que pasara su mano por la vela más alta y me dijera qué había allí. Él respondió: "¡Es arena!" Le pedí que raspara un poco la vela con la mano y bajara con ella. Trajo todo lo que pudo encerrar en su mano, de una arena roja y gris. Tan pronto como las velas se secaron, por el resplandor del sol, se cayó la arena, y nuestras velas quedaron otra vez blancas como el día anterior. Un examen minucioso y completo de nuestras cartas de navegación y libro de direcciones, me ayudó a determinar que la tierra más cercana por el lado del este, de donde estaba soplando continuamente el viento, era la costa occidental de África, a unos *dos mil ochocientos kilómetros de distancia* [mil quinientas millas]. Los océanos del norte y del sur estaban expuestos delante y detrás de nosotros. Extendiéndose a lo largo del lado de sotavento [contrario al viento], a muchos centenares de millas al oeste de nosotros, estaban las costas del norte de Sudamérica. Por lo tanto era claro que la cantidad de arena en nuestras velas, que se había adherido a ésta por causa de la extrema humedad, no vino del oeste, ni del norte ni del sur, sino de nubes volantes que pasaban sobre nosotros de los desiertos de Arabia, donde los viajeros nos cuentan que las arenas de esos desiertos con frecuencia son llevadas como pesadas columnas a las nubes por los remolinos de viento. Lo mismo lo dice Isaías, el profeta, en el capítulo 21:1.

De acuerdo con la velocidad de las nubes que vuelan delante de un vendaval fuerte, éstas pasaron por encima de nosotros unas cuarenta y ocho horas después de abandonar las costas de África, y cernieron su cargas de arena a unas mil quinientas millas por sobre el Atlántico Norte, y muy probablemente también sobre las costas del norte de Sudamérica hasta el Pacífico.

Capítulo 19

Reavivamiento en el mar – Llegada a Nueva York – Barcos Betel y reuniones – Jóvenes sin amigos – Llegada a New Bedford – Reforma de Temperancia – Fin del viaje

Durante nuestro viaje a casa, nuestra tripulación parecía más pensativa y atenta a la instrucción religiosa que procurábamos impartirles. Era evidente que el Espíritu del Señor estaba trabajando en nuestro medio. Un James S. dio buena evidencia de una conversión completa a Dios, y estaba muy feliz en nuestro viaje a casa. La religión parecía su único tema. Una noche, en su guardia en cubierta, mientras me relataba su experiencia, me dijo: "¿Recuerda la primera noche de nuestro viaje desde casa, cuando llamó a todos los tripulantes a la cubierta de popa, y les dio reglas para el viaje?" "Sí," contesté. "Pues, señor, yo estaba en ese momento al timón, y cuando usted terminó y se arrodilló en el alcázar y oró con nosotros, si en ese momento usted hubiera tomado una vara y me tumbado del timón, no me habría sentido peor, pues nunca había visto algo semejante antes". Thomas B. también profesó una conversión en ese entonces.

Nuestro viaje a casa fue placentero, con la excepción de una fuerte tempestad que nos preocupó un poco, pero el buen Dios nos libró de su influencia abrumadora, y pronto después llegamos con toda seguridad al puerto de la ciudad de Nueva York. La primera noticia de casa era, que mi honorable padre había fallecido unas seis semanas antes de mi llegada. Esto fue una prueba de la Providencia para la que no me había preparado. Él había vivido casi setenta y nueve años, y yo siempre lo había encontrado en su lugar a la cabeza de su familia después de mis largos viajes, y nunca imaginé no verlo otra vez allí si vivía para regresar a casa.

Mientras estuve en la ciudad, tuve el placer de estar presente en una reunión vespertina, una reunión de oración Betel, a bordo de un barco amarrado en el muelle. Lo gocé mucho. Tales reuniones estaban en ese entonces en su infancia, pero desde ese tiempo es común ver la bandera de Betel el domingo de mañana a bordo de barcos para reuniones, tanto del lado este como del lado norte del río, para el beneficio de marineros y jóvenes que a menudo dan vueltas por la ciudad sin hogar o amigos. Sin duda, muchos se han salvado de la ruina por los esfuerzos de los que se ocupaban de esas instituciones benevolentes, mientras otros sin hogar, que no tuvieron tales influencias para refrenarlos han sido llevados a actos de desesperación, o cedieron a sentimientos de desánimo. La experiencia difícil de mis días tempranos me familiarizó con tales escenas.

En uno de mis viajes previos, convencí a un joven que me acompañara a su casa en Massachusetts. Y mientras estaba en la ciudad esta vez, al pasar por el parque, entre las muchas personas que vi, había un joven sentado a la sombra, con apariencia muy triste, parecida a la del que recién mencioné, y no lejos del mismo lugar. Me senté a su lado, y le pregunté por qué se veía tan triste. Al principio vaciló, pero pronto comenzó a informarme que estaba en una situación precaria, sin nada para hacer, y sin tener adónde ir. Dijo que su hermano lo había empleado en su farmacia en la ciudad, pero que éste recientemente había fracasado y quebrado, y dejado la ciudad, y que ahora él estaba sin hogar y sin amigos. Le pregunté dónde vivían sus padres. Contestó que en Massachusetts. "Mi padre", dijo, "es un predicador congregacionalista, cerca de Boston". Lo invité a venir a bordo de mi barco, y ser uno de mis tripulantes. Rápidamente aceptó mi oferta, y al llegar a New Bedford, Massachusetts, su padre vino por él, y me expresó mucha gratitud por su retorno y por el privilegio de encontrarse otra vez con su hijo.

A nuestra llegada a Nueva York, mi tripulación, con una excepción, eligió permanecer a bordo y descargar nuestra carga, y no tener su licencia, como era la costumbre al llegar de un puerto extranjero. Prefirieron continuar en sus lugares hasta que llegáramos a New Bedford, donde el Empress sería preparado para otro viaje. Después de bajar nuestra carga, zarpamos y llegamos a New Bedford como el 20 de junio de 1828, veintiún años desde el momento en que salí desde allí en mi primer viaje a Europa, como ayudante de cabina.

Algunos de mis hombres preguntaron cuándo saldría en otro viaje, y expresaron el deseo de esperarme, y también su satisfacción acerca de que el último había sido su mejor viaje. Me daba cierta satisfacción saber que los hombres de mar eran susceptibles a una reforma moral en el océano (como se comprobó en este caso) así como en tierra; y yo creo que tales reformas pueden lograrse cuando los oficiales están listos y dispuestos a entrar en ella. Demasiados han alegado que los marineros continúan adictos a tantos malos hábitos que es casi inútil intentar su reforma. Yo creo que se puede decir sin temor a equivocarse, que el uso habitual de bebidas embriagantes es el más degradante y formidable de todos sus hábitos. Pero si los gobiernos, los dueños de navíos, y los capitanes, no hubieran siempre provisto bebidas embriagantes a bordo de sus barcos de guerra y comercio, como un artículo de consumo, decenas de miles de jóvenes inteligentes y emprendedores se hubieran salvado, y llegado a ser grandes bendiciones para sus amigos, su país, sus iglesias, como granjeros, médicos, abogados, y otros profesionales y hombres de negocios como otros lo fueron.

Teniendo algún conocimiento de estas cosas, resolví en el temor de Dios intentar una reforma, aunque las sociedades de temperancia estaban en ese tiempo en su infancia, y los barcos temperantes eran desconocidos. Y cuando hice el anuncio al comienzo de nuestro último viaje de que no habría bebidas embriagantes a bordo, solo lo que habría en el botiquín de los remedios, y uno de ellos gritó que estaba "contento con eso", esa voz solitaria en el océano en favor de esta obra de reforma, de un extraño, manifestando su gozo porque no habría licor a bordo para tentarlo, me alegró, y era una evidencia del poder de la influencia humana. Yo creo que él también quedó profundamente afectado, y no puedo recordar que la usara de ningún modo mientras estuvo bajo mi mando, ni ninguno de los otros, excepto un William Dunn, a quien reprendí una vez o dos durante el viaje por beber mientras hacía trabajos en tierra.

Por lo tanto, lo que se había considerado un artículo muy necesario para estimular a los marineros en la realización de sus deberes, demostró no solo ser innecesario, sino que su ausencia probó ser una gran bendición en nuestro caso.

Algún tiempo después de este viaje, estaba en compañía del dueño de un barco en New Bedford, que estaba personalmente interesado en adecuar sus propios barcos y cargarlos con provisiones, licores, y todo lo necesario para viajes largos. Habíamos estado discutiendo la importancia de la reforma contra las bebidas fuertes, cuando él observó: "Entiendo, capitán Bates, que usted realizó su último viaje sin el uso de bebidas espirituosas". "Sí, señor", repliqué. Él dijo: "El suyo es el primer navío temperante de que haya oído".

Mi hermano F. ahora tomó el mando del Empress y zarpó otra vez hacia Sudamérica, estando preparado el barco para realizar el viaje sobre los principios de la temperancia, como en su viaje anterior. Durante mi último viaje había reflexionado mucho acerca de los gozos de la vida social con mi familia y amigos, de los que me había privado por tantos años; y deseaba estar más exclusivamente ocupado para mejorar mi condición, y la de aquellos con quienes fuera llamado a asociarme, sobre el tema de la religión y la reforma moral.

Capítulo 20

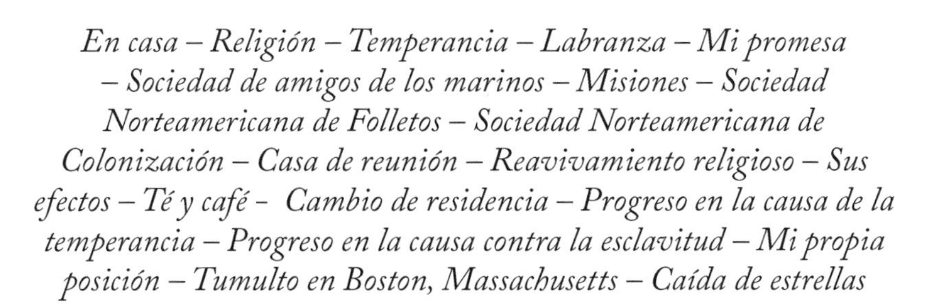

En casa – Religión – Temperancia – Labranza – Mi promesa – Sociedad de amigos de los marinos – Misiones – Sociedad Norteamericana de Folletos – Sociedad Norteamericana de Colonización – Casa de reunión – Reavivamiento religioso – Sus efectos – Té y café - Cambio de residencia – Progreso en la causa de la temperancia – Progreso en la causa contra la esclavitud – Mi propia posición – Tumulto en Boston, Massachusetts – Caída de estrellas

El capítulo diecinueve cerró con el informe de mi último viaje, dejándome con el gozo de las bendiciones de la vida social en tierra firme, con mi familia y amigos. Mi vida de marino había terminado. Una vez más estimé un gran privilegio unirme con mis hermanos en la iglesia cristiana. También volví a ocuparme en la reforma de temperancia con mis antiguos asociados, quienes habían estado avanzando en la obra durante mi ausencia.

Mi padre en su testamento pidió que me uniera con mi madre en el arreglo de su herencia. Antes de que terminara el año, mi madre también fue quitada por la muerte. Ahora volví mi atención a la labranza, y comencé con la mejora de una pequeña finca que mi padre me había legado. Por medio de la ayuda de un semanario de agricultura, llamado "El Agricultor de Nueva Inglaterra" como base teórica, y con algo de mi dinero, pronto hice algunas alteraciones perceptibles en la granja, pero con poca o ninguna entrada.

Mi compañera [esposa] a menudo había dicho que deseaba que yo tuviera alguna manera de sostener a mi familia viviendo en casa. Le prometí que cuando hubiera ganado algo de competencia siguiendo el mar, entonces dejaría el negocio y me quedaría en la costa. Cuando me preguntaban qué consideraba yo una competencia, respondía, diez mil dólares. Después de gustar la dulzura de la esperanza cristiana, encontré mucho más fácil con todas las posibilidades ante mí, decir dónde concluiría este negocio, si el Señor me prosperaba.

Ahora gozaba del privilegio de leer algunos de los periódicos de la época, especialmente aquellos sobre religión y moralidad. Las necesidades de los marineros estaban comenzando a agitarse por medio de un periódico llamado "La Revista del Marinero". Unos pocos amigos de la causa se reunieron, y organizamos la "Sociedad de Amigos de los Marinos de Fairhaven". Un pequeño panfleto llamado "El Heraldo Misionero", que abogaba por la causa de las misiones extranjeras, también atrajo mis sentimientos, y ocupó mis pensamientos hasta cierto punto. Mi conversación con lo que el Heraldo llamaba "los paganos", me permitió ver más claramente sus necesidades morales y religiosas. También me interesó mucho la obra de la "Sociedad Americana de Folletos", que se organizó en Boston, Massachusetts, en el año 1814, y estaba alcanzando a todas las denominaciones evangélicas en los Estados Unidos. Leí con placer y ayudé a circular muchos de sus folletos sobre temas religiosos y reforma de temperancia; pero mi interés comenzó a disminuir cuando manifestaron su falta de disposición y de decisión de no publicar ningún folleto en favor de los esclavos oprimidos y pisoteados en su propia tierra, cuando algunos caballeros anti esclavistas les pidieron que lo hicieran. Llegó a ser claro y manifiesto que su benevolencia sin límites abarcaba a toda la raza humana, de todos los colores y aspectos, excepto los que estaban sufriendo bajo sus amos, y pereciendo por falta de conocimiento religioso a su alcance, en sus propias iglesias, y junto a sus hogares. Tal inconsistencia pesó fuertemente sobre los administradores de la Sociedad.

Por ese tiempo comencé a leer también "El Depósito Africano", el órgano de la Sociedad Colonizadora Norteamericana, organizada en la ciudad de Washington, D. C., en el año 1817. El carácter y la tendencia de esta Sociedad fueron más tarde presentados por William Jay, de N. Y., en 1835. Éste dijo:

> "De los 17 vicepresidentes, solo cinco fueron elegidos de los Estados libres, mientras que los doce administradores fueron, se cree, sin excepción, dueños de esclavos. Los primeros dos artículos de su constitución son los únicos que se relacionan con la Sociedad. Dicen lo siguiente:
>
> Art. I. Esta Sociedad se llamará la Sociedad Americana para colonizar la gente libre de color de los Estados Unidos.
>
> Art. II. El objeto al cual se dedicará exclusivamente su atención, es el de promover y ejecutar el plan de colonizar (con su consentimiento) al pueblo libre de color que reside en nuestro país, en el África, o en cualquier otro lugar que el Congreso estime más práctico. Y la Sociedad actuará para realizar este objetivo en cooperación con el Gobierno General, y tales Estados que puedan adoptar reglamentos sobre el tema".

El tema era nuevo para mí, habiendo tenido poco conocimiento del mismo mientras estuve en el mar. Por un tiempo pareció que los impulsores de esta obra eran honestos en sus declaraciones respecto de la gente libre de color, y la abolición de la esclavitud de la Unión. Pero cuando comenzaron y se organizaron las sociedades antiesclavistas, de 1831 a 1834, llegó a ser evidente que eran los peores enemigos de la gente libre de color, que se esforzaban por perpetuar la esclavitud en los Estados que tenían esclavos, y manifestaban la oposición más amarga a los hombres antiesclavistas y sus medidas.

Hasta 1832 la iglesia cristiana en Fairhaven, a la que me había unido, alquilaba un salón, y ahora comenzó a sentir la necesidad de tener una casa de adoración de su propiedad en un lugar más conveniente. Cuatro de los hermanos se unieron y construyeron una, que se llamó "La casa de reuniones cristiana de la calle Washington". Poco después que se terminó y dedicó, comenzamos una serie de reuniones religiosas, en la que el Señor respondió generosamente nuestras oraciones, y derramó su espíritu sobre nosotros, y muchas almas se convirtieron. Las otras iglesias llegaron a estar afectadas celosamente, y la obra de Dios se extendió por todo el pueblo. Durante muchas semanas seguidas las campanas de las iglesias repicaban, de mañana, tarde y noche, para llamar a la predicación, y para reuniones sociales. Los que hablaban de ello creían que toda la población de inconfesos estaba bajo la profunda influencia del Espíritu Santo de Dios.

Nuestro pueblito había sido bendecido con varios reavivamientos antes, pero yo estaba [fuera] de casa, excepto durante dos, el último de los cuales acabo de mencionar. El primero de ellos fue en el año 1807, cuando la gente estaba inmersa en el amor y los placeres del mundo, y la soberbia de la vida. La obra fue maravillosa para ellos, y totalmente inesperada. Aunque teníamos un ministerio establecido y predicaciones regulares, se comprobó que solo había dos altares de familia en el lugar, es decir, en la casa del Sr. J., y en la de mi padre. Recuerdo que me sentí profundamente interesado en la obra, y me gustaba asistir a sus reuniones de oración, y a menudo pensé que el Señor en esa época había perdonado mis pecados, pero yo, como muchos otros jóvenes, descuidamos el contarlo a mis padres, o a cualquier otra persona, sintiendo que la religión era para personas mayores que yo; y antes de que el reavivamiento se aquietara, mi mente estaba ocupada en prepararme para mi primer viaje europeo.

Desde el año 1824, cuando hice mi pacto con Dios, había vivido a la altura de los principios de abstinencia total de todas las bebidas embriagantes, pero había continuado con el uso del té y del café, sin mucha convicción acerca de sus efectos venenosos y estimulantes, por unos siete años más. Con mi pequeño bagaje de conocimientos sobre el tema, no estaba dispuesto a convencerme de que estos estimulantes tuvieran algún efecto sobre mí, hasta que en una visita con mi esposa a la casa de nuestro vecino donde se sirvió el té un poco más fuerte que nuestro hábito usual de beberlo. Tuvo un efecto tal sobre todo mi sistema que no pude descansar ni dormir hasta pasada la medianoche. Entonces me convencí plenamente (y nunca he visto causa para cambiar mi creencia desde entonces), de que fue el té que había bebido que me afectó tanto. Desde entonces, me convencí de su cualidad tóxica y descarté su uso. Pronto después de esto, sobre el mismo principio, descarté el uso del café, de modo que ahora hace como treinta años desde que no me permití, a sabiendas, saborear ni el uno ni el otro. Si el lector me preguntara cuánto he ganado en este asunto, respondería que mi salud es mejor, mi mente es más clara, y mi consciencia en este aspecto está libre de ofensa.

Sylvester Graham, en sus "Conferencias sobre la Ciencia de la Vida Humana", dice: "No hay verdad en la ciencia más completamente comprobada, que tanto el té como el café están entre los *venenos más poderosos* del mundo vegetal".

Se habla del té en el *Transylvania Journal of Medicine*, como un calmante del dolor, en algunos casos tan ciertamente como el opio. La *Encyclopedia Americana* dice: "Los efectos del té sobre el sistema humano son los de un narcótico muy suave, y, como los de cualquier otro narcótico, cuando se toma en pequeñas cantidades, estimulantes". El Dr. Combe, en su valiosa obra sobre la digestión y la dietética, observa que "cuando se lo prepara muy fuerte, o se toma en grandes cantidades, especialmente tarde en la noche, ellos [el té y el café] no solo arruinan el estómago, sino trastornan muy seriamente la salud del cerebro y del sistema nervioso".

En 1831 vendí mi lugar de residencia, y ocupé mucho de mi tiempo en 1832 en establecer mi vivienda y galpón en mi pequeña finca, y también me asocié con tres de mis amigos cristianos para construir la capilla de la calle Washington. En 1831 se afirmó que se habían organizado tres mil sociedades de temperancia en los Estados Unidos, con trescientos mil miembros. (Ver *Chronological View of the World*, [Panorama cronológico del mundo] de D. Haskell, p. 247). Así en cuatro años —o desde 1827— las sociedades de temperancia habían progresado desde nuestros pequeños comienzos en Fairhaven. Muchos barcos también adoptaron la reforma de temperancia.

Cerca del fin de 1831, y comienzos de 1832, se comenzaron a organizar otra vez sociedades anti esclavistas en los Estados Unidos, abogando por la emancipación inmediata. A medida que la obra progresaba, los opositores de la esclavitud eran maltratados y atacados en muchos lugares donde intentaban organizarse o celebrar reuniones en favor de todos los pobres esclavos oprimidos en nuestro país. Las sociedades de colonización y sus defensores se destacaban en esta vergonzosa tarea, como cualquiera puede saberlo leyendo la "Investigación del Carácter y la Tendencia" de William Jay. Todas sus declaraciones de benevolencia en favor de la libre gente de color y el ardiente deseo de beneficiar a los pobres esclavos oprimidos, y finalmente salvar nuestro país de la maldición de la esclavitud, se desvanecieron como una nube matutina y el rocío de la mañana, al leer de sus desgraciados actos de violencia en la ciudad de Nueva York y otros lugares, para ocultar las súplicas de la humanidad en favor de los pisoteados y oprimidos esclavos. El *New York Commercial Advertiser*, y el *Courier and Enquirer*, estaban entre los mejores amigos de la colonización y la posesión de esclavos.

Entonces comencé a sentir la importancia de tomar una posición decidida del lado de los oprimidos. Mi trabajo en la causa de la temperancia había causado un buen zarandeo entre mis amigos, y sentí que no deseaba perder la amistad de otros más; pero mi deber era claro de que no podía ser un cristiano consecuente si me ponía del lado del opresor, porque Dios no estaba allí. Tampoco podía reclamar sus promesas si me mantenía en un terreno neutral. Por eso mi única alternativa era abogar por los esclavos, y así lo decidí.

En nuestras reuniones religiosas hablábamos y orábamos, recordando "los presos, como si estuvierais presos juntamente con ellos" (Heb. xiii). Algunos se ofendían y otros temían desunión. A pesar de las ideas y sentimientos conflictivos en nuestro medio, había algunos en las iglesias que se aferraban a los principios antiesclavistas. Y mientras la obra avanzaba durante los años 1832 a 1835, en los que había muchas disputas de todos los sectores de la Unión acerca de este asunto, se llamó a una reunión, en la que unos cuarenta ciudadanos de Fairhaven se reunieron y organizaron la Sociedad contra la Esclavitud de Fairhaven. Esto atrajo la ira de cierta clase de nuestros vecinos, quienes también llamaron a reuniones de oposición, en la que aprobaron resoluciones denunciándonos en términos muy severos. No por los principios que habíamos adoptado en nuestros estatutos, pues ellos no eran contrarios a la constitución de los Estados Unidos, sino porque nos habíamos unido para solicitar la abolición de la esclavitud en Norteamérica, lo que ellos declaraban inconstitucional, y muy impopular. A menudo se hacían amenazas de que nuestras reuniones serían disueltas, etc., pero afortunadamente nos dejaron seguir adelante.

Uno de nuestros miembros, al ir a Charleston, Carolina del Sur, fue citado ante las autoridades de la ciudad, acusado de ser miembro de la Sociedad contra la Esclavitud de Fairhaven. Para evitar ser tratado a la manera de ellos, renunció a su abolicionismo, como lo declaró más tarde. Pero la oposición se manifestó más claramente en el Norte, donde las sociedades se organizaban continuamente, más que en el Sur.

William Lloyd Garrison, director de un periódico anti esclavista, llamado "El Liberador", publicado en Boston, Massachusetts, fue anunciado en muchos de los periódicos de ese tiempo (1835) como un abolicionista notorio. Se ofrecieron recompensas, creo que algunas hasta de cincuenta mil dólares por su cabeza. Los ciudadanos de Boston, en la calle Washington y alrededores, donde tenían las reuniones contra la esclavitud, se agitaron y enfurecieron tanto, que se reunieron cierta tarde alrededor del edificio que sabían que él ocupaba, y lo persiguieron hasta el taller de un carpintero adonde se había refugiado de ellos, y lo sacaron de allí para presentarlo ante la multitud reunida en la calle, y pusieron una soga alrededor de su cuello, para poner fin a su vida. Algunos de sus amigos, que observaban sus movimientos, viendo su peligro inminente, corrieron para rodearlo y aprovechando la confusión llevarlo, y tomaron la soga que estaba alrededor de su cuello para que no se apretara, mientras la multitud tiraba del otro extremo, y todos corrían furiosamente, mientras gritaban por la calle, dejando el gran grupo de la multitud reunida de "*caballeros acaudalados y de posición social*", prestando atención ansiosamente, sin respirar, para saber qué hacían con su víctima. Entretanto la turba y los amigos del Sr. Garrison habían seguido corriendo por la calle sin restricciones, hasta que se encontraron frente a los portales de la cárcel de la calle Leverett. Una vez allí, por algunas medidas de sus amigos, se abrió la prisión, y el Sr. Garrison, para asombro de sus malvados perseguidores, fue puesto fuera de su alcance; y el carcelero no lo sacaría sin órdenes de las autoridades legales. Tan pronto como se abatió la tormenta, el Sr. G. fue liberado honorablemente, y reasumió su cargo, otra vez instando a la abolición de la esclavitud norteamericana. Los periódicos favorables a la esclavitud, de Boston, intentado eliminar la mancha y desgracia de esta acción barbárica de la capital de los Peregrinos, y una porción de sus ciudadanos, trabajaron intensamente para impedir que se registrara esto como la obra de una turba, y declararon que la gente reunida en esa ocasión eran "caballeros acaudalados y de posición social".

Antes de lo que se relató más arriba, y mientras los temas de la esclavitud y anti esclavitud estaban agitando la Unión, un fenómeno maravilloso ocurrió en los cielos, que causó consternación y desaliento entre la gente, específicamente, ¡la caída de las estrellas del cielo! Muchos serenos en la ciudad y marineros en el océano, junto con los que estaban despiertos y sus amigos a quienes llamaron para presenciar la exhibición de las estrellas que caían, ahora relataban lo que habían presenciado, como también lo hacían los periódicos y diarios de la época.

Daré unos pocos extractos. Primero del "New York Journal of Commerce", del 15 de noviembre de 1833: Henry Dana Ward, al concluir su informe de esta emocionante escena (que a menudo ha sido republicado) dice:

> "Les preguntamos a los serenos cuánto tiempo había durado. Él dijo: 'A eso de las cuatro de la madrugada fue la parte más densa'. Observamos hasta que la salida del sol apagó las estrellas fugaces más débiles junto con las estrellas fijas más débiles, hasta que el lucero matutino quedó solo en el escenario, para introducir el brillante sol del día. Y aquí va una declaración de uno de mis amigos en la vida comercial, quien es también uno de los comerciantes más leídos e inteligentes e informados de nuestra ciudad, quienes han hecho de la ciencia su estudio. Sentado para tomar su desayuno, hablamos de la escena y él dijo: 'Mantuve mis ojos fijos en el lucero matutino. Pensé que mientras se mantuviera en su lugar estábamos seguros; pero temía que en cualquier momento se iría, y todos nosotros junto con él', El lector verá que esta declaración provino de una impresión casi irresistible de un testigo presencial inteligente, que el firmamento se había descompuesto, que toda la hueste de estrellas se había quebrado¸ pero aferraba su esperanza en la estrella matutina, que nunca lució más gloriosa'.

En una declaración posterior, añadió:

> "El amanecer duró una hora entera esa mañana, más temprano que de costumbre, y todo el cielo oriental era transparente como vidrio fundido, como nunca había visto antes, ni desde entonces. Un arco abierto de luz brillante se levantó del este, por encima del cual estaba el lucero de la mañana, más glorioso por su brillo y firmeza ante la oscuridad y trasparencia del firmamento que estallaba'.

Del "Patriota de Baltimore":

> "SR. MUNROE: Estando en pie esta mañana (13 de noviembre de 1833), presencié uno de los espectáculos más grandiosos y alarmantes

> que algunas vez brilló sobre los ojos humanos. La luz en mi habitación eran tan grande, que podía ver la hora de la mañana en el reloj que estaba sobre la chimenea, y suponiendo que había un incendio cerca, probablemente en mi propia casa, corrí a la ventana, y he aquí, las estrellas o algunos otros cuerpos que presentaban un aspecto de fuego descendían en torrentes tan veloces y numerosos como nunca vi los copos de nieve o las gotas de lluvia, en medio de una tormenta".

Del "Christian Advocate and Journal", 13 de diciembre de 1833.

> "El fenómeno meteórico, que ocurrió en la mañana del 13 de noviembre último, fue de un carácter tan extraordinario e interesante que tiene el derecho de ser más que una noticia pasajera. Las vívidas y gráficas descripciones que han aparecido en diversos periódicos públicos, no exceden la realidad. Ningún lenguaje puede llegar a la altura del esplendor del magnífico despliegue. No vacilo en decir, que ninguno que no lo presenció puede formarse una idea adecuada de su gloria. Parecía como todo el cielo estrellado se había congregado en un punto, cerca del cenit, y simultáneamente arrojaba estrellas, con la velocidad de un rayo, a cada rincón del horizonte; y sin embargo no se agotaban: miles velozmente seguían en el camino de miles, como si fueran creadas para la ocasión, e iluminaban el firmamento con líneas de luz radiante".

El "Commercial Observer" del 25 de noviembre de 1833, copiaba del "Old Countryman", decía lo siguiente:

> "Afirmamos que la lluvia de fuego que vimos el miércoles de mañana último, es un tipo majestuoso, un seguro precursor, una señal misericordiosa de aquel gran día que los habitantes de la tierra presenciarán cuando se abra el sexto sello. El tiempo está cercano, descrito no solo en el Nuevo Testamento, sino también en el Antiguo. No es posible mirar un cuadro más correcto que el de una higuera arrojando sus hojas (higos verdes) cuando sopla un viento muy fuerte".

Extractos del "People's Magazine", Boston, enero de 1834, acerca de la caída de estrellas el 13 de noviembre de 1833:

> "The Rockingham [Va] 'Register'" la llama una "lluvia de fuego", "miles de estrellas que se ven al mismo tiempo". Algunos dijeron: "Comenzó con un ruido considerable".

El "Examiner" de Lancaster [Pa] dice:

> "El aire se llenó con innumerables meteoros o estrellas... Centenares de miles de cuerpos brillantes parecían caer a cada momento,... descendiendo inclinadamente a la tierra, con un ángulo de unos cuarenta y cinco grados, pareciendo fogonazos de fuego".

El "Register" de Salem habla de que se los vio "en Moca, sobre el Mar Rojo".

El "Journal of Commerce", nos informa que "cuatrocientos kilómetros [trescientas millas] de este lado de Liverpool, el fenómeno fue tan espléndido como aquí", y que en el condado de St. Lawrence "hubo una tormenta de nieve durante el fenómeno, en el cual las estrellas que caían aparecían como relámpagos"... Que en Germantown, Pennsylvania, "parecían como lluvias de granizos grandes".

Un capitán de un ballenero de New Bedford, uno de mis conocidos, dice que "mientras estaba anclado esa noche en la costa de California, en el Océano Pacífico, vi que las estrellas caían a mi alrededor".

El Prof. Olmstead, del Yale College, dice:

> "La extensión de la lluvia de 1833 fue tal que cubrió una parte considerable de la superficie de la tierra, desde la mitad del Atlántico al este, hasta el Pacífico en el oeste; y de las costas del norte de Sudamérica hasta regiones indefinidas de la Comunidad Británica en el norte, la exhibición fue visible, y en todas partes presentó casi la misma apariencia. Los que fueron tan afortunados como para presenciar la exhibición de estrellas fugaces en la mañana del 13 de noviembre de 1833, probablemente vieron la *mayor exhibición de fuegos artificiales celestiales que alguna vez se haya visto desde la creación del mundo*".

Capítulo 21

Reforma moral – Cultivando árboles – Cultivo de la seda – La segunda venida de Cristo – La teoría de William Miller – Sus conferencias en Boston – El primer periódico de la Segunda Venida – La carta del Pastor D. Millard – La carta del pastor L. D. Fleming – La carta del pastor H. Hawley – Del periódico Wesleyan Journal de Maine

En conexión con estas señales portentosas en los cielos, la reforma moral estaba actuando como la levadura por todos los Estados Unidos. En apariencia, algún agente invisible estaba ayudando a quienes luchaban en la obra cuesta arriba de oponerse a las masas, mientras estaban solicitando y reclutando las energías y las simpatías de hombres, mujeres y niños, para ayudar a frenar la marea de intemperancia y esclavitud, que en apariencia humana, si no se la detenía, desmoralizaría y nos degradaría debajo de la norma moral de todas las naciones civilizadas de la tierra, antes del fin de la generación que entonces emergía.

Lo que aparecía como lo más inexplicable en el avance de esta obra, fue ver a ministros, cuyo carácter cristiano brillaba sin mancha en la comunidad, instando en favor de la esclavitud, sosteniendo la bebida y el comercio del ron, y manteniendo una gran mayoría de sus iglesias y congregaciones bajo su influencia. Otros estaban mudos, esperando ver cómo decidían sus amigos. Algunos había, sin embargo, que tomaron una noble posición en la obra de reforma.

Las sociedades de reforma moral se multiplicaban en diversos lugares, así como había Sociedades de Paz, que tenían como su objetivo la abolición de la guerra. Ellos propusieron resolver todas las disputas o dificultades de importancia, con referencia a un Congreso de Naciones.

Después de terminar mis construcciones en la finca, que ya mencionamos, comencé la obra de cultivar moreras, para obtener follaje para alimentar gusanos de seda. Había construido un edificio de escuela en mi propiedad, en la que me proponía tener una escuela de trabajos manuales para los jóvenes. Pensé en emplearlos cierta porción de tiempo para recoger las hojas de las moreras, y cuidar de alimentar los gusanos de seda;

y a medida que progresaba la obra, otras ramas del negocio también crecerían, tales como el devanar la seda y prepararla para el mercado. Al leer a los escritores hábiles sobre el tema, me convencí que se podía producir seda con ganancia en Nueva Inglaterra así como en Europa. Mientras mis árboles maduraban, criamos y alimentamos gusanos de seda durante dos o tres temporadas en una escala pequeña, lo que me convenció de que con atención y esmero el negocio podría ser rentable. Muchos de los que comenzaron el negocio, por el tiempo en que yo lo comencé, también entraron en la especulación y el entusiasmo por plantar el árbol de moreras chinas para vender, lo que enriqueció a algunos, chasqueó a muchos, y provocó el fracaso, porque el cultivo de la seda no era un negocio para producir ganancias de inmediato. Yo estaba procurando cultivar primero mis árboles, antes de entrar en el negocio, y tenía muchos árboles que habían comenzado a dar frutos, y mi tercera arboleda en una condición próspera, pretendiendo, que si yo vivía, me ocuparía solo de ese negocio.

En el otoño de 1839, mientras estaba ocupado con mis árboles, el pastor R., conocido mío, y predicador de la Conexión Cristiana, me llamó y me preguntó si quería ir a New Bedford, a una distancia de tres kilómetros [dos millas] esa noche, y escucharlo predicar acerca de la SEGUNDA VENIDA DE CRISTO. Le pregunté al pastor R. si pensaba que él podía mostrar o probar algo acerca de la venida del Salvador. Me respondió que creía que podía. Afirmó que le ofrecieron la capilla cristiana del Norte en New Bedford para dar un curso de cinco conferencias sobre ese tema. Le prometí que iría con él, pero me sorprendió mucho el saber que alguien pudiera mostrar algo acerca de la fecha de la segunda venida del Salvador.

Un poco antes de esto, mientras pasaba una velada en compañía de un grupo social, el pastor H. afirmó que él había oído que había un Sr. Miller que predicaba en el Estado de Nueva York que el Señor Jesucristo vendría por 1843. Yo creo que esta fue la primera vez que había escuchado que se mencionara este tema. Parecía tan imposible, que intenté plantear una objeción, pero me dijeron que él traía muchas Escrituras para probarlo. Pero cuando escuché al pastor R. presentando el testimonio de la Escritura sobre esto en su primera conferencia, quedé profundamente interesado, como también mi compañera. Después de la reunión, habíamos cabalgado alguna distancia hacia casa, absortos en este importante tema, cuando quebré el silencio diciendo: "¡Esta es la verdad!". Mi esposa replicó: "¡Tú eres siempre tan sanguíneo!" Argumenté que el pastor R. lo había hecho muy claro a mi mente, pero que escucharíamos más. La reunión continuó con congregaciones repletas y un interés creciente hacia el final, que yo sentí que mi mente quedaba muy iluminada sobre este tema importante.

Ahora conseguí el libro de William Miller de 19 conferencias, que leí con profundo interés, especialmente su argumento sobre los períodos proféticos de la visión de Daniel, que hasta entonces, cuando leía la Biblia, me parecieron intrincados, y me hicieron preguntarme qué importancia podrían tener esos días en relación con su profecía gráfica de los capítulos 7 y 8. Pero ahora comenzaba a aprender que esos días equivalían a años, y esos años estaban por terminar alrededor de 1843, cuando, de acuerdo con la idea del Sr. Miller de las profecías, Cristo aparecería personalmente por segunda vez.

Con mis ideas limitadas sobre el tema de la segunda venida, vi que si el Sr. Miller estaba en lo correcto con respecto a la pronta venida del Salvador, entonces el punto más importante de su teoría era saber CUÁNDO comienzan los períodos proféticos de Daniel, y seguirlos hasta su conclusión. El primer ejemplar en forma de panfleto del Sr. Miller tenía la fecha de 1832. Algunos dicen que sus primeras conferencias sobre la segunda venida de Cristo fueron dadas en agosto de 1833. Sus primeras conferencias en Boston, Massachusetts, en las capillas de la calle Chardon y Marlborough, fueron en el invierno de 1840. Esto abrió el camino para que el Pr. Joshua V. Himes, de Boston, publicara como editor el primer periódico que se publicó sobre la segunda venida de nuestro Señor y Salvador Jesucristo, llamado "*Signs of the Times*" [Señales de los tiempos], en Boston, Massachusetts, en marzo de 1840.

Debido a que el Pr. J. V. Himes estaba tan escaso de medios como cualquier otro ministro que en ese tiempo valerosamente predicaban y defendían la necesidad de una reforma moral, y estaba expresando un deseo ansioso de producir un periódico sobre el tema de la segunda venida, un anciano capitán del Estado de Maine, que estaba presente, le pasó un dólar de plata. "Con este dólar", dijo el Pr. Himes, "comenzaremos a publicar "*Signs of the Times*".

Para dar una idea del efecto de la predicación del Sr. Miller sobre la segunda venida de Cristo, en Nueva Inglaterra, daré aquí algunos extractos de cartas publicadas en *Signs of the Times*, el 15 de abril de 1840. La primera es de la pluma del Pr. D. Millard, Portsmouth, New Hampshire. Él escribe:

> "El 23 de enero, el Hno. Miller vino a la ciudad y comenzó una serie de conferencias en la capilla, sobre la segunda venida de Cristo. Durante los nueve días que permaneció, se reunían muchedumbres para escucharlo. Antes de concluir sus conferencias, un gran número de almas ansiosas pasaron adelante para orar. Nuestras reuniones continuaron

cada día y noche por cierto tiempo después que él se fue. Un estado intenso de sentimientos ha saturado nuestra congregación como nunca presenciamos antes en ningún lugar. Con frecuencia sesenta a ochenta personas venían adelante para orar por las noches. Sobre el lugar pareció posarse un espíritu impresionante de solemnidad, que solo un corazón endurecido de pecador podía resistirlo. Todo era orden y solemnidad. En general, tan pronto como las almas eran liberadas estaban listas para proclamarlo, y exhortar a sus amigos en el lenguaje más emocionante para que vinieran a la fuente de la vida. Nuestras reuniones continuaron así en las noches por seis semanas. Durante semanas el tañer de las campanas para las reuniones diarias hacía de nuestro poblado un día de reposo continuo. De hecho, los habitantes más ancianos en Portsmouth nunca antes habían presenciado tal temporada de reavivamiento. Sería difícil en ese momento determinar el número de conversiones en el pueblo. Se estima que oscila entre 500 y 700. Nunca, mientras esperamos en las orillas de la mortalidad, gozaremos más del Cielo que lo que gozamos en algunas de nuestras reuniones nocturnas, y en ocasión de los bautismos. A orillas del agua se reunían miles para presenciar esta solemne institución, y muchos salían del lugar llorando".

Otra carta es del Pr L. D. Fleming, de Porsmouth, N. H. Él dice:

"Las cosas aquí se mueven con poder. Anoche unos doscientos vinieron adelante para orar, y el interés parece aumentar constantemente. Toda la ciudad parece agitada. Las conferencias del Hno. Miller no tuvieron el menor efecto de aterrorizar; están lejos de ello. Pero los que oyeron con sinceridad están lejos de la excitación y la alarma. El interés despertado por las conferencias es de la clase más deliberada, y aunque es el mayor reavivamiento que alguna vez he visto, no hay la menor excitación apasionada. Parece posesionarse en mayor grado de la parte masculina de la comunidad. Lo que produce el efecto es lo siguiente: El. Hno. Miller sencillamente toma la espada del Espíritu, desenvainada y desnuda, coloca el lado afilado sobre el corazón desnudo y corta, esto es todo. Ante el filo de esta arma poderosa, la incredulidad cae y el Universalismo se marchita; los falsos fundamentos desaparecen, y los mercaderes de Babel se maravillan. Me parece que esto debe parecerse un poco a lo más cercano al reavivamiento apostólico que cualquier otra cosa que se ha presenciado en tiempos modernos.

El 6 de abril escribió otra vez:

"Probablemente nunca ha habido tanto interés religioso entre los habitantes de este lugar en general, como actualmente; y el Sr. Miller debe ser considerado directamente como el instrumento, aunque sin duda muchos lo negarán, como hay algunos que no están dispuestos a admitir que una buena obra de Dios puede seguir a sus labores; y sin embargo tenemos la evidencia más indudable de que esto es la obra de Dios. En algunas de nuestras reuniones desde que el Sr. Miller se fue, se ha estimado que hasta 250 personas, han expresado un deseo por la religión al pasar adelante para las oraciones, y probablemente cien o doscientos han profesado su conversión en nuestras reuniones. Y ahora se está encendiendo el fuego por toda la ciudad, y toda la zona rural que la rodea. Una cantidad de vendedores de ron han transformado sus negocios en salas de reunión, y aquellos lugares que una vez fueron dedicados a la intemperancia y la diversión, lo están ahora a la oración y la alabanza. Algunos incrédulos, deístas, universalistas, y libertinos más perdidos, se han convertido. Las diferentes denominaciones o diversas personas han establecido reuniones de oración en cada sector de la ciudad, y a casi toda hora. Fui llevado a una sala encima de uno de los bancos, donde encontré de treinta a cuarenta hombres de diferentes denominaciones entregados de un mismo acuerdo en oración ¡a las once de la mañana! En suma, sería casi imposible dar una idea adecuada del interés que ahora se siente en esta ciudad. Uno de los principales libreros me informó que vendió más Biblias en un mes, desde que el Hno. Miller vino aquí, que lo que había vendido en los cuatro meses anteriores".

QUÉ DIJERON OTROS DEL SR. MILLER Y SU DOCTRINA

H. Hawley, escribiendo desde Groton, Massachusetts, al Pr. Himes, el 10 de abril de 1840, dijo:

> "Durante una entrevista que tuve con usted hace unos pocos días, usted me pidió que le diera una declaración de los resultados, hasta ahora según los había presenciado, de las conferencias del Sr. Miller en este vecindario. Antes de cumplir con su pedido, le quiero decir, que no soy un creyente en la teoría del Sr. Miller. Pero estoy decididamente en favor de la discusión del tema. Creo que las conferencias del Sr Miller están tan llenas de la verdad evangélica que, cualesquiera sean sus errores con respecto al tiempo de la aparición de nuestro Señor, harán mucho bien. Me alegro que haya un tema que se está analizando en la comunidad tan felizmente adaptado para despertar la mente pública a las grandes cosas de la religión, y para frenar la creciente mundanalidad y sensualidad de la época actual. El Sr. Miller ha dado conferencias en este y otros pueblos adyacentes, con marcado éxito, con preciosos reavivamientos de la religión en todos estos lugares. Estoy libre para declarar que no veo nada en la teoría que esté

calculado para hacer que los hombres sean inmorales, sino creo que tendrá el efecto opuesto. Los hechos hablan demasiado claramente sobre este tema para que no los creamos".

Del "Wesleyan Journal", de Maine, de mayo de 1840:

"El Sr. Miller ha estado en Portland, dando conferencias a salas atestadas en la iglesia de la calle Casco, sobre su tema favorito, el fin del mundo. Como fiel cronista de los eventos que suceden, se espera de nosotros que digamos algo del hombre y sus ideas peculiares.

"El Sr. Miller tiene unos sesenta años de edad; un sencillo granjero de Hampton, en el Estado de Nueva York. Es miembro de la iglesia bautista de ese lugar, de la cual trae testimonios satisfactorios de buena relación, y la licencia de presentarse públicamente. Según entendemos tiene numerosos testimonios de clérigos de diferentes denominaciones, favorables a su carácter general. Debemos pensar que él tiene solamente una educación de las escuelas comunes; evidentemente posee fuertes poderes de la mente los cuales, por unos catorce años, han estado casi exclusivamente dedicados a la investigación de la profecía bíblica. Los últimos ocho años de su vida han estado dedicados a dar conferencias sobre su tema favorito. La teoría del Sr. Miller es que en 1843 Cristo hará su aparición personal sobre la tierra. De una manera muy ingeniosa reúne todos los números místicos de la profecía bíblica para apoyar la importante época de 1843. Primero, hace que los 2.300 días (o años) de Daniel 8:14 comiencen al mismo tiempo que las setenta semanas (o 490 años), período éste que termina en el sacrificio del Mesías, año 33 d. C. El período primero, entonces, se extiende 1810 años más, o hasta 1843, cuando vendrá el fin".

"El Sr. Miller es muy riguroso en la interpretación literal, no admite nunca lo figurado a menos que lo requiera el texto para darle un sentido correcto, o encontrar el evento que se desea destacar. Cree sin duda, en forma invariable, todo lo que enseña a otros. Sus conferencias están entretejidas con amonestaciones poderosas para los impíos, y maneja el Universalismo con guantes de acero".

Capítulo 22

Primer llamado a una conferencia para discutir el tema de la Segunda Venida de nuestro Señor Jesucristo – Reunión en Boston, Massachusetts – El discurso de la Conferencia enviado al mundo – Campana de inmersión – Reuniendo piedras del fondo del mar – Primera conferencia de la segunda venida – Conferencias de William Miller en Fairhaven, Massachusetts – También en New Bedford – Discurso a la reunión de ministros – Antíoco Epífanes – Treinta y dos "rods" para cada persona – Segunda conferencia sobre la segunda venida.

En los números del 1º y del 15 de septiembre de 1840 de *Signs of the Times* se publicó un llamado a una Conferencia General sobre la Venida de nuestro Señor Jesucristo, diciendo:

> "Los abajo firmantes, creyentes en la cercana segunda venida y el reino del Mesías, cordialmente se unen en el llamado a una Conferencia General de nuestros hermanos en los Estados Unidos, y en otras partes, que también están esperando la venida cercana, a reunirse en Boston, Massachusetts, el miércoles 14 de octubre de 1840, a las diez de la mañana, y que seguirá dos días, o por tanto tiempo como se crea mejor. El objeto de la Conferencia no será formar una nueva organización en la fe de Cristo, ni abrumar a otros de nuestros hermanos que difieren de nosotros respecto del período y manera del advenimiento, sino para analizar todo el tema fiel y equitativamente, en el ejercicio de ese espíritu de Cristo, en el que será seguro encontrarnos inmediatamente ante el trono del juicio.

WILLIAM MILLER,	DAVID MILLARD,
HENRY DANA WARD,	L. D. FLEMING,
HENRY JONES,	JOSEPH BATES,
HENRY PLUMER,	CHAS. F. STEVENS,
JOHN TRUAR,	P. R. RUSSELL,
JOSIAH LITCH,	ISAIAH SEAVY,
JOSHUA P. ATWOOD,	TIMOTHY COLE,
DANIEL MERRILL,	J. V. HIMES.

> "Hemos recibido otros nombres, pero fue demasiado tarde para incluirlos. No se espera que ninguna persona tome parte activa en la Conferencia, excepto que confiese su fe en la cercanía de nuestro Señor en su reino; ni se espera que ninguno tome parte en las discusiones hasta que sea presentado a la comisión de planes, y les haya dado a conocer la parte o punto que está preparado para analizar".

En armonía con el llamado, la Conferencia General se reunió en la capilla de la calle Chardon, Boston, Massachusetts, el 14 de octubre de 1840, y continuó por dos días con interés creciente; al final de la cual se administró la comunión de la Cena del Señor a unos doscientos comunicantes de diferentes denominaciones. Muchos de ellos eran de distancias remotas. La reunión concluyó cantando el himno que comienza diciendo,

> "Cuando tú, mi Juez justo, vengas".

El Espíritu del Señor saturó la reunión desde su comienzo, pero ahora parecía vibrar y conmover a toda la congregación. La entonación del himno mencionado fue "con el Espíritu y la comprensión también". Gracias al Señor ahora por esa gozosa ocasión.

Una disertación de esta Conferencia, en forma de panfleto de 150 páginas, circuló por miles entre los que estaban en la fe de la segunda venida de Cristo (y a muchos que no lo estaban), en los Estados Unidos y en tierras extranjeras. El Pr. Joshua V. Himes entró en esta obra aparentemente con todo el celo del Josué de antaño, en sus departamentos de predicación y de publicaciones, para hacer circular toda la luz que podía obtener de todo sector sobre el tema del segundo advenimiento del Salvador. No porque él creyera que Cristo vendría en 1843, porque en conversación con él después que comenzó el departamento editorial de "*Signs of the Times*", él me dijo en confianza que él no podía verlo en forma satisfactoria para su mente, y por lo tanto, no lo creía. "¿Por qué", dije yo, "si ésta es su posición" o palabras similares, "por qué lo defiende de esta manera pública?" Su respuesta fue que él voluntariamente tomó esa posición, para obtener toda la luz que pudiera sobre el tema, y que era posible que él lo viera claramente, y creyera en ello, como lo hizo posteriormente, y lo admitió así.

Yo había conocido al pastor Himes desde su juventud, y por muchos años había estado íntimamente en contacto y asociado con él en las reformas de la época, y fui alegrado, fortalecido y edificado por sus predicaciones. Yo sabía que él era celoso y afecto a la causa de Dios, pero no fanático. Y el incidente aquí contado era evidencia para mí del carácter más fuerte, aun hasta hoy, que él no fue motivado a tomar una posición tan peculiar ante el mundo por instrumentos humanos.

Previo a la Conferencia yo me había ocupado como uno de los dueños del Puente de New Bedford, para supervisar sus reparaciones, y al mismo tiempo mantenerlo transitable para carruajes y pedestres; de ahí que había alguna duda acerca de mi llegada a las reuniones. En ese tiempo estábamos comprometidos con un navío y una campana de buzo, para quitar las piedras que de alguna manera habían caído en el canal del puente levadizo, y eran una obstrucción para los barcos muy cargados que pasaban con la marea baja.

Como algunos de mis lectores pueden desear comprender algo respecto de la operación de retirar las rocas y piedras del fondo del océano, a siete o diez metros [veinticinco o treinta pies] bajo el agua, trataré de explicarlo.

Una goleta, o navío de dos mástiles, es remolcada y amarrada con sogas cerca del puente levadizo. Hay un aparejo entre los topes de sus mástiles, la parte inferior del cual termina en un gancho de hierro que se afirma a la parte de arriba de una campana de buzo, que está sobre la cubierta de la goleta.

La campana misma tenía la forma de un pan de azúcar, o cono, de unos dos metros setenta [nueve pies] de alto, y un metro ochenta [seis pies] de diámetro en la base. Está provista de un asiento adentro para dos personas, y cuando se hunde al fondo del mar, el agua sube unos noventa centímetros [tres pies] por el fondo abierto. (Hunda una taza o vaso, con el fondo hacia arriba, en un balde con agua, y tendrá una ilustración bastante próxima de una campana de buzo.) El espacio interior, por sobre el agua, tenía nuestra ración de aire. Para dos personas, duraría más o menos una hora y media; entonces era necesario que la levantaran hasta la superficie para suministrarle aire fresco. Para comunicarse con nosotros en cubierta, había tres líneas telegráficas (o cuerdas), cuyo extremo inferior estaba dentro de la campana. Algunos bloques de vidrio estaban colocados en la parte superior de la campana, lo que iluminaba nuestra estancia mientras estaba bajo agua, más o menos como la luz de una puesta del sol.

Bajé con el buzo algunas veces, con el propósito de determinar más correctamente cómo podía hacerse el trabajo. La campana estaba provista con cables para cambiar su posición cuando estaban en el fondo, y una especie de canasta para poner las piedras. Era luego alzada desde la cubierta, y nosotros nos metíamos por debajo hasta nuestros asientos, a más o menos un metro veinte [cuatro pies] de la base. Cuando la campana era bajada con el aparejo y llegaba al agua, y comenzaba a desplazarse el aire excepto lo que quedaba adentro donde estábamos nosotros, producía una sensación de estremecimiento, y un sonido de crujido peculiar en nuestras cabezas, más específicamente en nuestros oídos, causando un movimiento involuntario de los dedos, para dejar entrar más aire a los oídos, y aliviarnos de la sensación dolorosa que seguía por un poco de tiempo mientras estábamos bajo el agua.

Después que la campana llegaba al fondo, podíamos telegrafiar para que nos movieran en cualquier dirección dentro de un pequeño círculo. Cuando el buzo cargaba la canasta con rocas y piedras, por medio de su instrumento de hierro, se hacía saber a los que estaban en cubierta, tirando una de las cuerdas, y ésta luego era izada y vaciada. Por medio de una soga atada a la parte inferior de la canasta, el buzo la volvía a tirar hacia adentro, y así seguía haciendo su arriesgado trabajo hasta que amonestado por su vida, tiraba del cordel telegráfico, y era izado para buscar una nueva provisión del aire gratuito de Dios.

Mientras estábamos en el fondo del mar, podíamos saber muy rápidamente cuándo la marea entraba o salía, por su movimiento sobre las ostras y las piedras, que podíamos ver tan claramente como en un arroyito. No importa cuán profunda fuera el agua, su movimiento de flujo y reflujo mueve todo el cuerpo de agua por igual de arriba abajo. Donde la marea se mueve con su flujo y reflujo, los vastos cuerpos de agua y las aguas del puerto están en constante movimiento de corriente, de arriba hasta abajo. Pero esto es solo mientras ocurre el cambio de la marea. Y dos veces cada veinticuatro horas una nueva corriente de agua entra en los puertos desde el padre océano, añadiendo frescas fuentes saludables de acción para los peces que nadan, y las ostras estacionarias, y las que están enterradas debajo de la arena en la marca de la marea más baja, todo para el beneficio del hombre, y en especial de los pobres que viven cerca de la orilla del mar.

Por la perseverancia en nuestro nuevo trabajo, de recoger rocas y piedras del fondo del mar, el canal para los barcos quedó libre a tiempo para que yo pudiera, con mi esposa, estar presente en la apertura de la primera Conferencia sobre el segundo advenimiento en el mundo, para nuestra gratificación y placer. El Hno. Miller, Dios sabe por qué, enfermó repentinamente por ese tiempo, y no pudo dejar su casa en Low Hampton, Nueva York, para asistir a la Conferencia, lo que fue un chasco para muchos.

Después de la gran Conferencia, mencionada en otra parte de este capítulo, se requirió la predicación del segundo advenimiento en muchos lugares. En marzo de 1841, el Hno Miller comenzó una serie de conferencias en la capilla de la calle Washington, en Fairhaven, Massachusetts. Yo pensé que si podía conseguirlo a él para predicara sobre la segunda venida de Cristo para mis amigos y vecinos, con gusto daría mi asiento en la capilla a otros, si estuviera repleta. Yo había estado leyendo sus conferencias y suponía que comprendía la mayor parte de lo que predicaría. Pero después de escuchar su primera conferencia, sentí que no se me podía negar el privilegio de oír toda la serie, porque su predicación era profundamente interesante, y muy adelantada a sus conferencias escritas.

La capilla estaba tan repleta que una gran porción de la gente no pudieron sentarse, y no obstante, todo estaba tranquilo y silencioso como la noche. Parecía como si la gente estuviera captando lo que se decía como individuos. Yo creo que así fue. Pasando entre la gente al día siguiente después de la conferencia, uno escuchaba a otro preguntando a su vecino: "¿Estuvo anoche en la reunión?" "Sí". "¿Oyó alguna vez predicar de ese modo?" "No". "¿Qué piensa usted de su doctrina?", etc., etc. Muchos buscaron al Sr. Miller para conversar con él en relación con la doctrina que él enseñaba, y parecían altamente agradecidos con su pronta y precisa cita de las Escrituras en respuesta. Los pastores Himes y Cole lo acompañaron a Fairhaven. Su semana de actividades con nosotros pareció obrar un cambio muy evidente entre la gente.

Su próxima serie de conferencias comenzó la semana siguiente, en la capilla Cristiana del Norte, en la ciudad de New Bedford, distante unos tres kilómetros [dos millas. Se estimó que aquí él tuvo mil quinientos oyentes, el número de personas que la capilla podía acomodar a la vez. Una gran porción de la aristocracia y los ministros asistió. Ninguna excitación religiosa tal se había oído alguna vez aquí. El interés parecía profundo y bien extendido. Al final de la última reunión, el Hno. Miller se dirigió afectuosamente a los ministros, y los exhortó a ser fieles y responsables en su obra, y dijo: "Yo les he predicado a su gente acerca de la pronta venida de nuestro Señor Jesucristo según lo entiendo, de las Escrituras", y añadió que, si ellos creían que él estaba en lo correcto, era de la mayor importancia que ellos lo enseñaran a sus respectivas congregaciones. Pero si él estaba equivocado, deseaba que lo corrigieran, y expresó un fuerte deseo de encontrarse con ellos antes de dejar el lugar, y examinar el tema con ellos. El ministro bautista propuso el salón parroquial de su iglesia, en la calle William, a las nueve de la mañana siguiente.

En ese tiempo yo no era ministro, pero tenía un fuerte deseo de asistir a esta reunión, para aprender cómo los ministros recibían la doctrina de la segunda venida. Por pedido, a una cantidad de miembros laicos, incluyéndome a mí, se nos permitió asistir. Cuando comenzó la reunión en la mañana, conté 22 ministros presentes, provenientes de la ciudad y las áreas cercanas, y unos cuarenta miembros laicos. Después que la reunión se organizó, el Hno. Miller propuso que comenzaran con la profecía de Daniel, y solicitó al lector de las Escrituras que comenzara con el segundo capítulo. Ocasionalmente, el Hno. Miller pedía al lector que se detuviera, y luego les preguntaba a los ministros cómo entendían lo que se acababa de leer. Al principio se miraban unos a otros en silencio, aparentemente no dispuestos a exponer su ignorancia en este asunto, o para ver quién respondería. Después de algunos momentos, uno de los ministros eruditos replicó: "Creemos como usted, señor". "Bien", dijo el Hno. Miller, "si todos están de acuerdo sobre este punto, seguiré". Nadie más dijo nada. El lector siguió hasta otra pregunta. Todo era silencio otra vez hasta que el mismo ministro erudito respondió: "Nosotros creemos esto como usted, señor". Y así profesaron creer con él hasta el fin del capítulo. Era realmente animador el ver cómo todos estos ministros de diversas denominaciones estaban admitiendo y creyendo en la doctrina del segundo advenimiento. Luego comenzaron con el capítulo 7, y siguieron en armonía con el Hno. Miller, hasta que surgió una objeción respecto del cuerno pequeño del cuarto reino. El lector de las Escrituras, que planteó la objeción, dijo que quería un poco más de tiempo para considerar esto, y deseaba saber si la reunión no podía ser interrumpida hasta el día siguiente. Se hizo una propuesta para postergar la reunión, y fue aprobada.

A la mañana siguiente se reanudó la reunión, cuando el lector de las Escrituras introdujo su comentario, e intentó probar con ello que Antíoco Epífanes, uno de los reyes que había gobernado en el reino de Siria, era el cuerno pequeño del cuarto reino. La afirmación del Hno. Miller de que no podía ser así, sino que el cuerpo pequeño era Roma, no lo satisfizo. Aquí la reunión concluyó sin más esfuerzos de parte de ellos. Desde ese momento el tema del cuerno pequeño de Daniel 7 y 8, ha sido totalmente criticado, y se ha establecido que Roma *es* el poder en cuestión.

Dice el Pr. J. N. Andrews sobre este tema:

> "De las muchas razones que podrían añadirse a las de arriba, señalamos solo una. Este poder debía levantarse contra el Príncipe de los príncipes. Versículo 25. Antíoco murió 164 años *antes* del nacimiento de nuestro Señor. Está claro que el sujeto de esta profecía es otro poder.
>
> Para evitar la aplicación de esta profecía al poder romano, pagano y papal, los papistas lo han desviado de Roma a Antíoco Epífanes, un

> rey sirio, que no pudo resistir los mandatos de Roma. Ver las notas de la Biblia de Douay (romana) sobre Daniel 7, 8 y 9. Los papistas hacen esta aplicación para salvar a su iglesia de cualquier parte en el cumplimiento de la profecía; y en esto han sido seguidos por la masa de los opositores a la fe adventista".

Ver también "Prophecy of Daniel and Twenty-three Hundred Days", pp. 30-33.

Para pruebas adicionales de que Roma era el poder, y que nuestro Señor y Salvador era el Príncipe contra el cual se levantó ese poder, como indicaba la profecía, ver Hechos 3:15; 5:31; 4:26, 27.

Entre las muchas preguntas con referencia al segundo advenimiento del Salvador, le preguntaron al Hno. Miller: "¿Cómo puede toda la raza humana estar sobre la tierra *al mismo tiempo*, como se menciona en Apocalipsis 20, en el juicio final?"

RESP. "Concedamos 800.000.000 [personas] por cada treinta años en seis mil años, y nos dará 160.000.000.000. Concedamos 50 millones de millas cuadradas [130 millones de kilómetros cuadrados] para la tierra, lo que equivaldría a cinco trillones ciento veinte mil millones de "rods" cuadrados [202 mil millones de kilómetros cuadrados]. Esto dividido entre los 160.000.000.000 de personas, nos daría treinta y dos rods cuadrados [ochocientos nueve metros cuadrados] por persona sobre la tierra".

La segunda Conferencia sobre el segundo advenimiento se realizó en la ciudad de Lowell, Massachusetts, del 15 al 17 de junio de 1841. En esta reunión estuvo presente el Hno. Josiah Litch, de Boston, Massachusetts. El Hno. L., en el año 1838 publicó su exposición del noveno capítulo del Apocalipsis, prediciendo la caída del imperio Otomano, al final del período profético, "la hora, día, mes y año", que expirarían el 11 de agosto de 1840, cuando el sexto ángel dejara de hacer sonar su trompeta, y había pasado el segundo ay. Habiendo obtenido los informes oficiales de la revolución que en ese entonces había terminado en el imperio Otomano, él vino a esta reunión preparado para probar la realización de su predicción, a la que decenas de miles de personas habían esperado con intensa ansiedad. La masa de evidencia en los informes oficiales conectados con la profecía de su interesante discurso, probó que la supremacía otomana *cesó* el 11 de agosto de 1840. "El segundo ay pasó; he aquí, el tercer ay viene pronto". Esto maravillosamente despertó al pueblo de Dios y dio un poderoso impulso al movimiento del advenimiento.

Capítulo 23

Caída del Imperio Otomano en agosto de 1840 – Paso del segundo ay pronto – Lapso para proclamar el Mensaje del Primer Ángel, Apocalipsis 14:6, 7 – Conferencias – Pruebas al dejar la iglesia – Sociedades de reforma moral – Conferencia de Boston en 1842 – Diagramas de 1843 – Primera reunión campestre – Reuniones campestres en el verano y el otoño de 1842 –En Littleton, Massachusetts, en agosto – en Taunton, Massachusetts, en septiembre – en Salem, Massachusetts, en octubre – Poder y obra del mensaje del Primer Ángel

El capítulo veintidós terminó con la Conferencia en la ciudad de Lowell, Massachusetts. La historia de la caída de la supremacía Otomana se encontrará en *Prophetic Expositions* [*Exposiciones proféticas*], t. ii, págs. 181-200. En las páginas 198 y 199 está el resumen de su argumento concluyente, mostrando cuán claramente la profecía de Apocalipsis 9:13 al 15 se cumplió el 11 de agosto de 1840. En las páginas 189 y 190 se encontrará el confiable testimonio de un testigo presencial, que afirma hechos para probar el mismo punto, aparentemente sin el conocimiento de la profecía, o de la exposición de Litch. Aquí está:

> "Lo siguiente es del Rev. Sr. Goodell, misionero de la Junta Americana en Constantinopla, dirigido a la Junta, y publicado por ella en el *Missionary Herald*, para abril de 1841, p. 160.
>
> "El poder del Islam se quebró para siempre, y no se esconde el hecho ni siquiera para ellos. Existen ahora por mera tolerancia. Y aunque hay un tremendo esfuerzo de los gobiernos cristianos para sostenerlos, no obstante a cada paso se hunden más y más con una velocidad aterradora. Y aunque hay una gran gestión para injertar las instituciones de los países civilizados y cristianos sobre el tronco descompuesto, no obstante la raíz misma se está deteriorando por la ponzoña de su propio veneno. Cuán maravilloso es que, cuando toda la cristiandad se combinó para frenar el progreso del poder musulmán, éste creció extraordinariamente a pesar de toda la oposición; y ahora aunque todos los poderosos potentados de la Europa Cristiana, que se sienten plenamente competentes para resolver todos los conflictos, y arreglar

> los asuntos de todo el mundo, están ligados para su protección y defensa, se viene abajo, a pesar de todo su cuidado protector".

Estos hechos asombrosos demuestran que la profecía del sonido del sexto ángel por trescientos noventa y un años y quince días, terminó el 11 de agosto de 1840, y al mismo tiempo pasó el segundo ay, y he aquí el tercero viene pronto.

Note, este breve espacio de tiempo llamado "pronto", es todo el período de tiempo desde que pasó el segundo ay y el sexto ángel, hasta el comienzo del tercer ay, y el sonido del séptimo ángel. Este espacio llamado *pronto,* define el tiempo para anunciar a toda nación y tribu y lengua y pueblo que Cristo viene, por la proclamación del mensaje del ángel de Apocalipsis 14:6, 7. Esto está en armonía con el testimonio del Salvador. Mateo 24:3, 14.

No es maravilla, entonces, que los que habían esperado con intensa ansiedad la caída de la Supremacía Otomana, vieran con tal claridad que el tiempo había llegado para que un grupo de personas proclamase el mensaje en cuestión desde entonces hasta el fin de los períodos proféticos de la visión de Daniel. Y que el tiempo había llegado para que este mensaje fuera a toda nación, queda también demostrado por la convocación de una Conferencia del segundo advenimiento a realizarse en Boston, por el tiempo en que el imperio Otomano perdió su supremacía, y muchas semanas antes de que la noticia de su caída hubiera llegado a los Estados Unidos. Al final de esa Conferencia, que se reunió unas pocas semanas después de su convocación, en octubre de 1840, un discurso de la conferencia proponiendo sus ideas respecto del segundo advenimiento de nuestro Señor, se envió al mundo, y de allí en adelante la obra continuó hasta que el mensaje terminó en el otoño de 1844.

Aunque la oposición desde diversos lugares se manifestó ahora, no obstante, la causa aumentaba a cada hora. En octubre de 1841, se realizó la tercera Conferencia en Portland, Maine, que dio un nuevo impulso a la causa en esa sección del país. Se realizaron conferencias en otros lugares durante el invierno, específicamente en la ciudad de Nueva York, Connecticut, New Hampshire y Vermont. A comienzos de la primavera de este año los pastores Himes y Fitch dirigieron una Conferencia en Providence, R. I. Aquí, por primera vez, llegué a conocer al Hno. Fitch. Su clara exposición de las profecías relacionadas con la segunda venida de nuestro Señor, fue escuchada con profundo interés. En conexión con el Pr. Himes, su predicación afectó profundamente los corazones de la gente y muchos profesaron una fe fuerte en la próxima venida de Cristo.

Era realmente maravilloso saber cuán rápidamente los profesos cristianos podían creer las evidencias de la pronta venida a partir de las enseñanzas de la Biblia y la historia, y luego mostrarse incrédulos basados en no otra autoridad que una burla, una risotada, o "¿cómo lo saben? Nadie sabe nada acerca de ello", etc. Algunos de mis hermanos de la iglesia Cristiana en la calle Washington, también comenzaron a perder su fe en el advenimiento, y me decían a veces al terminar nuestras "reuniones sociales": "Hno. Bates, desearíamos que no hablara tanto acerca de la segunda venida de Cristo". "¿Por qué?", les decía yo, "¿no creen que es tan cierto ahora como cuando el Hno. Miller lo predicaba aquí el año pasado, y ustedes creyeron?" "Bueno, nosotros creemos que Cristo va a venir, pero nadie sabe cuándo. El Hno. Miller nos enseñó que sería por 1843. Pero no creemos eso. Nos gusta escucharlo a usted exhortando y orando, pero no nos gusta oírle hablar tanto acerca de la segunda venida de Cristo, y del tiempo".

Por este tiempo la iglesia eligió un pastor, que fue una fuente de graves pruebas para aquellos que estaban más profundamente interesados en el movimiento del advenimiento. Varios de estos interesados buscaron y consiguieron que se les diera de baja como miembros. Yo continué en profundas pruebas en ese punto por varias semanas, esperando un cambio para mejor. Busqué al Señor pidiendo luz sobre este asunto, y lo que se me indicó fue que me retirara en silencio para quedar libre. Así lo hice, y notifiqué a los miembros de la junta directiva de la casa de reuniones, que estaba listo para disponer de mis intereses en el edificio en favor de ellos. Ellos rechazaron mi oferta, lo que me dejó en libertad para venderlos públicamente, lo que hice con bastante pérdida. Ahora estaba aliviado de unos doce años de responsabilidades y cuidados, en ayudar a edificar y sostener una iglesia libre, que tomara la Biblia como su única regla de fe y práctica.

Cuatro de nosotros, miembros de la iglesia, nos habíamos unidos y edificado la casa de reuniones a un costo de más de nueve mil dólares, casi tres cuartos de los cuales nos pertenecían a nosotros en el momento en que me retiré. Algunos de mis buenos amigos que estaban ocupados en las causas de la temperancia y la abolición, llegaron a saber por qué yo no podía asistir a las reuniones fijadas como lo hacía antes, y alegaban que mi creencia en la venida del Salvado me debería aumentar mi fervor en la lucha para suprimir esos crecientes males. Mi respuesta fue que al abrazar la doctrina de la segunda venida del Salvador, encontraba lo suficiente para ocupar todo mi tiempo en prepararme para ese evento, y ayudar a otros a estar listo para ese evento, y que todos los que abrazaran esta doctrina serían necesariamente defensores de la temperancia y la abolición de la esclavitud, y que los que se oponían a la doctrina de la segunda venida no podían ser obreros efectivos en la reforma moral. Y además, yo no podía ver que fuera mi deber dejar una obra tan grande para laborar solos como habíamos hecho, cuando se podía lograr mucho más al trabajar en la fuente misma, y enderezar todo camino como debe hacerse, para la venida del Señor.

En mayo de 1842, se convocó una Conferencia General en Boston, Massachusetts. En la apertura de esta reunión, el Hno. Charles Fitch y Apollos Hale, de Haverhill, presentaron las profecías de Daniel y de Juan en forma gráfica, que ellos habían pintado sobre tela, con los números proféticos, mostrando su cumplimiento. El Hno. Fitch, al explicar las profecías por medio de estos carteles ante la Conferencia, dijo que al examinar estas profecías, había pensado que si podía producir algo del tipo de lo que aquí se presentaba, se simplificaría mucho el tema, y le resultaría más fácil presentarlo a una audiencia. Aquí había más luz sobre nuestro sendero. Estos hermanos habían estado haciendo lo que el Señor le había mostrado a Habacuc en su visión 2.468 años antes, al decir: "Escribe la visión, y declárala en tablas, para que corra el que leyere en ellas. Aunque la visión tardará aún por un tiempo". Habacuc 2:2, 3.

Después de alguna discusión sobre el tema, se votó unánimemente hacer que litografiaran trescientos carteles similares a éste, lo que pronto se hizo. Fueron llamados "los diagramas del 43". Esta fue una Conferencia muy importante. Se designó entonces una reunión campestre que se realizaría en la última semana de junio, en East Kingston, New Hampshire, donde se congregó una inmensa muchedumbre para escuchar las buenas y alegres nuevas de la venida de nuestro bendito Señor. No tuve el placer de asistir a esta reunión, pero oí los informes muy entusiastas sobre lo que se logró allí. Las conferencias y reuniones campestres se multiplicaban por todos los Estados del centro y del norte, y en Canadá, y los mensajeros proclamaban en el lenguaje del mensaje: "¡LA HORA DE SU JUICIO HA LLEGADO!"

Durante el mes de agosto de 1842, una reunión campestre del segundo advenimiento se realizó en Littleton, Massachusetts. Esta fue la primera reunión campestre a la que asistí. Era una cosa novedosa ver tal variedad de carpas levantadas alrededor de la plataforma del ministro, entre los altos árboles de sombra. Al iniciar la reunión, supimos que los que ocupaban las tiendas eran familias de diversos pueblos de la vecindad del campamento, y de la ciudad de Lowell, que estaban interesados en la doctrina del advenimiento.

El tema de las profecías, conectado con la segunda venida de nuestro bendito Señor y Salvador, era el tema de los ministros y la gente. Todos, excepto una turba que vino para interrumpir la reunión, parecían profundamente interesados; y éstos al saber de la naturaleza de la reunión, dejaron de molestarnos, y la paz, la armonía y el amor prevalecieron durante toda la reunión.

En septiembre, el mes siguiente, otra reunión campestre se realizó en la parte sur de Massachusetts, en el pueblo de Taunton en un hermoso bosque de pinos muy altos, junto al ferrocarril entre Boston y New Bedford, Massachusetts, y Providence, R. I. Esta reunión fue de profundo interés para la causa del advenimiento, y abrió el camino para que decenas de miles asistieran y oyeran la proclamación de un Salvador por venir. Los carros, yendo y viniendo a estas ciudades dos veces por día, traían a la gente en multitudes al lugar del campamento. Un gran número de ministros asistió. El Pr. Josiah Litch dirigió esta reunión, la que duró casi una semana. En una de nuestras reuniones de oración matutinas, cuando se hizo la invitación para que pasaran adelante los que deseaban que se orara por ellos, se cuenta que entre los compungidos había *unos treinta ministros* que se postraron, algunos de ellos, *sobre sus rostros* buscando la misericordia de Dios, y una preparación para encontrar a su Señor en su venida. La predicación era tan clara, y acompañada con tanto poder del Espíritu Santo, que parecía un pecado expresar dudas.

Durante esta reunión, el Pr. Millard, en camino a casa de un viaje a Palestina, se detuvo en el campamento. El Pr. Litch le hizo una cantidad de preguntas frente a la congregación, en relación con su misión: lo que había aprendido mientras estuvo en el extranjero en ese país, respecto de la doctrina de la segunda venida. Él contestó que allí era conocida y de ella se hablaba. Esta información era confiable y muy agradable. Habíamos creído, pero esta era información de lugares lejanos que mostraba que el mensaje del ángel volador estaba cruzando tierras y mares para ir a cada nación, tribu, lengua y pueblo. El domingo, se cree que había diez mil personas presentes en el campamento. La predicación clara, importante y solemne de la segunda venida de Cristo, y las oraciones fervientes y los nuevos himnos de la segunda venida cantados con entusiasmo, acompañados por el Espíritu del Dios vivo, estremecían de tal modo todo el campamento, que muchos prorrumpían en gritos de alegría.

Mientras la comisión se movía entre la congregación, recibiendo contribuciones para solventar los gastos de la reunión algunas de las hermanas comenzaron a sacarse los aretes, los anillos de sus dedos, y otras joyas, ejemplo que siguieron muchos otros; y todo se añadía a la contribución. Basado en esto pronto circuló un informe de que en la reunión campestre de Taunton se había realizado una colecta que llenó ¡*tres barriles de harina de joyas*! La comisión organizadora anticipando que este informe estuviera equivocado, despachó a uno de sus miembros en el primer tren a New Bedford, instruyéndolo que vendiera todas esas joyas por dinero efectivo. Así lo hizo, y regresó con ¡*siete dólares*! Consideramos esto como unas seis veces menos que lo que debió haberse conseguido, porque esto equivalía apenas a un medio litro [de joyas]. Esto estaba en armonía con muchos otros informes falsos de las reuniones del segundo advenimiento en los diversos pueblos y vecindarios de esa región del país.

En unas cuatro semanas comenzó otra reunión campestre a unos cinco kilómetros [tres millas] detrás de la ciudad de Salem, Massachusetts. Esta sobrepasó a cualquier reunión por el interés y la cantidad de asistentes en la que alguna vez participé. El Pr. Joshua V. Himes era el encargado, y levantó su gran tienda allí, que se decía que tenía capacidad para siete mil personas. Al acercarse a esta reunión desde la ciudad de Salem, las calles principales, las encrucijadas, los caminos y senderos, parecían casi totalmente atestados y trabados con carruajes llenos de personas, además de la multitud de personas a pie, todos apiñados en medio del polvo espeso y sofocante, en dirección al campamento. Aquí en la pradera cercada de piedra, interrumpida con rocas altas y ásperas, grupos de arbustos y árboles dispersos, limitados por bosques en dos lados, agua en otro, la ciudad de Salem a la distancia en otra dirección, había numerosas carpas levantadas para la gran reunión. La carpa grande sobresalía sobre todas como un faro, señalando hacia el anhelado puerto de los marineros, invitando a la multitud apretujada a que entrara y escuchara a los mensajeros de Dios que proclamaban con voz estentórea la segunda venida de nuestro Señor Jesucristo.

Las predicaciones versaban sobre las grandes doctrinas que conducen al segundo advenimiento. Los ministros y la gente escuchaban con profunda atención, deseando saber si estas cosas eran así, y qué hacer para estar preparados para ese día. Los ministros presentes que predicaron fueron los pastores Himes, Litch, Fitch, Hale, Plumer, Cole y muchos otros. Tan ansiosa estaba la gente por escuchar sobre este gran tema, que los que no podían acomodarse bajo la gran tienda, podían verse a la distancia, congregados bajos los árboles y arboledas, escuchando a ministros escogidos, que explicaban del diagrama '43, atado a los árboles.

Cuando concluían las reuniones de predicación, comenzaban las reuniones de oración y círculos de oración en favor de los no conversos. Las noches se dedicaban especialmente a esta parte de la obra. Almas ansiosas que llegaban a estar completamente convencidas al escuchar la verdad, buscaban y hallaban alivio en estos círculos de oración. Algunas veces, después de escuchar las oraciones unidas y fervientes, seguían gritos de victoria, y luego muchos corrían hacia las carpas para saber quién se había convertido, y escuchar de ellos lo que Jesús había hecho por ellos, y cómo amaban su aparición. Y aquellos que deseaban ver el progreso de esta obra de Dios, podían unirse con los grupos de hombres y mujeres con sus ministros selectos bajando hacia el lado del campamento bordeado por agua, y allí, en armonía con su fe, y en obediencia a quien los había liberado del pecado, verlos sepultados con él en el bautismo, y según regresaban [al campamento] regocijados, encontrarse con otros que iban a ser sepultados de la misma manera.

El Hno. Miller, con otros, estaba asistiendo a conferencias y reuniones campestres en otros Estados, y sus compromisos eran tales que no sentía el deber de estar presente en ninguna de estas reuniones en Massachusetts que he mencionado. El Pr. Cole, al hablar de su última reunión, en la plataforma para los ministros, dijo: "Anoche, prediqué en la capilla en Merideth, New Hampshire, a una casa llena, y la gente estaba tan absorta en el tema de la venida de Cristo, que permanecieron sobre sus rodillas después que concluí la reunión, de modo que buscar salida pasando por sobre sus cabezas, para salir del salón a tiempo para conseguir mi pasaje a la reunión campestre de Salem, y cuando conseguí salir, la gente en el patio también estaba sobre sus rodillas, y tuve que seguir, obligado a dejarlos".

Mientras el tren de vagones venía de Newburyport, New Hampshire, a Boston, el Hno. Litch había llegado a un punto en su discurso con respecto a la profecía de Nahum, sobre cómo "los carros se precipitarán a las plazas, con estruendo rodarán por las calles; su aspecto será como antorchas encendidas, correrán como relámpagos", él exclamó: "¿No los oyen?" Sí, los oímos; porque estaban pasando junto a nosotros como un rayo de luz hacia la estación en Salem. El momento y la manera en que demostró a su audiencia el cumplimiento de esta profecía, y hacernos sentir más claramente que habíamos entrado en el día de preparación para Dios, produjo una sensación emocionante en el campamento.

El domingo se estimó que había *quince mil personas* en el campamento. Aquí el Hno. Fitch se despidió de sus hermanos y comenzó a viajar hacia el oeste, para esparcir las alegres noticias de un Salvador que viene.

Dos hermanos en el ministerio también comenzaron por este tiempo a predicar la segunda venida de Cristo en Inglaterra. Esta reunión dio un ímpetu a la causa que fue amplio y duradero. Cuando se dispersó el campamento, una multitud acudió a la estación de Salem para conseguir sus pasajes a Boston y sus alrededores. Algún accidente ocurrido a los trenes de Newburyport, nos retuvieron en la estación de Salem por unas dos horas. Aquí nuestro grupo comenzó a cantar himnos del advenimiento, y llegó a estar tan animado y profundamente comprometido que la gente de la ciudad vino en multitudes, y parecían escuchar con atención estupefacta, hasta que vinieron los vagones y la escena cambió. El Pr. S. Hawley, un predicador congregacionalista que confesó su fe en la doctrina del advenimiento por este tiempo, fue invitado a predicar sobre el tema en la ciudad de Salem, el domingo. Al atender este compromiso unas pocas semanas después, informó que el entusiasmo allí sobre el tema fue intenso. Se calcula que tuvo *siete mil oyentes.*

Las publicaciones del segundo advenimiento ahora se multiplicaban, y por medio de los diarios era asombroso descubrir con qué rapidez esta gloriosa doctrina se estaba proclamando por todo el largo y el ancho de la Unión y en Canadá. La gente en diversos Estados, condados, ciudades, pueblos, y villorrios eran estimulados a escuchar las alegres nuevas.

E Pr. E. R. Pinney, de Nueva York, en su exposición de Mateo xxiv, dice: "Ya en 1842, las publicaciones del segundo advenimiento había sido enviadas a cada estación misionera en Europa, Asia, África, América, y a ambos lados de los Montes Rocallosos".

Como ninguna obra de Dios había alguna vez estimulado a las naciones de la tierra de una manera tan poderosa y repentina desde la primera venida del Salvador y el día de Pentecostés, la evidencia era poderosa y prevalente de que esta obra estaba cumpliendo la profecía del ángel que volaba "en medio del cielo... que tenía el evangelio eterno para predicarlo a los moradores de la tierra, a toda nación, tribu, lengua y pueblo, diciendo a gran voz: Temed a Dios, y dadle gloria porque *la hora de su juicio ha llegado*".

Capítulo 24

Oposición a la proclamación del segundo advenimiento del Salvador – La declaración de hechos del Sr. Miller, de su "Apología y Defensa" – La manera singular en la que él fue llamado para proclamar la doctrina del advenimiento – Señales y maravillas en los cielos

Así como las conferencias, reuniones de oración, y ocasiones sociales del segundo advenimiento, se multiplicaban en diversas direcciones en el país, del mismo modo surgió la oposición. Presidentes y profesores de seminarios teológicos, eruditos e iletrados, ministros y laicos, periódicos religiosos y políticos, y personas prejuiciadas trabajaron fuertemente, por medios buenos y malos, para refutar lo que ellos llamaban la doctrina de Miller. Muchos de ellos atacaban su carácter, y lo denunciaban en los términos más violentos. Que no estaban al tanto de su reputación, y también de la obra en que se ocupaba, será manifiestamente evidente de los siguientes extractos de su *Apology and Defense.*

Él [Miller] data su conversión en el año 1816, y dice:

> "Fui constreñido a admitir que las Escrituras deben ser una revelación de Dios; llegaron a ser mi delicia, y en Jesús encontré a un amigo. Entonces me dediqué a orar y leer la palabra... Comencé con el Génesis, y leí versículo tras versículo, sin avanzar hasta que el significado de los diversos pasajes me fuera tan claro que me dejaran libre de vergüenza con respecto a cualquier misticismo o contradicciones. Siempre que encontraba algo oscuro, mi práctica era compararlo con todos los pasajes colaterales; y con la ayuda de Cruden, examiné todos los textos de la Escritura en los que se encontraban alguna de las palabras destacadas contenidas en cualquier porción oscura. Entonces, permitiendo que cada palabra tuviera su propia fuerza sobre el tema del texto, si mi idea armonizaba con cada pasaje colateral en la Biblia, dejaba de ser una dificultad. De esta manera seguí mi estudio de la Biblia, en mi primer examen de ella, por unos dos años, y estuve plenamente satisfecho de que ella es su propio intérprete.
>
> "Así llegué al 1818, al final de mis dos años de estudio de las Escrituras, a la solemne conclusión de que en unos veinticinco años desde

ese tiempo todos los asuntos de nuestro estado presente terminarían... Con la solemne convicción de que eventos tan trascendentales estaban predichos en las Escrituras que se cumplirían en tan poco tiempo, la pregunta me golpeó con terrible poder, respecto de mi deber ante el mundo en vista de la evidencia que había afectado mi propia mente. Si el fin estaba tan cerca, era importante que el mundo lo supiera... Diversas dificultades y objeciones se levantaban en mi mente de tiempo en tiempo... De este modo estuve ocupado por cinco años de 1818 a 1823.

"Seguí estudiando las Escrituras, y me convencía más y más de que tenía un deber personal que realizar con respecto al asunto. Cuando estaba en mis negocios, continuamente sonaba en mis oídos: 'Ve y cuenta al mundo su peligro'. Este texto continuamente aparecía en mi mente: Ezequiel 33:8, 9.

"Hice todo lo que pude para evitar la convicción de que algo se requería de mí; y pensé que hablando libremente de ello a todos, cumpliría mi deber, y que Dios levantaría los agentes necesarios para la realización de la tarea. Oré que algún ministro pudiera ver la verdad, y se dedicara a su promulgación; pero todavía tenía la impresión: 'Ve y cuéntaselo al mundo; su sangre se requerirá de tu mano'... Traté de excusarme ante el Señor por no ir y proclamarlo al mundo. Le dije al Señor que no estaba acostumbrado a hablar en público, que no tenía las calificaciones necesarias para obtener la atención de una audiencia, que yo era muy tímido, y temía el ir al mundo, que no me creerían, ni escucharían mi voz, que era lento para hablar, y de lengua trabada. Pero no pude conseguir alivio. De este modo luché por nueve años más, siguiendo el estudio de la Biblia... Tenía cincuenta años de edad, y me parecía imposible sobreponerme a los obstáculos que estaban en mi sendero para presentarlo con éxito de una manera pública.

"Un sábado, después del desayuno, en el verano de 1833, me senté a mi mesa para examinar algún punto, y al levantarme para salir a mi trabajo, me vino a la mente con más fuerza que nunca: 'Ve, y cuéntalo al mundo'. La impresión fue tan repentina, y me vino con tal fuerza, que me senté en mi silla diciendo: 'No puedo ir, señor'. '¿Por qué no?' me pareció que fue la respuesta; y entonces todas mis excusas aparecieron, mi falta de habilidad, etc.; pero mi angustia llegó a ser tan grande, que entré en un pacto solemne con Dios de que si él abría el camino, yo iría y cumpliría mi deber hacia el mundo. '¿Qué quieres decir con abrir el camino?' me pareció que me decían. 'Bueno', dije, 'si tuviera una invitación para hablar públicamente en algún lugar, iría y les diría lo que encuentro en la Biblia acerca de que el Señor viene'. Instantáneamente, mi carga desapareció, y me alegré porque probablemente nadie me llamaría; porque nunca había recibido tal invitación; mis pruebas no eran conocidas, y tenía pocas expectativas de que me invitaran a cualquier campo de labor.

"Media hora después de ese momento, antes que saliera de la habitación, un hijo del Sr. Guilford, de Dresden, a unos 25 kilómetros, [16 millas] de mi residencia, vino y dijo que su padre lo había enviado por mí, y deseaba que fuera a casa con él. Suponiendo que él deseaba verme por algún negocio, le pregunté qué quería. Me contestó que no habría predicación en su iglesia al día siguiente, y que su padre deseaba que fuera a hablar a la gente acerca de la venida del Señor. Inmediatamente me enojé conmigo mismo por haber hecho el pacto que hice; me rebelé enseguida con el Señor, y decidí no ir. Dejé al muchacho sin darle ninguna respuesta, y me retiré muy angustiado a un bosquecito cercano. Allí luché con el Señor como una hora, procurando liberarme del pacto que había hecho con él; pero no conseguí alivio. Estaba impreso en mi conciencia, '¿Haces un pacto con Dios, y lo quebrantas tan pronto?' y la extremada pecaminosidad de lo que había hecho me abrumó. Finalmente me rendí, y prometí al Señor que si me sostenía, iría, confiando en él que me diera la gracia y la capacidad de realizar todo lo que él me pidiera. Volví a la casa y encontré que el muchacho todavía me esperaba; quedó hasta después de la cena, y volví con él a Dresden.

"Al día siguiente, que, hasta donde puedo recordar, era como el primer domingo de agosto de 1833, presenté mi primera conferencia pública sobre el segundo advenimiento. La casa estaba bien llena con una audiencia atenta. Tan pronto como comencé a hablar, toda mi timidez y turbación habían desaparecido, y me sentí impresionado solo por la grandeza del tema que, por la providencia de Dios, fui capaz de presentar. Al final del culto me pidieron que quedara y diera conferencias durante la semana, a lo que accedí. Vinieron desde los pueblos vecinos, comenzó un reavivamiento, y se dice que en trece familias todas menos dos personas se convirtieron. El lunes siguiente volví a casa, y encontré una carta del Pr. Fuller, de Poultney, Vermont, pidiendo que fuera y diera conferencias allí sobre el mismo tema.

"Invitaciones muy apremiantes de los ministros y los miembros dirigentes de las iglesias venían continuamente desde esos momentos durante todo el período de mis labores públicas, y con poco más de la mitad de las cuales no pude cumplir. Recibía tantas llamadas urgentes pidiendo información, y para que visitara lugares, con las que no pude cumplir, que en 1834, decidí publicar mis ideas en forma de panfletos, lo que hice en un pequeño folleto de 64 páginas. La primera ayuda que recibí de cualquier fuente para pagar mis gastos, fue dos dólares y medio, que recibí del Canadá, en 1835. La siguiente ayuda que recibí, fue el pago de mi viaje en diligencia a Lansingburgh, en 1837. Desde entonces nunca recibí lo suficiente para pagar mis gastos de viaje. No debía haber mencionado esto, si no fuera por las historias extravagantes que han circulado para daño mío.

"Desde el comienzo de esa publicación ('*Signs of the Times*', en 1840) estuve abrumado de invitaciones para laborar en diversos lugares, que cumplí mientras mi salud y tiempo lo permitían. Trabajé extensamente en toda Nueva Inglaterra y los Estados del centro, en Ohio, Michigan, Maryland, el Distrito de Columbia, y en el Canadá este y oeste, dando unas cuatro mil conferencias en algo así como quinientos pueblos diferentes.

"Pensaría que unos doscientos ministros abrazaron mis conceptos, en todas las diferentes partes de los Estados Unidos y Canadá, y que ha habido unas quinientas conferencias públicas. En casi mil lugares se han levantado congregaciones adventistas, abarcando hasta donde puedo calcular, unos cincuenta mil creyentes. Al recordar los diferentes lugares de mis labores, puedo estimar unas seis mil conversiones de la oscuridad natural a la maravillosa luz de Dios, como resultado de mis labores personales; y juzgaría que el número será mucho mayor. De este número, puedo recordar unas setecientas que antes de asistir a mis conferencias eran ateas, pero su número puede haber sido el doble. Grandes resultados también han seguido las labores de mis hermanos, muchos de los cuales me gustaría mencionar, si mis límites lo permitieran".

De las declaraciones anteriores sobre los hechos acaecidos podemos aprender, primero, cuán profundamente la mente del Sr. Miller estaba impresionada con la importancia y la necesidad de proclamar la doctrina del segundo advenimiento de Cristo, después de sus primeros dos años de estudio de la Biblia; y segundo, cómo él siguió haciendo de la Biblia su estudio por catorce años más, bajo la misma convicción de que él debía proclamarlo al mundo; tercero, la manera peculiar y clara en la que finalmente fue impulsado a proclamarlo; y entonces, los resultados finales de sus labores. Todo esto prueba que él fue impulsado de una manera extraordinaria a cumplir su deber, liderando en la proclamación de esta importante doctrina, y que, además, como hemos mostrado antes, en el momento oportuno.

El año 1843 fue notable por señales y maravillas en los cielos; tan es así que la gente decía que estos adventistas eran gente muy afortunada en el mundo, porque tenían señales en los cielos para ayudarles a probar su doctrina. Aquí mencionaré una que fue vista por millones de testigos, que creo fue sobrenatural. Fue un brillante rayo de luz que apareció repentinamente en el sendero del sol poniente, a poca distancia por encima del horizonte, poco después de ponerse oscuro, y fue muy visible cada noche clara durante tres semanas en el mes de marzo. Mientras asistía a una reunión nocturna en Rhode Island durante este tiempo, la aparición grandiosa y sublime de esta luz fue la causa de mucha excitación.

Durante el tiempo que duró este fenómeno, muchos procuraron aquietar sus sentimientos diciendo que era un cometa; pero sin pruebas. Aquí daré unas pocas declaraciones de diferentes autores, elegidas de un pequeño panfleto titulado "Modern Phenomena of the Heavens" [Modernos fenómenos de los cielos], por Henry Jones.

Del "New York Herald":

> "LA EXTRAÑA SEÑAL EN LOS CIELOS. El misterio que continúa alrededor de este extraño y desconocido visitante a nuestro generalmente tranquilo sistema solar, ha aumentado grandemente el entusiasmo relacionado con él".

De la oficina de Hidrografía, Washington, D. C.:

> "LA EXTRAÑA LUZ. Poco después que nos retiramos, el oficial de la guardia anunció la aparición del cometa en el oeste. El fenómeno fue sublime y hermoso. La aguja estaba agitada, y un lápiz de luz fuertemente marcado fluía desde el sendero del sol, en una dirección oblicua, hacia el sur y el este; sus bordes eran paralelos. Tenía 1º 30' (unos 150 kilómetros, noventa millas) de ancho, y 30º (unos dos mil novecientos kilómetros — mil ochocientas millas) de largo".—*M. F. Maury, Tte., Marina de los EEUU.*

Henry Jones hace la siguiente declaración respecto a la aparición de este fenómeno en Connecticut:

> SEÑORES EDITORES: En las noches de los días 5, 6, 7 y 9 del presente mes, o comenzando con el domingo pasado de noche, los habitantes de este pueblo presenciaron un fenómeno como nunca habían visto u oído antes, que se vio por espacio de una hora en cada ocasión, y mayormente entre las siete y las ocho. Justo en el oeste en cada una de estas noches, estando los cielos despejados, apareció un trazo blanco de luz, similar en color a las luces del norte [auroras boreales] más comunes. Parecía de un ancho como el doble del sol cuando está en la misma dirección, y se levantaba del lugar del sol poniente".—*East Hampton, Connecticut*, 10 de marzo de 1843.

Además dijo:

> "El Hno. Geo. Storrs, últimamente de esta ciudad, y habiendo pasado por aquí en su viaje desde el sur, nos informa que en Norfolk, Virginia, el rayo de luz en el oeste, o el gran cometa, así llamado, apareció de un color rojo sangre, que produjo gran excitación entre los habitantes".

Al concluir su declaración, añade:

> "Con respecto a más noticias del cometa, tengo ante mí una hueste de ellas impresas al respecto, que no necesitan que ahora las copie; todas se combinan en establecer el hecho importante de que el mismo fenómeno fue visto durante más o menos el mismo período, o sea tres semanas, por todo el largo y el ancho de la Unión y el continente oriental; que fue algo *extraño.*
>
> "Con respecto a la causa natural de esta maravilla del mundo sería el último hombre en intentar achacarla a ninguna otra fuente, sino a Jehová mismo como su única causa, que él lo ha hecho por su propia omnipotencia para cumplir su palabra de promesa al respecto, y para decirles a sus santos oprimidos, desanimados y sufrientes que ahora muy pronto vendrá para su liberación".

Si el lector deseara más datos acerca de esta extraña luz en 1843, u otras señales igualmente asombrosas, pueden satisfacerse con leer el panfleto referido en este capítulo.

Capítulo 25

El año declarado para la venida del Señor – Vendo mi lugar de residencia – Voy con el mensaje a los Estados con esclavos – Reuniones en la isla Kent – Reuniones en Centerville, costa oriental de Maryland – Juez Hopper – Reuniones adventistas en la costa oriental de Maryland – Reuniones en Centerville – En Chester – Amenazas de cárcel – Sentimiento entre los esclavos – El poder del Señor en la reunión – Convicción de la gente

Como el Sr. Miller siempre mencionaba que el tiempo de la venida del Señor era *alrededor del* año 1843, ahora lo presionaban para que indicara el asunto del tiempo más definidamente. Él dijo que el Señor vendría "en algún momento entre el 21 de marzo de 1843, y el 21 de marzo de 1844". Antes del final de ese memorable año, se designaron Conferencias a cargo de los Hnos. Miller, Himes, y otros, en las ciudades de Nueva York, Filadelfia, Baltimore y Washington, para revivir y dar la última advertencia, y si era posible, despertar y amonestar a la casa del César. Fue una época de interés emocionante para todos los que realmente amaban la doctrina de la Segunda Venida.

Por ese tiempo vendí mi lugar de residencia, incluyendo la mayor parte de mi propiedad, pagué todas mis deudas de modo que pudiera decir una vez más que no debía "nada a nadie". Por algún tiempo había estado buscando y esperando una forma de ir con el mensaje al sur a los Estados que tenían esclavos. Me daba cuenta de que los dueños de esclavos en el Sur estaban rechazando la doctrina del segundo advenimiento, y solo unos pocos meses antes habían echado a los Hnos. Storrs y Brown de Norfolk, Virginia, y se me dijo que si iba al sur los dueños de esclavos me matarían por ser abolicionista. Vi que había algún peligro, pero el imperativo del deber y un deseo de beneficiarlos y aliviar mi propia alma, pesaban más que tales obstáculos.

El Hno. H. S. Gurney, que ahora vivía en Memphis, Michigan, dijo que me acompañaría hasta Filadelfia. El vapor en que tomamos pasaje desde Massachusetts, tuvo mucha dificultad en atravesar la capa de hielo en la parte final de su viaje, a través del canal de Long Island y Hurl Gate, a la ciudad de Nueva York. En Filadelfia asistimos a algunas de las reuniones atestadas del Hno. Miller y otros. Era realmente maravilloso ver a las multitudes de personas reunidas para escucharlo predicar acerca de la venida del Señor. El Hno. G. ahora decidió acompañarme al sur. Llegamos a la ciudad de Annapolis, Maryland, vía Washington, y cruzamos la Bahía de Chesapeake en medio del hielo, a la parte central de la isla Kent, sobre la cual yo había sido arrojado 27 inviernos antes. En la taberna encontramos a la gente participando del consejo municipal. Los dirigentes de dos capillas que estaban presentes, no estaban dispuestos a abrirnos las puertas, e insinuaron el peligro de predicar la doctrina de la venida de Cristo entre los esclavos. Solicitamos al dueño de la taberna que nos prestara su casa; él contestó que podíamos tenerla tan pronto como concluyera la reunión del consejo municipal.

Hicimos un compromiso ante ellos, de que predicar sobre el segundo advenimiento comenzaría en la taberna la tarde siguiente a cierta hora. Dijo el encargado de la taberna: "¿Se llama usted Joseph Bates?" Yo respondí: "Sí". Dijo que recordaba que yo visité la casa de su padre cuando era un niño, y me informó que su madre y su familia estaban en otra habitación, y que estarían contentos de verme. Su madre dijo que ella creía que me conocía cuando entré por primera vez a la casa.

La noticia de nuestra reunión rápidamente se difundió por la isla, y la gente vino para escuchar, y pronto estuvieron profundamente interesados sobre la venida del Señor. Nuestras reuniones continuaron por cinco tardes consecutivas. El lodo era tan profundo por causa del repentino derretimiento, que no realizamos reuniones nocturnas. La taberna era una casa de temperancia, y nos acomodaba mejor que cualquier otro lugar que pudiéramos haber encontrado en el vecindario.

Al comienzo de nuestra última reunión de la tarde, un hermano que había llegado a estar profundamente interesado en la causa, llamó a un lado al Hno. G. y a mí para informarnos que había un grupo a unos tres kilómetros [dos millas], junto a un negocio de ron preparándose para venir y tomarnos. Le aseguramos de que no nos preocupaba tal cosa, y le rogamos que entrara a la reunión con nosotros y dejara el asunto en manos de ellos. La gente pareció tan ansiosa de oír, que mi inquietud aumentó por hacer que el tema fuera tan claro como podía para ellos, de modo que la idea de ser apresado en la reunión, se me había pasado totalmente. Pero antes de que tuviera tiempo de sentarme, un hombre que estaba en la reunión por primera vez, de quien yo sabía que era un líder de una clase metodista y uno de los dirigentes que nos rehusaron el uso de sus casas de reuniones se levantó, y comenzó a denunciar la doctrina del advenimiento de una manera violenta, diciendo que él podría destruirla o derribarla en diez minutos. Me quedé de pie, y contesté: "Lo escucharé". En pocos momentos él pareció perderse en sus argumentos, y comenzó a hablar acerca de hacernos *cabalgar sobre un riel.* Le dije. "Estamos listos para eso, señor. Si le pone una montura, preferimos cabalgar en vez de caminar". Esto produjo tal sensación en la reunión, que el hombre no sabía dónde buscar a sus amigos.

Luego le dije: "Usted no creerá que viajamos novecientos cincuenta kilómetros [seiscientas millas] a través del hielo y la nieve, a nuestra costa, para darles el Clamor de Medianoche, sin primero sentarnos a contar el costo. Y ahora, si el Señor no tiene nada para que hagamos, de buena gana estaríamos en el fondo de la bahía de Chesapeake o en cualquier otro lugar hasta que el Señor venga. Pero si él tiene algo más de trabajo para nosotros, ¡usted no podrá tocarnos!"

Un Dr. Harper se puso de pie y dijo: "Kent, ¡tú sabes que no es así! Este hombre nos ha dado la verdad, y la leyó de la Biblia, ¡y yo la creo! En pocos minutos más, el Sr. Kent me dio la mano gustosamente y dijo: "Bates, ¡venga a vernos!" Le agradecí, y dije que mi trabajo era tan apremiante que pensaba que no tendría tiempo; pero que iría si lo tuviera. Pero no teníamos tiempo más que para visitar a los que habían quedado profundamente interesados y deseaban que nos encontráramos con ellos en sus círculos de oración Al final de nuestra reunión declaramos que teníamos los medios, y que estábamos preparados para pagar alegremente todos los gastos de la reunión, a menos que algunos de ellos desearan compartirlos con nosotros. Ellos decidieron que pagarían los gastos de la reunión, y que no permitirían que pagáramos ni un centavo.

Al salir de la isla Kent pasamos al lado oriental de la Bahía de Chesapeake, la costa oriental de Maryland, a la ciudad de Centerville, a unos cincuenta kilómetros [treinta millas] de distancia, donde habíamos fijado un compromiso de celebrar reuniones. Elegimos caminar, para tener una mejor oportunidad de conversar con los esclavos y con otros, de proveerles de folletos que teníamos con nosotros. Al llegar a Centerville preguntamos por un Sr Harper. Al llegar a su comercio, presentamos nuestra carta de presentación, y fuimos presentados al Juez Hopper, que se ocupaba de escribir. Una cantidad de hombres y muchachos vinieron y llenaron el comercio, aparentemente llenos de expectativa, cuando uno de ellos comenzó a preguntarnos respecto a nuestras ideas, y pronto llegaron al punto de que Cristo no vendría ahora porque el evangelio no había sido predicado a todo el mundo. Le contesté que había sido predicado a toda criatura. Cuando mostró que no estaba dispuesto a creer, le pedí una Biblia, y leí lo siguiente: "Si en verdad permanecéis fundados y firmes en la fe, y sin moveros de la esperanza del evangelio que habéis oído, el cual se predica en toda la creación que está debajo del cielo", etc. Colosenses 1:23.

Dijo el hombre: "¿Dónde predicará?" El Juez Hopper dijo: "En su salón de reuniones nuevo". "Bien", dijo él, "vendré y lo escucharé". El Sr. Harper nos invitó a nosotros y al Juez para tomar el té, y a pasar la velada. El Juez tenía muchas preguntas para hacernos respecto a nuestra fe, y a eso de las diez de la noche insistimos en ir a casa con él y pasar la noche. Antes de llegar a su casa, que estaba como a un kilómetro y medio [una milla] fuera de la ciudad, él dijo: "Sr. Bates, yo entiendo que usted es un abolicionista, y ha venido aquí para sacarnos nuestros esclavos". Le dije: "Sí, Juez, soy un abolicionista, ¡y *usted también*! En cuanto a que le quitemos sus esclavos, no tenemos tal intención; porque si usted nos da todos los que usted tiene (y me había informado que tenía bastantes), no sabríamos qué hacer con ellos. Enseñamos que Cristo viene, y que queremos que todos ustedes sean salvos.

Él pareció satisfecho y contento con nuestra respuesta, y en pocos momentos nos presentó su familia. El Juez y el Sr. Harper eran los principales dueños de una nueva sala de reuniones (según yo entendí), que recién se había levantado para una nueva secta llamada "Los Nuevos Bandos", que se había separado de la Iglesia Metodista Episcopal, llamada "Los Viejos Bandos". Estos dos amigos declararon que su nueva sala de reuniones estaba libre para que la ocupáramos nosotros. Comenzamos allí a la siguiente mañana con una gran congregación. El Juez Hopper nos invitó para hacer de su casa nuestro hogar durante nuestra serie de reuniones.

Nuestras reuniones en Centerville, Maryland, continuaron unos tres días con mucho interés; muchos llegaron a estar profundamente interesados al escuchar por primera vez acerca de la venida del Señor. El Juez Hopper estaba muy atento, y admitió que él estaba casi persuadido de lo correcto de nuestra posición. Se nos dijo que uno de sus esclavos estaba profundamente convicto, y profesaba haberse convertido durante nuestras reuniones.

El segundo día de nuestras labores el Juez llegó a su casa antes que nosotros, y estaba ocupado leyendo su diario, llegado en el último envío postal. Era el "Baltimore Patriot". Cuando nosotros entramos, él dijo: "¿Saben quiénes eran éstos?" y comenzó a leer lo que decía, en síntesis: "Dos hombres que vinieron en un navío de Kent Island, estuvieron en nuestra oficina, y relataron una circunstancia respecto a dos milleritas que estuvieron recientemente allí, predicando acerca de la segunda venida de Cristo, y el fin del mundo Cuando fueron amenazados con hacerlos cabalgar el riel, ellos contestaron que estaban listos, y que si le ponían una montura sobre el riel, sería mejor cabalgar que caminar!" El editor añadió que "aplastar la materia y destruir los mundos no sería nada para tales hombres". Contestamos que tal incidente ocurrió cuando estuvimos en la isla poco tiempo antes, y que probablemente nosotros éramos las personas aludidas. Él se rió con ganas y nos presionó para que relatáramos las circunstancias mientras su familia se reunía alrededor de la cena.

Luego nos preguntó en qué dirección seguiríamos; declaró que deseábamos ir a la cabeza del condado que estaba al noreste. Nos dio una carta de presentación para un amigo de él, un abogado, que tenía a su cargo el edificio de los tribunales en su ausencia, diciéndole que abriera la casa para que tengamos reuniones mientras estuviéramos allí. Hicimos los arreglos para comprometernos por cinco reuniones, y lo enviamos al abogado para que las publicara, pues era el editor del periódico de la ciudad.

El nombre de este pueblo era Chester, si mal no recuerdo, distante unos cuarenta kilómetros [veinticinco millas]. Uno de nuestros oyentes interesados envió su carruaje privado para llevarnos en el viaje. Estábamos caminando justo antes de llegar al pueblo, y nos encontramos con un hombre a pie, aparentemente muy apurado, que se detuvo y preguntó ¡si nosotros éramos los milleritas que iban a predicar en ese lugar! Respondimos en la afirmativa. "Bueno", dijo él, "¿he viajado unos veinte kilómetros [trece millas] esta mañana para verlos?" Se quedó parado para mirarnos y yo dije: "¿Cómo nos vemos?" Él dijo: "Lucen como otros hombres". Habiendo satisfecho su curiosidad, seguimos y no lo vimos más. Al llegar a la taberna para comer, el encargado pasó el diario del pueblo al Hno. Gurney, para que él leyera la noticia de las reuniones milleritas, suponiendo que éramos los extraños esperados. La noticia concluía deseando que "las ancianas no se asustaran de la predicación de estos hombres acerca del fin del mundo".

Después de comer fuimos a ver al abogado en su escritorio, donde estuvimos entretenidos durante horas escuchando sus conceptos escépticos acerca del segundo advenimiento, y respondiendo a sus numerosas preguntas. Asistió muy puntualmente a todas nuestras reuniones, y quedó tan profundamente convencido de la verdad de que resultó tan alarmado acerca de su preparación para la venida del Señor, o aún más, que las ancianas por las que estaba tan preocupado. La gente vino para oír, y escuchó muy atentamente, en especial los esclavos, que tenían que estar parados detrás de la congregación blanca, y esperar hasta que hubieran salido todos del lugar. Esto nos dio una buena oportunidad de hablar con ellos. Así que les preguntamos si habían oído lo que dijimos. "Sí, zeñur, cada palabra". "¿Creen ustedes? "Sí zeñur, creo todo". "¿quieren algunos folletos?" "Sí, zeñur". "¿Saben leer?" "No, zeñur; pero joben siiñurita o hiju del zeñur lo leerá para nosotro".

De esta manera distribuimos un buen número de folletos o panfletos, de los que nos había provisto el Pr. Himes en Filadelfia. Parecían deleitarse con los himnos del advenimiento. Escucharon al Hno. Gurney cantar el himno: "Soy peregrino, soy extranjero". Uno de los hombres de color vino a nuestro alojamiento para mendigar una de las copias impresas. El Hno. G. tenía solo una. Dijo él: "Le daré un cuarto de dólar por ella"; probablemente era todo el dinero que el pobre tenía. Se demoró como para indicar que no desistiría. El Hno. G. se lo copió, lo que le agradó mucho.

Había tres capillas denominacionales en el pueblo donde la gente se reunía para adorar. Por respeto a ellas avisamos que solo tendríamos una reunión el domingo, y que comenzaría a la luz de velas. A la mañana siguiente, mientras despachaba una carta, el jefe del correo dijo que los ministros del lugar estaban tan enfurecidos porque la gente iba a nuestras reuniones, que estaban hablando de hacer que nos apresaran antes de la noche. Le dije: "Por favor deles nuestras felicitaciones, y dígales que estamos listos; la cárcel está tan estrechamente conectada con nuestro lugar de reuniones que tendrán muy poca dificultad en llevarnos allá." No oímos más nada de ellos. Nuestros temores no eran tanto si iríamos a la cárcel, sino que estos ministros influyeran sobre la gente para impedirles que les diéramos el mensaje del advenimiento. Pero el Señor, en respuesta a las oraciones no les permitió cerrar la puerta abierta delante de nosotros, pues nuestras reuniones siguieron sin interrupciones.

La última reunión fue sumamente interesante. El Señor nos ayudó maravillosamente. Nuestro tema eran los ayes y las trompetas de Apoc. 9, demostrando de acuerdo a los cálculos del Sr. Litch, que el sexto ángel que dejó de tocar y el segundo ay ocurrieron en agosto de 1840, con la caída del Imperio Otomano, y que el tercer ay vendría "pronto", cuando grandes voces se oirían de los cielos diciendo: "Los reinos del mundo han venido a ser de nuestro Señor y de su Cristo". Cuando terminamos la reunión, la gente blanca permaneció quieta y silenciosa. Los pobres esclavos estaban de pie atrás mirando y esperando que sus superiores se movieran primero. Allí estaba sentado el abogado que tan fielmente había advertido a las ancianas que no se asustaran por causa de las predicaciones sobre el fin del mundo. Cantamos un himno del advenimiento, y los exhortamos a prepararse para la venida del Señor. Y los despedimos otra vez. Permanecieron en silencio e inmóviles. El Hno. G. los exhortó fielmente, pero permanecían en silencio, y parecía que no tuvieran el menor deseo de dejar el lugar. Nos sentimos completamente satisfechos de que Dios estaba operando con su Santo Espíritu. Entonces cantamos otro himno, y los despedimos, y comenzaron a retirarse lentamente y en silencio.

Esperamos para tener alguna conversación con la gente de color. Dijeron que entendieron, y parecían muy conmovidos. Cuando salimos del edificio de tribunales, la gente estaba parada en grupos casi silenciosos. Pasamos junto a ellos, saludándolos. El abogado y el director del colegio secundario nos estaban mirando, y caminaron con nosotros al hotel. Ambos estaban poderosamente convencidos, y aparentemente subyugados. El maestro había discutido con nosotros varias veces para mostrar que este movimiento era todo engaño; pero ahora comenzó a confesar. El abogado parecía hacer preguntas para su propio beneficio, y estaba tan interesado en el tema, que nos detuvo en conversación al lado del hotel, hasta que fuimos obligados a entrar al hotel por causa del frío. Los exhortamos a confesar todos sus pecados, y entregar su corazón al Señor. El director del colegio dijo: "Ahora, hermanos, quiero que vayan conmigo a mi habitación, donde tendremos un buen fuego. Quiero hablar más sobre esta obra". Allí confesó cuán escéptico había sido, y la oposición que había manifestado, y cómo había asistido a las reuniones, tomando notas con el propósito de refutar la doctrina. "Pero", dijo, "ahora creo todo. Creo, con ustedes que Cristo viene". Trabajamos y oramos con él hasta después de la medianoche. A la mañana siguiente se nos dijo que algunos de los habitantes estaban tan fuertemente convencidos que no habían ido a la cama durante la noche. Dos hombres que paraban en el hotel, dijeron que habían venido cincuenta kilómetros [treinta millas] a caballo para asistir a las reuniones. Mientras estuvimos allí se abrió la posibilidad de dar una serie a veinte kilómetros [trece millas] hacia el norte, en un lugar llamado Las Tres Esquinas. Se nos dijo que mejor no fuéramos, porque el encargado de la taberna era un eminente universalista, y se opondría a nosotros.

Capítulo 26

Las Tres Esquinas – Reuniones repletas – Cantos – Universalismo – Lugares para reuniones – Oposición – Sueño – Patios delanteros extensos – Ordenan a esclavos a ir a reuniones adventistas – Convencidos de la verdad – Vuelta a casa a Maryland - Visita a algunas de las Islas del Mar – Esperando la visión – Tiempo de demora

A nuestra llegada al lugar llamado "Las Tres Esquinas", temimos, por su apariencia, que tendríamos pocos oyentes. Una escuela, una taberna, y una capilla metodista en la distancia, con unas pocas casas esparcidas, era más o menos todo lo que se veía. Nuestro compromiso era comenzar las reuniones esa noche. Los dirigentes metodistas nos rehusaron el uso de su capilla. Finalmente obtuvimos la escuela para nuestra reunión vespertina, y nos alojamos en la "Taberna Universalista", manejada por un Sr. Dunbar. Un predicador metodista en este circuito nos dijo: "Yo tuve una reunión en la escuela el pasado domingo y tuve solo 18 oyentes; supongo que la doctrina de ustedes convocará a *unos pocos más*. Imagine nuestra sorpresa a la hora de la reunión al ver la casa colmada, de modo que una gran porción de la congregación estaba parada sobre los asientos, mirando por sobre la cabeza de los demás. Finalmente encontramos un lugar donde colgar el "diagrama del 43". El Hno. Gurney comenzó a cantar uno de los himnos del advenimiento favoritos, que los aquietó hasta el silencio, y la reunión siguió con profundo interés hasta el cierre. Luego expresamos nuestro deseo de celebrar cuatro reuniones más, a comenzar la tarde siguiente, pero no teníamos lugar abierto para nosotros. Después de esperar un momento, el dueño de casa que nos alojaba dijo: "Caballeros, celebren su reunión en mi casa". Yo vacilé, dudando si sería adecuado realizar una reunión adventista donde se vendía licor y se bebía sin restricciones. Como no habló ninguna otra persona, hice los arreglos para reunirnos en la *taberna del Sr. Dunbar*, a la tarde siguiente. Creo que eran las dos de la tarde. Después de llegar a la taberna, el Sr. D. entró, seguido por una cantidad de damas, diciendo: "Caballeros, estas damas han venido para escucharlo cantar más de sus himnos nuevos; les encantan los cantos, y están interesadas en su doctrina".

Después del desayuno a la mañana siguiente nuestro huésped comenzó de una manera muy caballerosa a mostrar las ideas inconsistentes de los cristianos profesos, y las bellezas de la doctrina del universalismo. A fin de librarnos a ambos de largas discusiones, le dijimos que no teníamos nada que hacer con la doctrina universalista. Habíamos venido para predicar la venida de Cristo, y queríamos que él y sus vecinos se prepararan. Nuestra conversación terminó allí, y él salió. Después de un momento volvió a la casa, diciendo: "Pues bien, caballeros, la capilla metodista está abierta para que den su conferencia. Los dirigentes se han sentido mal por rehusarles el uso de su capilla. Está ahora lista para su reunión esta tarde. No creí que ellos dejarían que ustedes tengan sus reuniones en *mi* casa".

Pronto después que comenzó nuestra reunión esa tarde, un hombre bien vestido y de mirada inteligente entró y se sentó cerca del centro del salón, y mientras yo explicaba un pasaje de las escrituras del libro del Apocalipsis, me miró con seriedad y sacudió su cabeza. Dije a los oyentes: "Aquí hay un caballero que sacude su cabeza. Él no cree". Antes de terminar mi discurso, yo estaba citando un pasaje de la misma fuente cuando él repitió la operación. Dije: "Este caballero está *sacudiendo su cabeza otra vez. No cree*". Su rostro cambió, y pareció confundido. Mientras el Hno. Gurney y yo bajábamos del púlpito después de cerrar la reunión él se abrió paso a través de la multitud y me tomó la mano, diciendo: "Quiero que usted venga conmigo a mi casa esta noche". Le agradecí y le dije: "Lo haría con placer, pero tengo un amigo aquí. Él dijo: "Quiero que él venga también, y quiero que traiga el diagrama (señalándolo) consigo". Otro hombre nos persuadió a que fuéramos con él a cenar, a unos tres kilómetros [dos millas]. Este caballero dijo: "Yo iré también". Y lo hizo.

En la noche nuestra congregación fue más grande, y muy atenta. Después de la reunión, nuestro nuevo amigo nos hizo subir a su carruaje con su esposa. Poco después que salimos, él le preguntó a su esposa, si ella recordaba el sueño que él le había contado. Ella dijo: "Sí". "Pues", dijo él, "estos son los dos ángeles que yo vi". Aquí él comenzó a relatar su sueño. Lo siguiente es, en esencia, todo lo que ahora recuerdo:

Justo antes de que llegáramos al lugar, él soñó que estaba en compañía de dos ángeles que le estaban declarando las buenas nuevas, y él recordaba específicamente su apariencia. "Entonces", dijo, "cuando usted habló acerca de que sacudía la cabeza por segunda vez, miré de nuevo. Me pareció que lo había visto antes. Aquí recordé el sueño, y supe por sus semblantes pálidos que ustedes eran las dos personas, y más específicamente usted, por causa de ese *lunar* que tiene en la mejilla derecha, que yo vi en mi sueño".

Él se bajó y abrió su portón, y pensé que seguramente estaríamos pronto en su casa. Después de un momento, supimos por él que había *¡cinco kilómetros* [tres millas] *desde su portón delantero hasta su casa!* Su plantación era enorme, con un gran número de esclavos. Era un hombre de ocio, y había aprendido de algún autor ideas peculiares acerca del libro del Apocalipsis. Por esa razón sacudía su cabeza ante mis aplicaciones, por causa de sus conceptos contrarios. Él y su esposa nos acompañaron buena parte de la noche, y hasta la hora de la reunión de la siguiente tarde, haciendo preguntas acerca de la doctrina del advenimiento, el diagrama, etc. Cuando el carruaje del Sr. Hurt estuvo listo, pidió disculpas por su descuido de no pedirnos que hablemos a sus siervos (esclavos). Me sentí aliviado por esto, ya que prefiero hablarles a estos en la congregación mixta. Pero al entrar en el carruaje, le dijo a su mozo de cuadra, que sostenía las riendas, "Sam" —o Harry o algún otro nombre tal—, "dile a todos tus compañeros que vengan a la reunión esta tardecita". "Sí, zeñur". "No te olvides: A TODOS ELLOS". "No, zeñur". Esto nos alegraba: queríamos que escucharan junto con su amo.

El director de la escuela y el Sr. Dunbar, el dueño de casa, eran los dos grandes dirigentes universalistas en esa sección del país. Ambos habían llegado a interesarse en esta nueva doctrina. El director cerró su escuela para asistir a la última reunión de la tarde, y entraron con tres grandes libros bajo el brazo esperando, supongo, confundirnos en alguna de nuestras exposiciones de las profecías con citas de lenguas muertas. Él apeló a esos libros solo una vez, y como no pudo probar su idea, no dijo más nada. Por su apariencia, yo estuve contento de que él y el Sr. Dunbar estuvieran convencidos de la verdad. Mientras cargaba a duras penas sus libros rumbo a casa después de la reunión le dije al pasar: "¿Qué piensa del tema, ahora?" Él dijo: "Me rindo".

En la noche la galería estaba colmada con gente de color; sin duda la mayoría de ellos eran los esclavos del Sr. Hurt. Escucharon con notable atención. Cualquier cosa que pudiera librarlos de la esclavitud perpetua eran buenas noticias para ellos. La congregación pareció notablemente dispuesta a escuchar. Al final de la reunión declaramos que nuestro compromiso era ir a Elktown, a unos cuarenta kilómetros [veinticinco millas] al norte, para encontrarnos con la gente a la tarde siguiente, y deseábamos ocupar una de sus yuntas para llevarnos allá. El Sr. Hurt cortésmente nos ofreció llevarnos allá en su carruaje privado, y nos comprometió para quedarnos con él en la noche. Mientras esperábamos el carro después de la reunión, el Sr. Dunbar vino a nosotros, en forma privada, para preguntarnos si esta doctrina se predicaba en el norte, y también en Inglaterra, y si ésta era la forma en que el Sr. Miller la presentaba. Le respondimos que sí, solo que el Sr. Miller la presentaba de una manera superior, y en una luz mucho más clara de lo que podíamos hacerlo nosotros. Él se fue en profunda angustia.

El Sr. Hurt se acercó, y viajamos con él. Parecía muy perturbado mientras relataba la experiencia suya y de su esposa, y cómo había rehusado ser un líder de clase entre los metodistas, y lamentaba que no pudieran ser bautizados. En nuestro viaje a la mañana, nos detuvimos en la taberna, y cuando salimos de nuestra habitación con nuestro equipaje para arreglar nuestra cuenta, el Sr. Dunbar y el director estaban sentados en el bar, con sus Biblias abiertas, escuchando el sueño del Sr. Hurt sobre nosotros, y su fe en la doctrina del advenimiento. El Sr. Dunbar y el director dijeron que vieron la verdad como nunca antes, y nos rogaron que quedáramos y siguiéramos con nuestras reuniones. "Además" dijeron ellos, "usted está invitado a dar conferencias en un pueblo a unos veinte kilómetros [doce millas] al este de aquí". Le contestamos que nuestro compromiso previo en Elktown requería que estuviéramos allí esa noche. Ellos entonces nos instaron a volver, pero como nuestros compromisos estaban más al norte, no podíamos acceder a su pedido.

De este lugar el Sr. Hurt nos llevó en su carro a Elktown, a unos cuarenta kilómetros [veinticinco millas] de distancia, presentándonos y hablando del mensaje a sus amigos por el camino. En Elktown se esforzó por abrir el camino para nuestras reuniones. Cuando se separaba de nosotros, oramos con él, y él dijo: "Daría todo lo que poseo, si pudiera sentir como creo que sienten ustedes al hacer esta obra". No oímos más nada de él.

Tuvimos cinco reuniones en el edificio de tribunales en Elktown. Algunos profesaron creer, y estaban ansiosos de oír más, si hubiéramos podido haber quedado con ellos más tiempo. De Elktown tomamos los vagones para Filadelfia, y de allí a la ciudad de Nueva York. Aquí nos encontramos con el Sr. Miller, que acababa de regresar de Washington, D. C., donde había dado una serie de conferencias. En Nueva York tomamos un pasaje para el este, a bordo de un vapor de Long Island, para Fall River, Massachusetts. En la tarde, después de pasar Hurl Gate, colgamos el diagrama en el centro de la cabina de pasajeros; para el momento en que terminamos de cantar un himno del advenimiento se había reunido un grupo grande, que comenzó a preguntar acerca de los dibujos en el diagrama. Contestamos que, si se sentaban tranquilos, procuraríamos explicarlo. Después de unos momentos, se declararon listos para escuchar, y escucharon con atención por unos momentos, hasta que fuimos interrumpidos por un viento crecientemente fuerte del este, que nos hizo dirigirnos a un puerto. Como consecuencia de la gran violencia del vendaval, cambiaron la ruta del barco, y los pasajeros tomaron tierra en las márgenes de Connecticut, y siguieron en carruajes a Boston. El tema del advenimiento del Salvador se reanudó a bordo de los carruajes, y siguieron interesados hasta que nos separamos en la estación de pasajeros de Boston.

Antes del paso del tiempo, visitamos algunas de las islas en el mar, que pertenecían a Massachusetts y Rhode Island, o sea Nantucket, Martha's Vineyard, y Block Island. De los diez o doce mil habitantes de estas islas, muchos profesaron creer, y se unieron al movimiento del advenimiento.

Al llegar la primavera de 1844, y acercándose el tiempo largamente publicado por el Sr. Miller y otros, para la terminación de los períodos proféticos de la visión de Daniel y la venida de nuestro Señor y Salvador, la obra llegó a ser más y más entusiasta. Probablemente no ha habido nada semejante a esto desde el diluvio en los días de Noé.

El punto más difícil entonces para resolver era, *dónde* en la historia del mundo comenzaban los 2.300 días. Finalmente se determinó que el año 457 antes de Cristo era el momento más confiable. Así la suma de 457 años antes de Cristo, y 1843 años completos después de Cristo, constituían 2.300 años completos.

El testimonio de la Escritura era claro que cada año comenzaba con la luna nueva de primavera, exactamente catorce días antes de la pascua anual. Ver Éxodo 12:1-6; 13:3-4. Por lo tanto se fijó que el 17 de abril de 1844, tiempo romano, era el final del año 1843, tiempo bíblico.

El paso de esa fecha fue el primer chasco en el movimiento del advenimiento. Los que sentían la carga del mensaje quedaron abrumados y con angustia de espíritu. Estaban rodeados por los que estaban jubilosos por causa del fracaso de los cálculos. En este tiempo difícil se escudriñaron las Escrituras muy diligentemente para determinar, si era posible, la causa de su chasco. En la profecía de Habacuc se encontraron unos pocos puntos relacionados con la visión, que nunca antes se habían examinado específicamente. "Aunque la visión tardará aún por un tiempo, más se apresura hacia el fin, y no mentirá; aunque tardare, espéralo, porque sin duda vendrá, no tardará". Habacuc 2:2, 3.

En este período se dijo que había unos cincuenta mil creyentes en este movimiento en los Estados Unidos y Canadá, que nunca, hasta que pasó el tiempo, se habían dado cuenta o comprendido que habría una demora o tiempo de espera en la visión. Este y otros pasajes de la Biblia de igual importancia animaron a los probados a aferrarse con fe firme. A menudo fueron atacados por sus adversarios diciendo: "¿Qué van a hacer ahora, su fecha ha pasado? Ustedes fijaron el tiempo de la venida de Cristo a la terminación de la profecía de los 2.300 días de la visión de Daniel. Ese día pasó, y él no vino; ahora, ¿por qué no confiesan su error, y renuncian a todo?" Resp. "Porque el Señor dijo, 'Espéralo". "¿Esperar qué?" RESP. "*La visión*". "¿Por cuánto tiempo?" RESP. "Él no lo dijo; pero él sí dijo, 'ESPÉRALO, PORQUE SIN DUDA VENDRÁ'.

Renunciar, ¿dijo usted? ¡No nos atrevemos!" "¿Por qué?" "Porque la orden del Señor a su pueblo confiado y chasqueado, en este momento específico del movimiento del segundo advenimiento, es ESPERAR".

Capítulo 27

El clamor de medianoche – El mensaje del primer ángel – Las diez vírgenes – Segundo chasco – Los mensajes de los tres ángeles – El sábado - Progreso en la obra – Conclusión

La primera tarea del cuerpo del advenimiento en su chasco, fue la de re-examinar los 2.300 días de la visión de Daniel. Pero fueron incapaces de descubrir algún error en sus cálculos. Era todavía evidente y claro que se requería cada día de los 457 años antes de Cristo, y también cada día de los 1843 años después de Cristo para completar los 2.300 años de la visión, sobre la cual el movimiento adventista comenzó en 1840. También era claro que el año debía corresponder y terminar con el año sagrado de los judíos.

En esta importante crisis, se publicó el "Advent Shield" [El escudo del advenimiento], repasando todo el movimiento transcurrido, especialmente los períodos proféticos, mostrando que los habíamos seguido correctamente. Citamos del tomo i, No. 1, p. 87.

> "Miramos la proclamación que se ha hecho, como el clamor del ángel que proclamó: 'La hora de su juicio ha llegado' (Apocalipsis 14:6, 7). Es el sonido que ha de alcanzar a todas las naciones; es la proclamación del evangelio eterno. En una forma u otra ese clamor ha salido por la tierra, dondequiera se encuentran seres humanos, y tuvimos la oportunidad de escuchar del hecho.
>
> "Joseph Wolfe, D. D., de acuerdo con sus diarios, entre los años 1821 y 1845, proclamó el pronto regreso del Señor en Palestina, Egipto, Mesopotamia, Persia, Georgia, por todo el imperio otomano, en Grecia, Arabia, Turkestán, Hindostán, Holanda, Escocia e Irlanda, en Constantinopla, en Jerusalén, St. Helena y en la ciudad de Nueva York a todas las denominaciones", etc., etc. —*Voice of the Church, pp.* 343, 344.

Por los hechos históricos que anteceden, el lector imparcial no dejará de ver con qué velocidad maravillosa la gloriosa doctrina del segundo advenimiento de nuestro Señor y Salvador se esparció por todo el globo habitable, y luego cesó en forma igualmente repentina, con aquellos que lo estaban proclamando, como la luz del día con el sol poniente. Aquellos que estaban comprometidos en esta obra tan solemne se contaban entre las personas más honradas y fieles de todas las iglesias. Dijo el "Advent Shield", p. 92:

> "Ninguna causa de carácter moral o religioso, probablemente alguna vez hizo avances tan veloces como la causa del adventismo. Sus devotos han sido los miembros más humildes, piadosos, devotos de las diferentes iglesias... Nunca un grupo de hombres trabajó más fiel y celosamente en la causa de Dios, o con motivos más puros. Su registro está en lo alto".

Mientras estaban en esta posición de demora, de espera, investigando y orando en busca de luz sobre el registro de la profecía, se vio además que nuestro Señor había dado la parábola de las diez vírgenes para ilustrar el movimiento del advenimiento. En respuesta a la pregunta: "¿Qué señal habrá de tu venida, y del fin del siglo?" (Mateo 24:3), nuestro Señor señaló algunos de los eventos más importantes con los cuales la iglesia cristiana debía estar conectada desde el tiempo de su primera venida hasta la segunda, tales como la destrucción de Jerusalén en el año 70 d. C., después de lo cual hubo una gran tribulación de la iglesia cristiana por más de mil seiscientos años, bajo la Roma pagana y papal. Luego vinieron el oscurecimiento del sol en 1780, y la caída de las estrellas en 1833. Desde entonces, la proclamación de su segunda venida en su reino, cerrando con una descripción de las dos clases de adventistas. "Entonces el reino de los cielos será semejante a diez vírgenes" (Mateo 25:1-13), "que tomando sus lámparas, salieron a recibir al esposo", etc. Las palabras "el reino de los cielos" indudablemente se refiere a la misma porción de la iglesia viviente que él señalaba en el capítulo 24:45-51, que siguen en su historia con la misma proclamación de su segunda venida. Y en todo el pasaje hasta el versículo 13, en cada movimiento importante que ellos hacen, su historia se asemeja, o se compara con la historia de las diez vírgenes en la parábola, es decir, "la visión tardará", "tardándose el esposo", el clamor a la medianoche, "he aquí el esposo viene", etc.

Poco después de la demora de la visión de los 2.300 días, comenzó a proclamarse el mensaje del segundo ángel. Ver Apocalipsis 14:8. Mientras avanzaron con este mensaje hasta el comienzo del verano de 1844, comenzó a enseñarse el tiempo definido para el fin de la visión. Pero los ministros dirigentes se oponían. Se convocó una reunión campestre en Exeter, New Hampshire, el 12 de agosto. Mientras me dirigía hacia allá en los vagones, algo como lo siguiente se presentó a mi mente varias veces con mucha fuerza: "¡Tendrán nueva luz aquí! Algo que dará un nuevo impulso a la obra". A mi llegada allí, pasé entre las muchas tiendas para saber si había alguna luz nueva. Me preguntaron si iba a la tienda de Exeter, y se me dijo que allí tenían nueva luz. Pronto estuve sentado entre ellos, escuchando lo que ellos llamaban el "clamor de medianoche". Esta era luz nueva, claro que sí. Era el siguiente paso en la historia adventista, (si es que dábamos algún paso), dentro del cual la historia del advenimiento podía compararse ajustadamente con la de las diez vírgenes de la parábola. Versículo 6. Actuó como levadura por todo el campamento. Y cuando esa reunión concluyó, las colinas de granito de New Hampshire resonaban con el poderoso clamor: "¡Aquí viene el esposo; salid a recibirle!" ¡Cristo, nuestro bendito Señor, viene el décimo día del séptimo mes! ¡Prepárense! ¡Prepárense!"

Después de una ausencia de cinco días, volví a casa a Fairhaven a tiempo para una reunión vespertina. Mi hermano fue lento en creer nuestro informe con respecto a la nueva luz. Ellos creían que estaban en lo correcto hasta entonces, pero el clamor de medianoche era una doctrina extraña para conectarla con la historia adventista. El domingo de mañana asistí a la reunión adventista de New Bedford, a unos tres kilómetros [dos millas] de distancia. El Hno. Hutchinson, del Canadá, estaba predicando. Parecía muy confundido, y se sentó, diciendo: "No puedo predicar". El Pr. E. Macomber, que había regresado conmigo de la reunión campestre, estaba en el púlpito junto a él. Se levantó, aparentemente muy excitado, diciendo: "¡Oh! Cómo me gustaría contarles lo que he visto y oído, pero no puedo", y se sentó también. Entonces me levanté de mi asiento en la congregación, diciendo: "Yo puedo", y no recuerdo haber tenido nunca tal libertad y fluidez de palabras, en toda mi experiencia religiosa. Las palabras me venían como agua corriente. Cuando me senté, una hermana vino hacia mí atravesando la sala diciendo: "Hno. Bates, quiero que usted nos predique el mismo discurso esta tarde". El Hno. Hutchinson estaba ahora aliviado de su tartamudez, y dijo: "Si lo que dijo el Hno. Bates es verdad, no me sorprende que pensara que mi predicación era como la viruta de un carpintero", etc. Cuando las reuniones terminaron a la noche siguiente, las lenguas tartamudas fueron soltadas y el grito resonaba: "¡Aquí viene el esposo; salid a recibirle!" Se hicieron arreglos rápidamente para reuniones, para difundir las alegres noticias por todo alrededor.

El 22 de agosto, S. S. Snow publicó un periódico llamado el "Clamor de Medianoche", presentando todos los puntos en los tipos, con los cálculos que mostraban que el tiempo definido para el fin de la visión de los 2.300 días sería el décimo día del mes séptimo, de 1844. Siguiendo a esto, en una reunión campestre in Pawtucket, R. I., el Pr. J. V. Himes, y varios de los principales ministros adventistas, insistieron en sus objeciones respecto de la legitimidad del clamor de medianoche. Pero antes de que terminaran las reuniones estaban volviendo a sus lugares, y unos pocos días después, el "Advent Herald" estaba proclamando sus confesiones, y cómo todas sus objeciones fueron eliminadas, y su fe en el clamor era firme e inamovible.

No tenemos espacio aquí para presentar los argumentos sobre los cuales se sustentaba el clamor de medianoche, pero eran tan convincentes y poderosos que toda oposición fue barrida ante ellos, y con sorprendente rapidez el sonido fue proclamado por todo el país, y las pobres y desanimadas almas que "cabecearon y se durmieron" mientras el esposo se tardaba", se despertaron de su apatía y desánimo, y se "levantaron y arreglaron sus lámparas" para salir a "recibir al esposo". Todos los corazones estaban unidos en la obra y todos parecían fervientes en hacer una preparación cabal para la venida de Cristo, que creían que estaba muy cerca. Miles corrían de aquí para allá, dando el grito, y esparciendo libros y publicaciones que contenían el mensaje.

Pero otro triste chasco esperaba a los que velaban. Poco antes del día definido, los hermanos que viajaban regresaron a casa, a sus hogares, los periódicos se suspendieron, y todos esperaban con ardiente expectativa la venida de su Señor y Salvador. El día pasó, y otras veinticuatro horas pasaron, pero la liberación no vino. La esperanza se hundió, y el valor murió dentro de ellos, porque habían estado tan confiados en lo correcto de sus cálculos que no podían encontrar ánimo en re-examinar el tiempo, pues nada podía suceder para extender los días más allá del décimo día del séptimo mes de 1844, ni ha sucedido hasta este día, a pesar de los muchos esfuerzos de aquellos que continuamente fijan algún momento definido para la venida de Cristo.

El efecto de este chasco puede ser percibido solo por aquellos que lo experimentaron. Los creyentes en el advenimiento fueron severamente probados, con diversos resultados. Algunos se apartaron y renunciaron a todo, mientras la gran mayoría continuó enseñando e instando que los días habían terminado, y que el deber pronto sería claro. Todos, excepto esta última clase, virtualmente rechazaron su anterior experiencia, y en consecuencia quedaron en la oscuridad con respecto a la verdadera obra a la que el pueblo del advenimiento debía comprometerse.

Aquellos que creyeron que el tiempo era correcto, y que realmente había pasado, ahora volvieron su atención al examen de su posición. Pronto llegó a ser evidente que el error no estuvo en el tiempo, sino en el evento que sucedería al final del período. La profecía declaraba: "Hasta dos mil trescientas tardes y mañanas; luego el santuario será purificado". Habíamos enseñado que el santuario era la tierra, y que su purificación sería por fuego en el segundo advenimiento de Cristo. En esto estaba nuestro error, porque al examinarlo con cuidado, fuimos incapaces de encontrar nada en la Biblia para sostener tal posición. La luz comenzó a brillar sobre la palabra de Dios como nunca antes, y con su ayuda se llegó a una posición clara y bien definida sobre el tema del santuario y su purificación, por medio de la cual pudimos explicar satisfactoriamente el paso del tiempo, y el chasco que le siguió, para el gran estímulo de aquellos que se aferraban a que el mensaje era de Dios. La naturaleza de este trabajo impide que examinemos esa posición en estas páginas, pero referimos al lector a una obra titulada: "El Santuario y los dos mil trescientos días", publicado en la oficina de la Review, Battle Creek, Michigan.

También fuimos grandemente alegrados y fortalecidos por la luz que recibimos sobre el tema de los mensajes de los tres ángeles de Apocalipsis 14:6-12. Creemos plenamente que habíamos dado el primero de ellos —"Temed a Dios, y dadle gloria, porque la hora de su juicio ha llegado"—, que la proclamación de un tiempo definido, ese poderoso movimiento que levantó el mundo, y creó un interés tan general y difundido en la doctrina del advenimiento, fue un cumplimiento completo y perfecto de ese mensaje. Después del paso del tiempo de su venida, nuestros ojos se abrieron al hecho de que seguían otros dos mensajes, antes de la venida de Cristo: el segundo ángel que anuncia la caída de Babilonia, y el tercero dando una advertencia muy solemne contra la falsa adoración, y presentando los mandamientos de Dios y la fe de Jesús.

En estrecha conexión con la proclamación del primer mensaje, quedamos convencidos de que la caída de Babilonia indicada por la caída moral y pérdida del favor de Dios de las iglesias nominales que rechazaron la luz del cielo, y cerraron sus lugares de adoración y sus corazones a la doctrina del advenimiento, porque no tenían amor por ella, y no deseaban que fuera verdad.

El primero y el segundo mensajes se habían dado, la atención entonces se volvió al tercero, y se instituyó un examen de su naturaleza y pretensiones. Como ya se notó, contiene una advertencia muy solemne contra la adoración de la bestia y de su imagen, y hace destacar los mandamientos de Dios y la fe de Jesús. Por la expresión "mandamientos de Dios", entendemos la ley moral de los Diez Mandamientos, que ha sido reconocida por la iglesia de todas las edades como obligatoria para la humanidad, y que contiene aquellos preceptos morales que regulan nuestro deber a Dios y a los demás seres humanos. Que este fuera el contenido de un mensaje especial justo antes de la venida de Cristo, unido a una advertencia tan solemne, hace que sea aparente que la iglesia es negligente en el asunto, y que debe albergar algún error mayúsculo respecto de los mandamientos de Dios.

Un examen cuidadoso de la práctica de la iglesia revela el hecho de que no se observa el cuarto mandamiento, que ordena guardar el séptimo día de la semana como el sábado, cuando casi todo el mundo ha estado guardando el primer día. Por ello, existe la necesidad de una reforma en este asunto. Antes de que Cristo venga, su pueblo debe observar todos los mandamientos de Dios, y así estar preparado para la traslación.

Una investigación de las demandas del sábado, trae a la vista los siguientes hechos:

1. Dios en el principio santificó el séptimo día, y ningún otro, como el santo día de reposo, porque en él descansó.

2. Habiéndolo santificado, ordenó al hombre que lo recordara y lo guardara santo.

3. No encontramos registro de que se haya quitado la santidad de ese día, o que alguna vez se haya transferido su bendición del séptimo al primer día de la semana.

4. No encontramos ninguna sugerencia en la Biblia de que el hombre fue alguna vez liberado de la obligación de observar sagradamente el día en el que Dios reposó.

5. Nuestro Salvador, en su ejemplo y enseñanzas, reconoció las demandas del sábado, y declaró que "fue hecho por causa del hombre".

6. Los discípulos y apóstoles observaron ese día, al tener reuniones y predicaciones en él, llamándolo "el sábado [día de reposo]", y reconociéndolo como el día para la adoración cristiana.

7. El Nuevo Testamento uniformemente habla del séptimo día como "el sábado", mientras el primer día ni una vez es honrado con ese título.

8. La expresión "el primer día de la semana" aparece ocho veces en el Nuevo Testamento, y nunca en conexión con ninguna insinuación de que debe ser guardado santo, u observado como día de reposo.

9. Aparte de las Escrituras, encontramos en la historia confiable que la iglesia temprana observó el séptimo día como el día de reposo, hasta que, corrompida por la apostasía, comenzó a observarse el primer día de la semana, en acatamiento de las costumbres del mundo pagano, que observaba el *domingo* en honor de su dios principal, el sol.

10. El primer mandato definido alguna vez dado por un poder legislador para la observancia del domingo, fue el edicto de Constantino, un gobernante pagano, que profesó convertirse al cristianismo, y publicó su famosa ley dominical, en el año 321 d. C.

11. La Iglesia Católica Romana adoptó la institución del domingo, y la impuso a sus seguidores por medio de una pretendida autoridad del Cielo, hasta que su observancia llegó a ser casi universal; y los protestantes, al renunciar a los errores de la iglesia romana, no se han desvinculado enteramente de sus dogmas no bíblicos, como lo demuestra la observancia general del domingo.

A la luz de los hechos recién citados, el mensaje del tercer ángel asume una importancia que le da derecho a la atención seria e imparcial de todos los creyentes en la Biblia, y especialmente de los que profesan estar preparándose para encontrarse con el Señor en su venida. Y cuando se presenta a la atención de los que habían dado los dos primeros mensajes, los que avanzaban en el consejo de Dios, y reconocían su mano en la obra hasta entonces, y en el chasco que fue en sí mismo el cumplimiento de la profecía, alegremente abrazaron la verdad, y comenzaron a guardar el sábado del Señor. Aunque al principio la luz sobre este tema no fue ni la décima parte tan clara como lo es actualmente, los humildes hijos de Dios estaban listos para recibirla y andar en ella.

Desde ese tiempo, el progreso de la obra ha sido firmemente hacia adelante. Surgió en una oscuridad relativa, fue rechazada por muchos que alegremente abrazaron el primero y el segundo mensajes, fue presentada al principio por muy pocos predicadores, luchó con la necesidad y la pobreza, contendió con la oposición de muchos y los prejuicios de todos; gradual y firmemente se abrió camino hacia arriba, bajo la bendición de Dios, hasta que ahora se encuentra sobre un fundamento firme, presentando una cadena conectada de argumentos y un valiente frente de verdad, que se recomienda a la consideración de los sinceros y reflexivos dondequiera se predica el mensaje.

Ya hace 23 años desde que comenzamos a guardar el sábado del Señor, y desde ese tiempo procuramos enseñarlo a otros, tanto en privado como en las labores públicas, junto a la chimenea en casa, como desde el púlpito sagrado. Hemos presentado esta y otras verdades similares en Nueva Inglaterra, muchos de los Estados Occidentales, y en el Canadá, y nuestras labores han sido bendecidas al ver a veintenas y centenas volverse de las tradiciones de los hombres a la observancia de todos los mandamientos de Dios.

Por medio de los incansables esfuerzos de nuestro estimado hermano, el Pr. Jaime White, y su compañera, quienes fueron pioneros en esta obra, ahora está establecida en la ciudad de Battle Creek, Michigan, una Oficina de Publicaciones bien provista, de propiedad de la "Asociación Publicadora Adventista del Séptimo Día", y controlada por un cuerpo corporativo que se ocupa de la publicación de este mensaje. La Asociación utiliza dos prensas a motor para realizar su tarea, y publica "The Advent Review and Sabbath Herald" [La Revista Adventista y Heraldo del Sábado] cada semana, "The Youth's Instructor" [El Instructor de la Juventud] cada mes, "The Health Reformer" [El Reformador de la Salud"], cada mes, y una gran variedad de libros y folletos sobre diversos temas bíblicos.

Al concluir este trabajo, deseo expresar mi gratitud a Dios porque me ha permitido hacer una pequeña parte en esta grande obra; y aunque mi vida pasada ha sido variada y llena de eventos, es mi sincero deseo pasar el resto de mis días en el servicio de Dios, y para el avance de su verdad, y tener un lugar en su reino que viene pronto. Y que el lector y el escritor puedan encontrarse en esa morada feliz, es mi más ferviente oración.

Adventist Pioneer Library

Para obtener más información, visite:
www.APLib.org

o escriba a:
apl@netbox.com